Mme Arlette Servais
3025, rue Paquette
Saint-Hubert, QC
J3Y 4M1

D0363556

LES HOMMES
QUI MARCHENT

MALIKA MOKEDDEM

LES HOMMES
QUI MARCHENT

FRANCE LOISIRS
123, boulevard de Grenelle, Paris

Une édition du Club France Loisirs, Paris,
réalisée avec l'autorisation des Éditions Grasset & Fasquelle

ISBN: 2-7441-1401-4
© Ramsay, 1990.
© Éditions Grasset & Fasquelle, 1997, pour la présente édition.

Ce soir mon cœur fait chanter
des anges qui se souviennent
Une voix, presque mienne...

RAINER MARIA RILKE (*Vergers*).

CHAPITRE PREMIER

C'était un petit bout de femme à la peau brune et tatouée. Des tatouages vert sombre, elle en avait partout : des croix sur les pommettes, une branche sur le front entre ses sourcils arqués et fins comme deux croissants de lune, trois traits sur le menton. Elle en avait même aux poignets, ciselés en bracelets, et aux chevilles en kholkhales[1].

— Des bijoux pas chers que personne ne peut me voler, avait-elle l'habitude de dire en regardant ses mains.

Sèche, Zohra avait la démarche alerte, toute de grâce animée. Bras ballants, magroune[2] dansant, un pas, deux pas, foulées tissant le fil aveuglant des heures. Pendant des journées.

La position de son chèche était un excellent baromètre de son humeur. En colère, d'une chiquenaude, elle le repoussait au sommet de son crâne. Rouges, ses cheveux, de henné. Et rouge, sa fureur. Horizontal, enserrant sa tête de plusieurs tours disciplinés, au ras

---

1. *Kholkhale* : anneau en argent porté aux chevilles.
2. *Magroune* : sorte de cape en tissu fin et transparent.

des sourcils, le chèche s'ajustait à la gravité du ton et de la réflexion. Incliné sur un œil, la mine de Zohra et ses mots se faisaient chafouins. Un tiers dénoué, pendant sur sa nuque en un négligé savamment étudié, il traduisait l'allégresse ou la coquetterie. Il balançait doucement caressant ses épaules menues, au gré de ses séductions. Enlevé et brandi à bout de bras, il appelait chants et bendirs [1]. Chèche en cerceau, pris de folie autour d'un corps en arceau, ivre de plaisir.

Quel âge avait la bédouine ?

— Je suis née l'année de la très grande sécheresse. Une année sans une goutte d'eau ! affirmait-elle, péremptoire.

L'année de la très grande sécheresse ? Y en avait-il une dans le désert qui ne le soit pas ? Mais l'aïeule ne plaisantait pas. Non. Un voile d'ennui masquait ses traits.

— Servitude de sédentaires que cette préoccupation ! Contagion qui sévit entre leurs murs prison. *Y a ouili !* [2] ils mettent tout en chiffres, même la vie.

Comment envisager l'écoulement du temps dans un paysage aussi immuable ? Ici, on ne dit « l'année de ceci, l'année de cela » que pour marquer un événement. Néant derrière. Néant devant. Aucune limite ne résiste aux démesures du Sahara. Ici, les lumières effacent et brûlent les confins. Ici, l'espace et le ciel se dévorent indéfiniment. Configuration d'éternité qui rend caduques les durées. Temps d'une marche. Temps d'une douleur, d'une rencontre. Temps d'une pluie, renaissance de la terre. Temps d'une vie... Le temps n'est que l'une des métaphores de la survie des gens. Traversée à l'orée des songes qu'épuisent les marches.

---

1. *Bendir* : tambourin traditionnel.
2. *Y a ouili* : ô mon malheur.

Que consument le flamboiement des mots et les excès des imaginations.

Quand, taraudé par une insane curiosité, on la pressait de questions, Zohra haussait les épaules. Et pour mettre un terme au harcèlement, elle ajoutait avec dépit :

— Cela doit me faire soixante-quinze ans... Enfin... A peu près.

Elle eut soixante-quinze ans pendant des années. En avait-elle dix, douze ou quinze de plus ? Zohra n'en avait cure. Ce qui lui importait, c'était sa vie nomade. Ce qui la chagrinait, c'était qu'elle y avait été arrachée.

— L'immobilité du sédentaire, c'est la mort qui m'a saisie par les pieds. Elle m'a dépossédée de ma quête. Maintenant, il ne me reste plus que le nomadisme des mots. Comme tout exilé.

Prise par l'urgence de dire ce monde en voie de disparition, Zohra redonnait aux bédouins des départs et des haltes. Avec les tambours des ergs et leurs orgies de sable. Avec le silence scellé sur les regs.

Zohra était le désert.

Assise en tailleur devant la maison, les coudes appuyés sur les genoux, elle fixait l'horizon. Un sourire triste s'accrochait à ses lèvres. Son front se plissait sur ses tatouages. Elle semblait toute tendue vers un souvenir. Avec le souci de le retrouver intact. Peut-être de le magnifier un peu plus. Elle disait :

— Asseyez-vous donc. Détendez-vous. Dégustez un verre de thé à la menthe. Et surtout, ne me demandez plus mon âge. J'ai à présent celui de mes contes. J'ai la tête lestée de mots. Pris dans des tourmentes d'images, les mots peuvent devenir âcres, rances, un vertige, une danse, ou un trille dans nos têtes pareil à l'envol d'une multitude de youyous séraphins. D'autres sont violents. Comme habités en permanence par un terrible vent de

sable. Ils tourbillonnent en nous et cinglent nos
mémoires. Je voudrais vous dire leurs joies et leurs
peines. Je voudrais me décharger avant le dernier sommeil. Cependant, sachez qu'un conteur est un être fantasque. Il se joue de tout. Même de sa propre histoire.
Il la trafique, la refaçonne entre ses rêves et les perdi-
tions de la réalité. Il n'existe que dans cet entre-deux.
Un « entre » sans cesse déplacé. Toujours réinventé.
Sachez aussi que vos médisances ne feront que l'amu-
ser. Ou lui offrir matière à d'autres récits.
« Je vous aurai avertis !

— Fuyant les régions côtières, depuis la nuit des
temps contrées de prédilection des invasions successives, les nomades s'enfoncèrent de plus en plus vers l'intérieur des terres. Nous descendons de ceux-là, des
hommes qui marchent. Ils marchaient. Nous marchions. Brûlure de lumière au fond du regard. Peau tannée par la mitraille des vents de sable. Poussière jusque
dans l'âme... Nous marchions. Caravanes de thé. Caravanes de cotonnade. Caravanes de sel, mes préférées...
Imaginez. Imaginez un soleil là-haut, et un autre qui se
serait brisé sur le dos de nos chameaux. Ses étincelles
traquaient nos yeux, nous éblouissant de blancheur. Les
caravanes du sel restent pour moi un conte de lumière.
Je vous les dirai un jour... Une vie d'âpreté entre les
haltes harassées. Un monde où la pauvreté se parait
encore de majesté car elle puisait une espérance dans le
mouvement, dans l'effort physique des nomades. Si
ceux-ci éprouvent un tel désarroi dans la vie sédentaire,
c'est qu'ils y sont réduits à la passivité. A des rêves indi-
gents parce qu'entravés face à des horizons ouverts.

Mais ce ne sont pas les caravanes du sel que Zohra
racontait avec le plus de délectation. Non. C'est dans

l'histoire de Djelloul Ajalli, surnommé Bouhaloufa, « l'homme au cochon », que son art de conteuse prenait ses plus belles envolées. Combien de fois a-t-elle répété ce récit-là ? Connaissant son dédain pour toute sorte de comptabilité, personne ne se risquait à la taquiner sur ce sujet. Du reste, là aussi, qu'importaient les chiffres. Elle y mettait tant de cœur. Et les prouesses de sa narration faisaient qu'au seul nom de Bouhaloufa, son auditoire jubilait et se laissait déjà emporter par le même envoûtement que lors de la première fois. Belle revanche, quand on sait que les Ajalli avaient couvert d'opprobre « l'homme au cochon » avant de le bannir de la tribu. Zohra avait réussi à l'ériger en mythe pour leurs descendants.

Et Zohra déroulait l'histoire de Djelloul.

« Djelloul Ajalli était le frère de mon beau-père. L'oncle de mon mari, Ahmed le Sage. »

Dès son enfance, Djelloul se démarqua des garçons dont il refusait de partager les jeux. Les autres promettaient tous de devenir d'excellents cavaliers et guerriers. Djelloul, lui, était un solitaire, un rêveur. Mais dans ce désert, image même de l'outrance et qui exalte les pensées, on a une telle peur de l'imagination ! Oui, dans ce Sahara où les horizontalités tissent à l'infini des mirages propices aux songes hantés, où l'esprit a un besoin vital d'extravagance pour habiller les aridités, rêver, c'est faire montre d'un manque de bravoure et de virilité. Pire encore. C'est s'exposer à la tentation des djinns. De là à devenir soi-même un djinn, il n'y a pas un empan.

Un jour, un taleb [1] se joignit à la caravane qui prenait la route du sel sous un ciel chauffé à blanc et qui brai-

---

1. *Taleb* : maître, désigne habituellement le maître d'école coranique.

sait la terre rouge. Il désirait se rendre en Mauritanie. Djelloul fut immédiatement subjugué par cet homme qui écrivait des talismans et qui, à chaque halte, sortait un livre volumineux aux pages mitées : *Les Mille et Une Nuits*. Le garçon n'avait jamais entendu parler de l'écriture. Comment ces caractères inertes pouvaient-ils contenir tant d'histoires, d'intrigues, de combats et de beautés ? Les longues marches ne rebutaient plus Djelloul. Il caracolait à l'avant de la caravane, la tête pleine de récits d'aventures. De temps à autre, il rebroussait chemin et allait s'assurer que le taleb était toujours dans le groupe des hommes. L'oracle était là, les moustaches savantes et le regard vif. L'enfant avait hâte de voir l'homme de tête tourner son chameau vers l'arrière de la caravane et poser bât à terre, donnant ainsi le signal d'arrêt. Djelloul allumait alors un quinquet et allait vite rejoindre le docte personnage. Dans le cocon d'une lumière tremblotante, Schéhérazade, déguisée en vieil homme, tenait en haleine le petit garçon. Dans la khéïma[1], plantée en toute hâte pour quelques heures de repos, pendant que les hommes, comme pétrifiés par la nuit tombante, se tenaient accroupis et figés autour des braseros, dans le froid et le silence, Djelloul découvrait un monde de palais. Un monde jusqu'alors inconnu de lui. Il était ensorcelé par l'astuce de cette femme. Par la découverte du pouvoir et de la ruse des mots. Nuit après nuit, vaillants petits lutins, ils arrachaient quelques heures de vie à la mort ! Ils l'arrachaient, lui, à l'ennui. Un voyage exceptionnel.

Un matin, le taleb quitta la caravane et se dirigea seul vers El-Aïoun, emportant avec lui son ouvrage fabuleux et, surtout, la fin de l'histoire. Damnation ! Combien de temps avait encore tenu Schéhérazade ? Qui, dans ce

---

1. *Kheïma* : tente de nomade en laine et poil de chameau.

désert, pouvait le lui dire ? Personne. Djelloul ressentit
un vide insupportable, un marasme mortel. Alors il se
remit à traîner à l'arrière de la caravane et à réfléchir.
Il regardait les siens qui allaient comme sans cesse
aspirés par un horizon indifférent :

« Que cherchent-ils ? Le savent-ils au moins ? Tantôt
ils disent qu'ils vont troquer leurs marchandises. Tantôt
ils prétendent qu'il est essentiel de trouver un pâturage
pour les bêtes. Le nécessaire comme le fondamental
semblent toujours ailleurs. Qu'espèrent-ils ? Quelque
chose qu'ils n'atteindront sans doute jamais », pensait
Djelloul avec désespoir. Mais les autres ne se posaient
pas de questions inutiles. Ils marchaient du lever du
jour à la tombée de la nuit, enroulés de silence et
drapés de lumière. Quand ils étaient fatigués, ils dressaient un camp. Se nourrissaient de peu. S'accroupis-
saient et regardaient l'horizon ou le ciel. Et quand la
mort viendrait les surprendre, marchant sur les chemins de sable ou assis, le regard sombre, aimanté par
les scintillements des espaces, et quand leur pauvre
corps, vite desséché, deviendrait poussière, d'autres
marcheraient encore. Toute une vie. Leur marche per-
pétue le désert.

Djelloul se sentait devenir étranger aux siens. Et il
avait peur. La peur tordait ses entrailles. Mettait un peu
plus de tumulte dans sa tête. Transformait le désert en
cauchemar. Sable, solitude et soleil, jusqu'à la suffoca-
tion. Le garçon voulait vivre autre chose que des
marches ininterrompues. Avoir d'autres vertiges que
ceux des terres arides. Les mots écrits l'avaient marqué
de leurs arabesques. Des empreintes que le départ du
taleb rendait incandescentes. L'écrit, à peine entrevu,
était déjà un but à atteindre. Une soif inconnue. Djelloul en prit conscience avec une joie douloureuse et

devint plus taciturne encore. Il passait de longues heures à plat ventre sur le sable à dessiner, essayant de reproduire les signes conteurs de fables.

Un matin, alors que le soleil, encore loin dans le ciel, versait autour des kheïmas une lumière couleur d'étain, le froid réveilla Djelloul. Un froid qui griffait la peau comme une multitude d'aiguillons, grippait les articulations et déchirait le sommeil. Djelloul frissonna. Se retourna sur sa couche. S'enroula dans la couverture. Brusquement, une décision l'inonda de bonheur. Un présent étincelant, un diamant que ce petit matin déposa dans l'écrin de son esprit vidé par le sommeil. Il fallait qu'il apprenne à lire et à écrire ! Il devait en convaincre les siens. Il avait entendu dire qu'il y avait des medersas[1] chez les citadins du Nord. Ainsi pourrait-il percer le secret des histoires muettes. Ainsi serait-il lui-même dans des secrets qui égaieraient sa solitude. On était au début de la colonisation. Ceux qui comptent vous diraient sans doute « fin des années 1840 ». Lire et écrire ? Au sein du monde de l'oralité, pure extravagance. Depuis des siècles, personne dans le clan n'avait eu recours à l'écriture. Le Coran, on en savait juste les versets indispensables aux prières. Nos mœurs étaient empreintes du hadith[2]. Notre histoire ne se couche pas entre l'encre et le papier. Elle fouille sans cesse nos mémoires et habite nos voix... Mais l'original Djelloul, aux envies saugrenues, n'en démordait pas. Son obstination et son caractère inquiétaient.

De multiples djemââs[3] et divers avis égrenés autour des braseros finirent cependant par mûrir la réflexion.

---

1. *Medersa* : collège.
2. *Hadith* : recueil des actes et paroles du prophète.
3. *Djemââ* : (vendredi), réunion du vendredi, jour saint, et par extension toute réunion ou assemblée.

Acculé, le clan se décida enfin à satisfaire sa requête.
« Après tout, ce ne serait peut-être pas une si mauvaise
idée que d'avoir un taleb dans la famille », se conso-
laient-ils. Un homme sachant lire et écrire le Coran
— qu'avait-on d'autre à lire ? — pouvait même être très
utile. Il les protégerait contre le mauvais œil et les malé-
fices des démons. Sans oublier les gains obtenus par
des demandes de talismans. Hé, à défaut d'un preux
cavalier... Un beau jour, leur décision prise, ils plièrent
leurs khéïmas pour remonter vers le nord.

La tribu dressa son campement au-dessus de Méché-
ria, sur les hauts plateaux. Seuls quelques hommes
conduiront l'enfant plus au nord. Le reste du clan atten-
dra, loin du Tell, toujours malsain. Des roumis y ont
remplacé les Turcs. Ils s'accaparent les terres et chas-
sent les gens de leurs propriétés ! Il y a des révoltes et
des massacres, leur a-t-on dit. Quel siècle ! Les hommes
ne resteront en ville que le temps de confier Djelloul à
un taleb.
Après plusieurs jours de marche, ils arrivèrent à
Tlemcen. Raides dans leurs burnous, la dignité
farouche, ils scrutaient silencieusement les citadins.
« Curieux personnages que ceux qui vivent entre des
murs. Ils doivent y cacher bien des actes licencieux »...
Tlemcen était la ville des médersas, la cité culturelle de
l'Ouest algérien. Ils se renseignèrent sur la réputation
des diverses écoles. Leur choix se fixa sur l'une dont la
renommée résistait, leur assura-t-on, à toute épreuve.
Djelloul fut inscrit à celle-ci et confié à l'un des talebs.
Moyennant des dons conséquents, l'homme allait le
loger et parfaire son instruction. L'étrange vœu du non
moins étrange garçon ainsi exaucé, les hommes rejoi-
gnirent le reste du clan.
De temps en temps, en moyenne une fois par an, lors-

que leurs pérégrinations les ramenaient vers le nord des hauts plateaux, les Ajalli dépêchaient quelques hommes pour aller quérir Djelloul et faire une nouvelle offrande à son taleb. Le jeune garçon venait alors passer quelques jours au sein de sa famille. Chaque année, il lui semblait qu'il s'éloignait d'eux un peu plus. Les Ajalli en avaient aussi conscience. Qu'adviendrait-il de lui plus tard ? Allaient-ils pouvoir le réadapter à leur vie nomade ? Leur préoccupation à son sujet était grande.

L'enfant éprouvait de la vénération pour son maître, un homme affable, de grande culture, et savourait la vie citadine. Djelloul allait souvent musarder dans les ruelles de la médina et dans le souk. Les murailles roses et crénelées enserrant les jardins attisaient sa curiosité. Il s'en exhalait des effluves qui damnaient ses sens. Partout, lui semblait-il, régnait un parfum de femme inconnue. Chez lui, toutes les femmes n'étaient que sœurs, cousines, tantes... et, à de rares exceptions près, il ne voyait qu'elles. Délicieuse sensation que celle de l'étranger dans une cité. Chaque passante, cachée derrière son voile, était une énigme exaltante. La médina foisonnait des frôlements de leurs haïks. Ses ombres l'aimantaient. Les assauts du désir taraudaient son jeune corps. Il marchait dans le ksar. Odeur d'ombre fraîche où bruissaient des khassas [1] emperlées de rires. Odeurs de musc et d'ambre, contenus dans des fioles ajourées et portées entre des seins lourds. Djelloul s'asseyait devant le hammam, guettait la sortie des femmes, les respirait à plein, le regard enchanté, le corps frémissant.

Dix années passèrent. Djelloul était devenu un bel adolescent. Lors de l'un de leurs passages à Tlemcen,

---

1. *Khassa* : fontaine, jet d'eau.

les hommes furent outrés par son mode de vie et la dépravation dans laquelle il se complaisait de plus en plus. Ils l'avaient souhaité, sinon ascète, du moins sobre, versé dans le Coran et féru de hadith islamique. A l'évidence le garçon s'adonnait à la jouissance et se passionnait même pour la poésie du « Jahïli », l'ère d'avant l'Islam. L'« ère de l'ignorance », l'appelleront plus tard les musulmans. Mais, pour abjurée qu'elle fût pendant longtemps, jamais la poésie arabe n'avait été aussi riche et délirante, précisément parce qu'elle échappait encore au dogmatisme des religions monothéistes. Djelloul s'était plongé avec bonheur dans la liberté de ces poètes qui célébraient les nuits d'amour et de toutes les extases.

Voilà bien l'effet de ces cités fermées sur leurs hontes : les âmes faibles s'y vautrent dans la luxure, l'insanité y est élevée au rang de félicité. Il fut décidé d'éloigner sans tarder Djelloul. De soustraire ce rêveur à l'emprise d'un maître libertin. Aussi, et malgré ses véhémentes protestations, le ramenèrent-ils avec eux.

Chemin faisant, Djelloul sanglota longtemps sur cet arrachement qui saignait son cœur. Et la disparition de la belle cité, berceau de ses rêves, laissa ses yeux aveugles à toute autre chose. Allait-il être sevré à jamais du nectar de la poésie ?

La route fut interminable et monotone. Les cailloux des regs tranchaient les pieds. Tantôt, l'adolescent trottait en pleurant à côté de son âne. Tantôt, il le montait. Egrenant ses sanglots au rythme de son trot, il dardait des yeux chargés de fiel sur le dos des hommes qui se balançaient devant lui sur leurs chameaux. Comme il aurait aimé avoir le pouvoir de les transformer en pierres, là, sur cette terre calcinée ! Sans un regard de pitié, il rebrousserait chemin et repartirait vers la cité rose. Vers les parfums de femmes. Mais les hommes qui marchent étaient insensibles comme leur désert. Ils ne pensaient pas au chagrin qu'ils lui causaient, ils marchaient. La sueur coulait sur leurs visages burinés. Mouillait leurs chèches et leurs âbayas[1]. A travers les larmes de Djelloul, leur image tremblait comme un mirage.

Au deuxième jour de leur descente vers le sud, ils butèrent contre un marcassin. Sauvage ou domestiquée, cette bête est impropre à la consommation chez les musulmans. Quand elle surgit sur leur chemin, ils la tuent et la laissent en pâture aux chacals. Ou la donnent à leurs chiens. Ce jour-là, Djelloul s'interposa entre les hommes et le jeune sanglier. Il le prit dans ses bras et les regarda avec défi. Les hommes renoncèrent à le contrer de nouveau pour si peu. Ils tournèrent les talons et reprirent leur marche. Djelloul caressa longuement le marcassin avant de le reposer à terre. Puis, remontant sur son âne, il suivit les hommes. Un peu plus tard, il se retourna et vit le petit animal, groin au sol, derrière lui. « Il doit avoir perdu sa mère, il faut le secourir, sinon il va mourir », pensa l'adolescent attendri. Il fit aussitôt demi-tour. Les sacoches en alfa dont était bâté son âne contenaient ses rares effets personnels et quelques livres. Il y trouva à loger son protégé. Ignorant la grogne des hommes, il regagna ainsi sa famille avec ses livres et son cochon. Et dans la tête, les brasillements de l'interdite poésie.

Ses relations avec les autres hommes du clan retrouvèrent d'emblée leur discorde. Leur vie lui était insupportable. Les excès de leur univers aussi. Il leur préférait les ruelles des ksars où se dandinaient de

---

1. *Abaya* : robe en tissu léger.

blancs haïks[1]. Il voulait, au-dessus de sa tête, le parasol bruissant des arbres. Sur sa peau, la bénédiction de leur ombre. Dans ses narines, d'autres senteurs que celle de la poussière. A ses oreilles, le rire des catins. Mille péchés et même la damnation plutôt que la longue agonie qu'était l'existence des siens... Non, plus les fournaises de l'été qui laissent les corps échoués comme des outres vides. Plus ce froid incisif, à nul autre pareil, qui fondait comme un oiseau de proie sur le meilleur du sommeil. Plus ce vide en lui. Plus ce règne autour de lui de la pierre et de la poussière sous un ciel de métal. Plus ce silence...

Pourquoi continuer à supporter toutes ces souffrances ? Pourquoi les hommes restaient-ils accrochés à cet enfer depuis l'aube de la vie ? Leurs khéïmas sombres, aux petites ouvertures noires, avaient l'air de crânes carbonisés où béaient des orbites vides. Les rares épineux rencontrés sur leur chemin étaient comme des moignons calcinés qui semblaient prédire pour tous la même destinée. Et ces carcasses d'hommes et de bêtes découvertes par le vent ou par un chacal étaient de même augure. Les chairs grillées, à peine leur dernier frémissement éteint, se transformaient en débris sans rien connaître de la décomposition. Les os nus, piqués dans le sable, tels des doigts pointés vers les vivants, prenaient un aspect crayeux. Au moindre toucher, ils s'effritaient en crissant, comme s'ils poussaient un ultime gémissement avant de se fondre dans le minéral.

Djelloul se promettait de fuir ce monde. Il irait loin, très loin. Un rêve qu'il se gardait bien de révéler.

---

1. Voile blanc dont se couvrent les femmes en Afrique du Nord.

En attendant, Djelloul se tenait à l'écart des hommes et composait des poèmes. Son sanglier grandissait et le suivait partout. Quiconque osait malmener la bête s'exposait à sa fureur. Exaspérés par son attitude qu'ils jugeaient outrancière, les autres le surnommèrent Bouhaloufa, « l'homme au cochon ». Peine perdue, Djelloul recevait cette insulte avec la même morgue que s'il s'était agi d'une flatterie.

Un événement « plus grave » vint faire exploser la tension générée par cette situation. Que se passa-t-il au juste ? Zohra esquivait toujours habilement cette question. Elle disait seulement : « C'était grave, très grave. »

Ignorait-elle, elle-même, le fin mot de l'histoire ? La taisait-elle pour doter son idole d'un peu plus de mystère ? Comment le savoir ? Si l'on persistait à le lui demander, elle se montrait soudain écrasée par le fardeau du secret. Pendant un instant, la parole lui manquait. Elle promenait sur son auditoire un regard grave. Les secrets, s'ils risquaient d'éclabousser de quelque façon la dignité du clan, restaient jalousement gardés. Elle ne se privait pas de le rappeler. Avec l'emphase nécessaire.

Quoi qu'il en soit, à l'issue de cet événement enfoui sous le sceau du secret, Bouhaloufa fut banni de la tribu. Il bâta son halouf devenu adulte avec des paniers en alfa. Y chargea sa djellaba, ses livres, une guerba en peau de chèvre pleine d'eau et partit vers le nord-ouest, du pas décidé de l'homme enfin délivré. Sa famille ne devait jamais plus le revoir.

Plusieurs années plus tard, les Ajalli apprirent, par des caravaniers venant du Maroc, que Djelloul avait longtemps sillonné ce pays voisin. Il allait de ville en ville, nomade des cités à la poursuite d'autres félicités. Il butinait du plaisir et en nourrissait sa poésie. Les matins, assis dans le souk, une *meïda*[1] devant lui, il faisait office d'écrivain public. Le soir, il lisait des poèmes ou des contes chez de riches Marocains qui se le recommandaient. Et que devint le halouf de Bouhaloufa ? Il le suivait partout d'un pas « intelligent », portant la meïda et les livres. Aux hommes qui s'arrêtaient sur leur passage, intrigués par l'accoutrement de l'animal, Djelloul disait : « Par Allah, cette bête que vous voyez là était un noble cheikh nomade de la tribu des Ajalli. Il s'appelait Djelloul. La malédiction des siens le transforma, un soir de pleine lune, en halouf. J'étais là. J'ai assisté à la métamorphose. Depuis, je le traîne avec moi. Et les soirs de pleine lune, il retrouve l'usage de la parole et me conte son histoire. »

Certains hommes, apeurés, se sauvaient. D'autres, saisis par la légende, couraient derrière le halouf et le caressaient. L'animal devint célèbre dans les villes traversées. On l'appelait « Si Halouf Ajalli ». Sa mort endeuilla Bouhaloufa. Comme il n'était ni dans les mœurs, ni dans la sensibilité d'un poète d'abandonner la dépouille d'un si précieux compagnon de bohème, Bouhaloufa décida de lui donner une sépulture plus digne que celle qu'aucun Ajalli n'aurait jamais. Il enveloppa le corps d'un linceul en soie. En allongea la forme de telle sorte que l'aspect extérieur fût celui d'un corps humain, obtint de creuser une tombe dans le cimetière de la ville. Tôt le lendemain, il fit transporter son halouf vers sa dernière demeure. Et pour venger l'animal du tort que le Coran infligeait à sa race, il en fit réciter des versets par une meute de talebs, à la mosquée, la nuit même. Personne dans la ville ne sut jamais que, parmi les corps humains, ou ce qu'il restait de leur décompo-

---

1. *Meïda* : petite table basse.

sition, reposait celui d'un animal honni : « Si Halouf
Ajalli », béni par son maître et même par la mosquée.
« Te voilà livré à toi-même maintenant. Qu'Allah te
protège des hommes de l'au-delà s'ils ne diffèrent guère
de ceux d'ici-bas », écrivit Djelloul en épitaphe sur la
pierre tombale.

Se retrouvant seul, Djelloul s'en alla vers Bagdad,
capitale des Abâssides. Faisait-il un pèlerinage sur les
bords du Tigre en témoignage de son admiration pour
Haroun El-Rachid, cet illustre calife, philosophe, poète
et héros de nombreux contes des *Mille et Une Nuits* ?
Ou bien avait-il été emporté par les tourbillons d'un
parfum plus captivant que les autres ? Nul ne le sait.
Un mystère de plus au compte de l'homme au cochon.
Il arpenta le Moyen-Orient pendant plus de vingt ans.
Quand il revint au Maroc, c'était un homme riche. Mais
si sa tête était chenue son corps gardait encore toute sa
verdeur. L'origine de sa fortune constituait une autre
énigme. Djelloul s'établit à Oujda, ville proche de la
frontière algérienne. Il y acheta une ferme isolée, sur la
petite route qui, quelques kilomètres plus loin, pénétrait en Algérie. Djelloul ne prit jamais cette route qui
allait vers son passé. Mais elle était là, devant la ferme,
et serpentait à l'envi à l'ombre des gros caroubiers,
comme une possibilité offerte au bord de laquelle s'en-
sommeillaient ses regrets.

Lorsque enfin Djelloul prit une épouse, on offrit à sa
soixantaine argentée une jeune fille nubile. Mais, tout
de même, il n'eut que trois enfants : une fille qui mourut très jeune et deux garçons. Ses fils, Mohamed et
Hamza, fréquentèrent à leur tour la médersa. Il leur
parlait souvent de sa famille, là-bas dans le désert.

« Des gens droits et généreux, mais si fiers et durs !
Ce sont des hommes qui marchent. Ils marchent tant
que la vie marche trop vite en eux. Ils sont, sans doute,

à la recherche de quelque chose. Ils ne savent pas quoi et pressentent même qu'ils ne le trouveront jamais. Alors ils se taisent et avancent. Peut-être ont-ils l'intelligence des premiers humains qui comprirent que la survie était dans le déplacement. Celle des derniers hommes qui fuiront les apocalypses des cités. Celle des rebelles de toujours qui jamais n'adhèrent à aucun système établi. Maintenant je crois que leur marche est une certaine conception de la liberté. »

*
* *

Les frères et sœurs de Bouhaloufa restés dans la tribu, là-bas, dans les vents de sable, les invasions de sauterelles et la misère, se marièrent et continuèrent leur pérégrination à travers regs et hamadas[1]. L'un d'entre eux, Abdelkader, surnommé le Coléreux car il était habité par une rage qui obscurcissait son entendement, eut le malheur de mourir très jeune et de n'avoir, parmi ses six enfants, qu'un seul fils : Ahmed, le mari de Zohra. De l'avis de tous, Ahmed était « un homme sage ». Il avait hérité de son père et de son oncle leurs qualités respectives, leur abandonnant les défauts qui les avaient séparés. Il était réputé pour sa bravoure et sa beauté virile, comme son père. Mais, de ce dernier, il n'avait pas les terrifiantes colères qui le rendaient si injuste. De Bouhaloufa, l'oncle parjure, il avait la douceur, l'ouverture d'esprit et l'habileté. Il n'en possédait pas le caractère excessif et fantasque qui avait heurté son entourage. C'est pourquoi on l'avait surnommé « le Sage ». Et toute la tribu venait prendre ses avis et ses conseils. Ahmed avait promis à son père, Abdelkader,

---

1. *Hamada* : plateau pierreux des déserts sahariens (en opposition à erg).

sur son lit de mort où étaient déjà mortes toutes les fureurs de la vie, de tenter de retrouver ses cousins du Maroc. L'ostracisme n'était pas de mise envers les enfants de Bouhaloufa. L'heure était à la mansuétude, au renouveau des liens familiaux.

Ahmed et Zohra eurent trois garçons : Nacer, Tayeb et Khellil, et deux filles : Fatna et Nejma. Lorsque son fils aîné Nacer atteignit une dizaine d'années, Ahmed alla rendre visite à ses cousins à Oujda. Il trouva les deux fils de Bouhaloufa, Hamza et Mohamed, vivant dans le luxe et l'opulence. Ils habitaient deux grandes bâtisses au sein de leur propriété, et possédaient une écurie, une étable et un troupeau de moutons. Esclaves et métayers étaient nombreux à la tâche.

Ahmed alla se recueillir sur la tombe de son oncle mort depuis des années déjà... Là, sous quelques centimètres de terre, reposait donc ce parent excentrique dont il avait tant entendu parler et qu'il ne connaîtrait pas. Seul dans sa vie comme dans sa mort, il reposait à tout jamais loin des siens, en terre étrangère. S'il avait pu continuer à étudier à Tlemcen, si les autres avaient été moins intransigeants, si... Qu'Allah leur pardonne à tous. Je te promets, oncle Djelloul Bouhaloufa, d'aller incessamment à La Mecque. Devant la tombe de notre prophète, j'implorerai qu'il t'accueille au paradis et qu'il permette que je t'y rejoigne bientôt pour te rencontrer enfin. Je lui demanderai aussi de veiller sur nos enfants : que jamais ils ne connaissent le plus redoutable des maux, l'intolérance, cette vie qui s'ampute elle-même de ses richesses et qui ne se reconnaît plus qu'un seul chemin parmi des milliers.

Avant qu'Ahmed ne retournât vers les siens, ses cousins et lui se firent le serment de marier leurs enfants ensemble.

De retour dans sa tribu, Ahmed raconta à tous son

séjour et leur fit part de ses promesses au mort et à
ses enfants. Puis il se prépara pour son périple vers La
Mecque. Un trajet long, harassant et dangereux. Tant
de pays à traverser avant d'arriver en terre d'Arabie ! Ce
voyage, chacun le faisait selon sa fortune, à pied, à dos
d'âne, à chameau ou à cheval. Peu de hadjs [1] revenaient
dans leur famille après plusieurs mois ou années d'absence. La mort guettait nombre d'entre eux sur des chemins parsemés d'embûches.

Aussi, avant de partir, Djelloul mit-il de l'ordre dans
ses affaires. Les pèlerins, élus par le Seigneur, avaient
un pied au paradis sitôt leur projet formulé. Ils étaient
les seuls vivants à bénéficier du privilège insolite d'or-
ganiser leur propre âacha [2]. Et d'y assister ! Quand
parents et amis, le regard envieux et après maintes
recommandations et bénédictions les quittaient, ils
pouvaient partir sereins. La mort était alors en droit de
les surprendre n'importe où. Si, impatiente, elle s'emparait de ces hommes fourbus, couverts de sueur et de
poussière, les pieds en sang et terriblement seuls sur
des chemins cahoteux, avant qu'ils aient atteint leur
but, c'était pour abréger leurs souffrances. Pour
déjouer tous les pièges. Court-circuiter les tentations
d'abandon. Et les porter au plus vite dans la maison
d'Allah.

Ahmed le Sage partit donc un beau matin. Il quitta
sa kheïma, sa femme et ses enfants en compagnie de
Mahmoud, l'un de ses oncles. Toute la famille s'était
cotisée et leur avait offert deux chevaux.

« Deux beaux étalons d'un noir moiré », disait Zohra,
la dame aux tatouages sombres. Puis elle ajoutait avec

---

1. *Hadj* : croyant ayant effectué un pèlerinage à la tombe
du prophète.
2. *Âacha* : veillée funèbre, et aussi dernière prière du soir.

délectation : « Mon époux, Ahmed, fils d'Abdelkader le Coléreux, et qu'on appelait aussi le Sage pour ses vertus, était un si bel homme... Beaucoup de femmes du clan le convoitaient. Combien d'hommes de la tribu auraient été comblés de lui faire épouser, en secondes noces, l'une de leurs filles ! Il riait et leur répliquait en roulant sa moustache :

— Je ne suis pas fou, vous connaissez Zohra ! Elle détient un pouvoir redoutable, celui des mots. Dans sa bouche, ils sont savoureux ou tranchants. Ils sont ce qu'elle veut. Quelle autre femme pourrait se poser en rivale à celle-ci ? La malheureuse s'en irait pleurer auprès d'Allah avant la noce. Et puis, gare à la manière dont peuvent vous immortaliser ceux qui possèdent cette faculté ! Il est ainsi des âmes glorifiées ou ridiculisées depuis l'éternité. Pour ma part, ma seule prétention est de mériter l'oubli de la majorité des morts.

« Zohra, veille sur tes enfants et parle-leur de moi. Que Dieu te garde, Bent Slimane. Et vous deux, dit-il, s'adressant à ses deux fils aînés Nacer et Tayeb, veillez sur Khellil, votre mère et vos sœurs. Si je ne revenais pas, j'aimerais que Khellil aille apprendre le langage des roumis. Du moins auriez-vous ainsi quelqu'un capable de vous guider si la gourmandise de ces derniers venait à s'étendre aux marches de vos contrées. Tayeb, je compte sur toi pour t'en occuper. N'oubliez pas non plus que vous prendrez pour épouses des cousines d'Oujda.

« Il partit, poursuivit Zohra. Je restai immobile devant ma khëïma, à le regarder jusqu'à ce qu'il disparût à l'horizon. Deux hivers plus tard, Mahmoud est revenu. Seul. Mon Ahmed était mort sur le chemin du retour, terrassé par une fièvre, en terre de Libye. Dieu rappelle bien vite à lui ses bons sujets. Ahmed était mort mais je n'avais pas sa tombe. Un deuil ne peut s'accomplir sans dépouille et sans tombe. Alors c'est mon propre corps qui me semblait un cadavre. Pendant longtemps. Des hommes du groupe, déjà mariés, voulurent m'épouser. Il n'en était pas question. Je disais aux messagères : Quoi ? Vous ne voyez donc pas que je ne suis que la dépouille d'Ahmed ? ! Elles baissaient les yeux.

« Pour subsister, je travaillais la laine. Mes fils, Nacer et Tayeb, alors adolescents, m'aidaient beaucoup. La vie se traînait péniblement. Une existence vide où l'on ne respirait et marchait que pour ne pas mourir. Et pourtant, je voulais mourir. Poser à jamais le fardeau de mes os. Céder ma misère à la terre et recevoir son absolution de poussière.

« Puis, il y a eu la grande guerre, là-bas, en France. L'année quarante. Ah, je la connais, cette date-là ! Un caïd d'une tribu voisine vint nous en informer. Il recensa tous les jeunes en âge de combattre. Nacer, mobilisé, partit au front. Je ne comprenais rien au raisonnement des hommes. Pourquoi mon fils allait-il se battre pour ce pays, sur l'autre rive de la mer ? Cette terre n'était pas la nôtre. Ses habitants ne parlaient pas notre langue. Ne croyaient ni en Mohamed ni en sa religion. Rien ne nous rattachait à ce peuple qui occupait le Maghreb depuis si longtemps déjà. Oh, je n'avais pas eu à me plaindre d'eux. Jusque-là, je n'avais jamais vu ni un roumi ni une "tomobile". C'était un des derniers privilèges de notre vie nomade. Un siècle après leur arrivée dans le pays, nous leur échappions encore. Ce n'était, hélas ! pas le cas ailleurs. J'entendais toujours raconter des horreurs. Il y avait eu des émeutes et des massacres. On disait que, dans les villes, l'Algérien était l'esclave du roumi. Je priais Dieu de nous garder le plus longtemps possible à distance de ces drames. Après mon mari, c'est mon fils qui partait. J'espérais que ce dernier, au moins, me reviendrait.

« L'année suivante fut une année d'épidémies : variole, choléra, typhus s'abattaient sur le clan comme des sauterelles sur un champ de blé. La maladie empuantissait campements et douars. Son odeur écœurante habitait mes narines jour et nuit. Remugle de vomi, de vieille urine et de misère. La mort rôdait autour de nous sans relâche. Elle s'emparait des plus faibles de chaque kheïma dans les souffrances les plus atroces. Je la sentais là, comme une sentinelle devant la mienne. Elle me ravit mon père et mon dernier enfant, ma jolie Nejma. Cela ne semblait pas lui suffire. Je l'avais encore autour de moi. Toujours dans mes narines et dans ma tête ! Alors je sortais devant la tente et je l'apostrophais. Je hurlais. Je la fustigeais... Comme toutes les abjections dont je la couvrais me paraissaient insuffisantes, je prenais conscience de mon impuissance et de ma détresse. Alors je n'avais plus de mots. Pour rien.

« Le groupe en sortit bien amoindri. Les famines grossissaient les hordes de brigands et de gueux. Fort de toutes ces souffrances humaines, le malheur multipliait ces engeances. Un climat d'insécurité régnait désormais sur nos déplacements dont le périmètre rétrécissait de plus en plus, diminuant d'autant les aires de pâturages. Il y eut plusieurs années de sécheresse absolue. Comme les humains, les bêtes tombaient. Celles qui survivaient étaient tellement squelettiques qu'on ne songeait même pas à les sacrifier.

« En 1945, Nacer, qui avait été emprisonné en Allemagne, un pays encore plus lointain que la France, je crois, fut libéré et démobilisé. Il alla directement au Maroc, chez ses oncles. Il ne prit même pas la peine de venir nous embrasser. Il avait sans doute raison de fuir le terrible dénuement qui était le nôtre. Mais tout de même, nous abandonner comme ça, lui, l'aîné !

« Mai 1945 s'inscrivait dans toutes les mémoires, de façon hélas ! bien différente : la victoire et la joie pour les Français, Sétif et le deuil en Algérie. Quarante-cinq mille Algériens tués parce qu'ils avaient osé réclamer pour eux-mêmes la liberté. Pourtant beaucoup des leurs venaient de donner leur vie aux côtés des Français afin de la rétablir en France... C'est depuis cette date que les femmes de l'Est algérien ont troqué le blanc haïk contre un drapé noir. Noir d'une tragédie qui hantera l'œil roumi. Elle veillera à ce que la clémence du temps ne lui accorde pas trop facilement l'oubli de ces méfaits.

« On disait qu'il se passait des choses dans le Nord. Nous, nous vivions hors du temps. Nous n'avions de nouvelles que de loin en loin, par les caravanes arrivant du Tell que nous rencontrions au cours de nos déplacements. Par exemple, nous n'avons appris les événements de Sétif que plusieurs mois après leur déroulement.

Avec les représailles militaires et les expropriations, la famine était à son comble dans le Nord comme ailleurs. Je ne me sentais plus en sécurité nulle part. La plus grande des épidémies s'était abattue sur les nomades. Une épidémie paralysante. Celle qui mange la liberté, qui rétrécit l'horizon à des murs fermés sur eux-mêmes comme une tombe. Celle qui met du noir devant les yeux et dans la tête : l'immobilité sédentaire !

« Mon cadet Khellil avait déjà sept ans, il fallait le mettre à l'école, selon la volonté de son père. Je ne voulais plus me séparer de mes enfants. Ceux qui me res-

taient, je les voulais près de moi. J'avais trop peur de les
perdre. Avec mon fils Tayeb, nous prîmes la décision de
nous installer à El-Bayad. C'en était fini de la vie
nomade. J'avais l'impression d'enterrer ainsi le meilleur
de moi-même. La condition sédentaire a cet aspect figé,
définitif qui me désespère. C'est un peu de mort qui
vient parasiter la vie. Finies ces longues journées où,
harassé et la tête vide, on allait, à pas d'automate, jusqu'au bout de soi-même. Au bout de nos peines, surgissait une oasis et le sable de ses dunes, fortune pour le
corps perclus de lassitude. Parfois même, un mince filet
d'eau dans lequel se jetaient les enfants avec allégresse.
Le bonheur ! Un matin, on repliait nos kheïmas et on
repartait. Comme si la vie ne valait que par le poids
de ses pas. Comme s'il était indispensable d'anéantir le
corps pour grandir les mirages de l'arrivée. Comme si
nos foulées étaient nécessaires à la lumière. Cette
lumière si intense, qu'elle était, pour nous, comme une
quintescence de regards. Les regards de toutes ces
générations de nomades qui, depuis des siècles, marchent et passent dans le désert sans jamais laisser
aucune trace. Seuls leurs regards semblent toujours
habiter la lumière. C'est pourquoi celle-ci est si ardente.
C'est pourquoi ceux qui marchent encore ont cette
étrange sensation d'une Présence qui veille sur eux. Elle
éloigne la solitude et, quand le corps vacille de fatigue,
tend un peu plus l'arc de la volonté, alors on se
redresse, et le pied qui trébuchait se presse. Comment
dire... dans cet ultime effort, on est gagné par une sorte
d'ivresse. On a l'impression d'accéder à une sorte d'immatérialité. De n'être plus qu'un rayon du firmament.

« Mon mari, ma dernière fille, mon père et beaucoup
des miens n'étaient plus là. A mes yeux, plus rien n'était

pareil. D'ailleurs, le groupe tout entier se disloquait
progressivement. Quelques familles s'installèrent à
Labiod-Sid-Cheïkh. D'autres, comme nous, à El-Bayad.
Nous découvrîmes les roumis et leurs "tomobiles". Ils
ne m'impressionnèrent pas.

« Tayeb trouva un emploi de jardinier chez des
colons. Mon fils jardinier ! Mais ceux-ci se montraient
aimables avec nous. Quand nous essayâmes d'inscrire
Khellil à l'école, on nous opposa que c'était "trop tard".
Trop tard pour un enfant qui avait la vie devant lui ?
Que signifiait ce discours ? Les immobiles s'ennuient
tellement qu'ils fractionnent même les journées comme
j'égrène les perles de mon chapelet pour prier. Et si l'on
va au-delà de leur temps emprisonné, ils disent : "C'est
trop tard !"

« Mme Perez, la femme du colon, parlait l'arabe. J'al-
lai la voir pour lui demander son aide. "Peut-être aura-
t-elle une clef pour la durée sédentaire, elle qui possède
tant de choses ?" m'étais-je dit. Mes considérations sur
le temps des citadins la firent rire. Elle me promit : "Ne
t'inquiète pas, Zohra, je te mettrai ton fils à l'école."

« Elle alla trouver le directeur et Khellil fut inscrit. Il
y avait très peu d'Algériens à l'école. Je n'étais pas peu
fière que mon cadet fût parmi eux. Je découvrais qu'il
y avait deux lois : l'une, esclavagiste, destinée à garder
sous tutelle les Tayeb et les Fatna, et l'autre faite aux
arrogances et aux souhaits de ceux qui régnaient. Pour
remercier Mme Perez de son amabilité, je lui offris un
couscous. Elle affirma que c'était le meilleur qu'elle
avait jamais mangé. Ensuite elle m'en redemandait
souvent. Je m'ennuyais et, n'ayant rien de mieux à faire,
je lui en préparais chaque fois qu'elle le désirait. La vie
dans une maison, même avec une porte toujours
ouverte, m'était très pénible. La seule présence des
murs m'oppressait. Dans une kheïma, un pan est si vite

relevé et, sitôt fait, les yeux rencontrent des visages amis. Du reste nous n'avions guère besoin d'ouvrir la kheïma aux insectes pour discourir et rire de tente à tente.

« A El-Bayad, je connus pour la première fois la solitude. Alors la nostalgie commença à me tarauder. J'essayais pourtant de me raisonner. Mais j'avais beau me dire que la nostalgie était de la même pâte que le temps immobile des sédentaires, qu'elle n'était qu'un piétinement, une rumination, un laps de vie volé, détourné... Il n'y avait rien à faire, le noir était là, en moi, germe du temps qui s'étirait comme une longue plainte muette. Sournoisement, il mordait les mots, troublait mes contes et mes récits. Il s'installait en nous tous comme une maladie incurable, le temps immobile des sédentaires.

« Khédidja, ma voisine, une femme pleine de générosité, me trouva ce jour-là à mes sombres pensées.

— Zohra, viens avec moi. Marchons jusqu'au M'rabet Sidi Lakhdar. Allons épuiser nos tourments. Au retour, je te ferai un bon bercoukès[1]. Je vous invite à dîner tes enfants et toi, veux-tu ?

« J'acceptai. La tendresse de cette femme m'était un baume. Sa gaieté me distrayait. J'étais en train de me préparer à me rendre chez elle quand la Perez est arrivée.

— Zohra, j'ai besoin d'un couscous pour une douzaine de personnes.

— D'accord, pour quand ?

— Pour ce soir.

— Je ne peux pas ce soir. Je vais partir chez ma voisine. Je suis invitée à dîner.

---

1. *Bercoukès* : variété de couscous à gros grains.

— Comment tu ne peux pas ! Tu refuses ?

— Si tu m'avais avertie plus tôt... Demain si tu veux.

« Elle devint écarlate et laissa exploser sa colère :

— Tu vas venir tout de suite !

— Je ne suis ni ta bonne ni ton esclave, madame Perez. Je te faisais du couscous parce que je le voulais bien et que tu me le demandais gentiment. Aujourd'hui, je ne me sens pas très bien. Je vais aller me promener.

— Ah ! Espèce de fainéante !

— Madame Perez, je ne travaille pas chez toi, moi ! Pourquoi me traites-tu comme ça ?

— Nomade ou pas, tu n'es qu'une sale moukère[1]. Tu devrais me montrer plus de gratitude ! Te crois-tu mieux que les autres, toi ?

— Sors d'ici !

« La rage tordant sa bouche, l'écume moussant aux commissures de ses lèvres, elle quitta les lieux. Le soir même, mon fils Tayeb était renvoyé de chez les Perez. Cela faisait près d'un an qu'il y était. Pour le maigre salaire qu'il percevait, on croyait pouvoir nous déposséder tous de notre orgueil et de notre dignité !

« Avec l'éclatement et la dispersion du clan, avait disparu aussi l'entraide familiale. Tayeb essaya de trouver un autre travail. Nous étions prêts à quitter El-Bayad s'il le fallait. Un jour, mon fils entendit dire qu'on embauchait dans les mines de charbon de Kénadsa, un petit village, à quelque huit cents kilomètres au sud d'Oran. Le terminus de la ligne de chemin de fer Oran-Colomb-Béchar, en plein désert. Nous connaissions l'existence de cet endroit car Bellal et Meryeme, les enfants de ma défunte sœur, s'y étaient établis depuis quelques années déjà. Tayeb partit prospecter. C'était

---

1. *Moukère* ou *mouquère* : dérivé de l'espagnol *mujer*, « femme » (ici péjoratif).

pendant les grandes vacances de Khellil. Si nous devions déménager, il fallait le faire durant l'été pour ne pas retarder sa scolarité et avoir de nouveau maille à partir avec le temps.

« L'idée que mon fils puisse descendre travailler sous terre m'était intolérable ! Je lui répétais : "Tayeb, ne va pas dans le noir de la mine, mon fils ! Promets-le-moi." Il promettait. Il faut dire que je ne le forçais pas, je voyais bien que c'était une terreur pour lui aussi. Mon pauvre Tayeb. Que savait-il faire d'autre que marcher ! Un bon marcheur, ça oui, et infatigable. Mais la marche, ça ne se vendait pas, alors il fit le gardien et le jardinier. Il était mieux payé que chez Mme Perez. Quelques jours plus tard, il vint nous chercher, Khellil, Fatna et moi.

« C'était en août 1946.

« Nous inscrivîmes Khellil à l'école. J'étais heureuse de retrouver Meryeme et Bellal, ma nièce et mon neveu. Depuis la mort de ma sœur, j'avais reporté toute l'affection que j'avais pour elle sur eux deux. J'étais très fière de Meryeme qui avait de si beaux enfants, et de Bellal qui était un homme instruit.

« L'année suivante, je demandai à Bellal de m'écrire une lettre pour mon fils Nacer, qui vivait là-bas, à Oujda. Il s'était marié avec sa cousine Zina, la deuxième fille de Mohamed Bouhaloufa. Tayeb était en âge de prendre épouse lui aussi, et moi je me sentais usée. La perspective de me retrouver, un jour, entourée de petits-enfants, me redonnait forces et espoirs. Je demandai donc à Nacer de choisir parmi ses cousines une femme pour son frère. »

*
* *

« Les noms et sobriquets forment un véritable sac d'embrouilles dans notre tribu. C'est sous le nom de

Bouhaloufa que Djelloul, avec la dérision qui le carac-
térisait, inscrivit ses enfants à l'état civil. Mais les
problèmes inhérents à cette dénomination, "l'homme
au cochon", n'apparurent que lorsque ses deux fils,
Mohamed et Hamza, devinrent pères à leur tour.
Hamza refusait d'affubler ses enfants d'une insulte en
guise de patronyme. Lui-même ne l'avait enduré que
par amour pour son père. Celui-ci n'étant plus là,
Hamza préférait épargner ses descendants. Comme il
ne se voyait pas non plus récupérer le nom de cette
famille qui avait rejeté son père, ses enfants s'appelaient simplement Bent ou Ben Hamza, c'est-à-dire
fille ou fils de Hamza.

« En revanche, son frère aîné, Mohamed, du même
caractère que son oncle Abdelkader le Coléreux, avait
mis un point d'honneur à conserver pour ses enfants le
nom "Bouhaloufa". Par dépit envers son frère, Mohamed poussait le zèle encore plus loin. Il imposait à sa
famille de ne plus l'appeler lui-même que Bouhaloufa.
Et restait sourd à tous ceux qui, par mégarde, osaient
encore prononcer Mohamed. Son prénom finit par
tomber aux oubliettes. Il était devenu pour tous Bouhaloufa le Deuxième. »

Plusieurs décennies plus tard, ce bouillonnant Bouhaloufa ne manquait pas une occasion d'admonester
ses proches à ce sujet. Il lui prenait parfois une telle
fureur qu'il terrorisait toute la ferme, gens et bêtes. Le
plus souvent, c'est lui qui quittait précipitamment les
lieux pour ne pas se jeter sur son placide frère. Les deux
hommes passaient alors une longue période sans
s'adresser la parole, ne communiquant, pour les
besoins de la ferme, que par personne interposée. Ces
querelles ne divisaient en rien leur famille. Bien au
contraire. Chacun y allait de son anecdote.

Cependant il y eut plus tard d'énormes problèmes, de succession entre autres, à cause de ce chassé-croisé de noms.

« En vertu du serment fait à son oncle Ahmed le Sage, Hamza accorda la main de son aînée à un neveu qu'il ne connaissait pas encore. Ainsi, durant l'été 1948, mon fils Tayeb épousa Yamina, fille de Hamza et petite-fille de Bouhaloufa. Yamina n'avait pas quinze ans. »

Bien évidemment, personne ne demanda à Yamina son avis. Elle dut abandonner une vie et un climat relativement cléments pour une existence de misère sous des cieux d'enfer. Elle n'eut droit, en guise de dot, qu'à quelques habits et bijoux. Les biens : terres et bêtes, étaient la propriété des hommes. « Vivante, ma mère n'aurait jamais accepté ce mariage. Elie m'aurait mariée dans une famille aisée à Oujda. »

Mais Yamina n'avait pas sa mère auprès d'elle. Elle ne l'avait même jamais connue. Répudiée peu après la naissance de sa fille, la jeune femme s'était laissée mourir de désespoir. Et l'infortunée Yamina trouvait peu grâce aux yeux de Zohra. Pour celle-ci, Yamina avait toutes les tares des citadines. Elle manquait d'endurance. Et surtout, elle ne savait pas travailler la laine ! Comment était-il possible qu'une femme, parvenue à cet âge, ne sût pas tout sur le métier à tisser et la laine ? A quinze ans... Presque une vieille fille ! « Moi, disait Zohra, à huit ans, ma belle-famille m'avait déjà accueillie en son sein pour m'habituer et me former. »

En revanche, Zohra avait toujours une pensée émue pour Saâdia, l'aînée de Bouhaloufa le Deuxième. Une bien triste histoire ! Certaines mauvaises langues disaient que la malédiction qui avait pesé sur Bouhaloufa frappait à nouveau sa descendance, comme une maladie qui atteint les racines d'un arbre finit toujours par la chute de ses feuilles. Zohra frissonnait à la pensée que le nom de Saâdia signifiait pourtant « l'heureuse » !

CHAPITRE II

Saâdia, la fille du deuxième Bouhaloufa, ne connut pas sa mère. Elle non plus. Beaucoup de femmes mouraient en couches payant de leur vie celle qu'elles donnaient. Leur disparition laissait les maris dans un tel état d'infirmité face aux devoirs ménagers qu'ils s'empressaient d'enterrer leur veuvage. Et se remariaient aussitôt. Bouhaloufa fils eut avec sa seconde épouse, Aïcha, deux autres enfants, Zina et Ali.

Saâdia était, de l'avis de tous, une enfant splendide mais très mélancolique. « L'amour d'une mère, c'est la lumière du destin que l'enfant reçoit avec son lait. C'est ce manque qui dévore le regard de la pauvre Saâdia. C'est lui qui lui donne cette sombre avidité. Une faim qui restera à jamais inassouvie », soupiraient ses proches.

Une autre infortune accablait Saâdia : l'hostilité de sa marâtre, Aïcha. Personne dans leur entourage ne comprenait pourquoi Aïcha, par ailleurs une femme de toutes les générosités, détestait autant cette enfant, la reléguant au rang d'esclave dans sa propre famille.

« Il m'arrivait de voler pour pouvoir me rassasier. Alors qu'il y avait tant de richesses dans la ferme ! » dira Saâdia plus tard.

Heureusement, Messaouda, la femme de son oncle Hamza, était là. Elle lui gardait toujours une part de nourriture et de tendresse. Si Aïcha et Messaouda riaient volontiers ensemble des éternelles querelles de leurs époux à propos du patronyme familial, Saâdia restait en revanche leur principal sujet de discorde.

— Aïcha, pourquoi martyrises-tu cette enfant ? Si tu continues, tu vas m'amener à me brouiller définitivement avec toi !

Ces remontrances n'aboutissaient, hélas ! qu'à des représailles à l'encontre de la fillette. Messaouda finit par s'en apercevoir et cessa ses reproches.

Par crainte d'Aïcha, Saâdia n'osa jamais s'ouvrir à son père de ses tracas. Du reste, ce dernier ignorait tout de la réalité des relations qui régissaient son foyer. L'ordre y régnait. Il incombait aux femmes de le faire respecter. Et puis quoi ? L'ordre ne se conjugue-t-il pas avec l'apprentissage de la soumission pour les fillettes ? Celui du machisme et de la domination pour les garçons ? Si les hommes se voyaient contraints de s'en mêler, c'est qu'il y avait déjà une incartade. C'est qu'un quelconque péril risquait de menacer leur quiétude ou leur honneur.

« Maudite enfant. Tu as dévoré ta mère à ton premier cri », lui jetait souvent Aïcha à la face. Le ressassement de cette accusation précipitait Saâdia vers le cimetière tout proche. Là, elle pleurait de désespoir sur la tombe de sa mère, implorant son pardon. Au fur et à mesure qu'elle grandissait, elle devenait une enfant taciturne, fuyait la maison et passait de longues journées à errer dans la campagne loin de cette ferme hantée. Loin des accusations d'Aïcha. Parfois, elle prenait la petite route qui lézardait, comme elle, à travers champs. Saâdia marchait jusqu'au seuil de la tonnelle d'ombre épaisse

que tressait le feuillage des caroubiers qui, de chaque
côté, la bordaient. Elle s'asseyait là où s'arrêtaient les
arbres. Devant elle, la petite route, sortie de sa cachette
feuillue, s'enveloppait d'une résille d'insectes qui, dans
le feu du jour, brillait d'une multitude d'éclats fauves et
bruns. Traçait des méandres sur le galbe des collines.
Coulait avec les cabrioles du vent dans la fraîcheur
bleutée des vallons.

Pour Saâdia, cette route était un appel à l'oisiveté et
à la liberté. Elle épousait le trajet de ses rêves. A la
regarder, l'horizon se peuplait d'images. Une tribu
déroulait le désert sous ses pas. Les bâts des chameaux
étaient chargés de kheïmas pliées et d'objets mysté-
rieux. Hommes, femmes, enfants et bêtes avançaient
d'un même mouvement ample et lent dans un halo de
poussière et de lumière. Saâdia se sentait soudain
légère. Dans sa tête tintaient des grelots de rires. Le
sable lui chatouillait les pieds, lui donnait envie de courir. Elle se précipitait devant la caravane. Se retournait,
de temps en temps, pour l'admirer. Mais bientôt, une
piqûre d'insecte ou un bruit dans la campagne avoisi-
nante venait interrompre sa rêverie. Le regard de Saâdia reprenait son expression douloureuse au contact de
la réalité. Là-bas, l'horizon s'était effacé derrière de
grands eucalyptus. Mais au-delà de ces arbres aux
fleurs carminées, il y avait l'Algérie, le désert,
une tribu : la famille de son grand-père Bouhaloufa,
l'homme au cochon. Le monde nomade, Saâdia ne le
connaissait que par les histoires. Celle de Bouhaloufa
non seulement la fascinait mais l'apaisait tout autant.
Elle ne savait pas pourquoi. Est-ce parce que Bouhaloufa parlait du frémissement de ce regard dans la
lumière ? Parfois, Saâdia avait l'impression que, traversant le désert, ce regard venait se poser sur elle, parce
qu'il la reconnaissait... Plus tard, quand elle serait

grande, elle le suivrait. Il la guiderait vers les terres
nues. Vers les hommes qui marchent dans le silence.

Un matin, Aïcha se réveilla d'humeur massacrante.
Une fois de plus, Saâdia servit d'exutoire à ses aigreurs.
Pétrifiée sur sa couche, l'enfant fixait la femme qui
vociférait : « Arrête de me regarder comme ça ! Qu'est-
ce que tu attends pour aller me chercher de l'eau ? »
Une grosse cruche sur la tête, Saâdia sortit de la maison
et se dirigea vers le puits, inquiète et encore ensommeil-
lée. Dans la cour, elle trébucha, le récipient lui échappa
des mains et se brisa. La belle cruche, à laquelle Aïcha
tenait tant ! Une onde de joie vengeresse parcourut l'enfant, vite balayée par la peur du châtiment. Elle jeta un
bref coup d'œil vers la porte de la cour, restée grande
ouverte. D'un bond, Saâdia l'atteignit, la franchit et se
sauva. Mais ce petit matin encore immobile inaugurait
une journée funeste. Fuyant la haine, Saâdia tomba
dans la violence et l'abjection. Des décennies plus tard,
l'amertume et la colère se mêlaient encore dans ses
yeux et dans sa voix quand elle évoquait la tragédie de
ce jour :
« Je m'étais arrêtée à l'ombre d'un bosquet, au bord
de l'oued Sidi Yahïa. J'aimais bien cet endroit. Je m'y
sentais à l'abri. En m'y rendant ce jour-là, je pris
quelques fruits dans les champs. Assise au calme,
l'oued chantant à mes pieds, je dégustais ma cueillette.
Soudain, je vis surgir un homme. Il devait avoir l'âge
de mon père. Il s'arrêta à une vingtaine de mètres de
moi et me scruta. Il ne souriait pas, ne parlait pas. Il y
avait quelque chose de sinistre en lui. Je me levai pour
me sauver, mais mes jambes refusèrent d'obéir. La terreur me paralysait. Quand l'homme se remit à avancer
vers moi, je trouvai la force de reculer de quelques pas.
Mais il fendit l'air avec une rapidité surprenante pour

un corps aussi lourd. Des mains velues me saisirent, me jetèrent à terre. Je me débattis. Criai vainement. J'étais trop loin. J'ai toujours été trop loin de tout. Il me viola. Plus que la douleur qui me déchira le ventre, c'est un sentiment de révolte et de honte qui me fut le plus insupportable. J'ai furieusement désiré la mort. Là, tout de suite.

« Son méfait terminé, l'homme remit lentement de l'ordre dans sa tenue. Je gisais au sol et fixais avec hébétude le sang qui maculait ma robe. L'homme me dévisageait. Je tentai de me lever. "Ne bouge pas !" m'intima-t-il, le souffle court. Sa voix tenait du grognement animal. Une étrange lueur glaçait ses yeux. Je n'ai jamais pu oublier ce regard. Il me semblait sous l'emprise d'une sorte de démence meurtrière. Je compris soudain qu'il s'apprêtait à me tuer. Et je compris aussi qu'il serait vain de quémander sa pitié. L'épouvante et un regain d'instinct de conservation propulsèrent mon corps. Je m'enfuis éperdument. L'instant de surprise passé, l'homme se lança à mes trousses. J'entendais derrière moi son souffle rauque, haché. J'ai couru. Longtemps, longtemps. Un maquis avait fait suite au bois. Des épineux griffaient mes membres. Des pierres blessaient mes pieds nus. Longtemps. Longtemps. A un moment de ma course effrénée, je butai contre une branche basse et tombai. Une douleur fulgurante me vrilla la cheville. Je m'attendais tellement à ce que l'homme se ressaisisse de moi que j'éclatai en sanglots, désespérée. A mon grand étonnement, personne ne m'empoigna. Je me tus et tendis l'oreille. Rien. Mes yeux fouillèrent les alentours. Rien. Miracle, il ne me poursuivait plus ! Depuis combien de temps ?

« L'affolement de mon cœur jetait un tumulte dans ma tête et dans mes oreilles. L'été, à ses pleins feux, me brûlait gosier et narines. Me collait la langue au palais.

Je suffoquais. Après que mon cœur se fut calmé, je me
relevai. Boitant et grimaçant de douleur, je marchai
droit devant moi. J'ignorais où j'étais et où j'allais. Je
voulais seulement continuer à fuir. Fuir l'angoisse et
l'épouvante. La violence et la douleur. Fuir aussi les
assauts des cauchemars. Toutes les nuits, j'y voyais
mourir ma mère. Je me réveillais aux râles de son agonie. Et chaque fois ma mère avait un visage différent.
Un visage insaisissable qui multipliait mes hantises.
Oui, fuir tout cela. Me fuir moi-même et aller au-delà
de tout. Vers le néant. Je marchai longtemps, longtemps, l'esprit blanc de torpeur.

« En fin de journée, harassée, j'arrivai sur les berges
d'un ruisseau. Ma cheville avait triplé de volume. La
faim tenaillait mes entrailles. J'avais la sensation
d'avoir du sable dans la gorge. Du sable en feu. Je bus
longuement. Puis, je me laissai choir dans l'eau tout
habillée. Sa fraîcheur me revigora. J'y lavai ma robe.
Ensuite, je m'affalai au bord de l'oued. Lentement, la
réalité remontait en moi. Les conséquences de ce qui
m'était arrivé étaient terribles ! Comment revenir à la
maison après ça ? On me tuerait. Pas de doute. Alors,
où aller ?

« J'étais à ces sombres pensées, quand un léger bruit
me fit sursauter. En levant la tête, je vis arriver un
homme escorté de deux mulets. Je songeai un court instant à me sauver de nouveau. Je me mis debout. Mais,
fourbue et la cheville scellée au sol par la souffrance, je
ne pus que rester figée sous le regard ahuri de l'homme.
Celui-ci s'arrêta. Me considéra pendant quelques
secondes. Puis, maîtrisant son étonnement, dit :

— D'où sors-tu, petite ? On est à mille lieues de toute
habitation !

« Efflanqué, les jarrets burinés sous un saroual noué
à la diable, il avait des yeux... des yeux couleur de miel

sous l'ombre des cils sombres. Ces yeux-là non plus, je
ne les oublierai jamais. Très jeune, je lisais déjà les
regards. Ils disent parfois ce que l'esprit tente d'occulter. Ce sur quoi la bouche reste soudée. Ceux de cet
homme étaient sans malveillance aucune. Je n'y voyais
que du bon.

— Es-tu malade ?

« Je levai mon pied droit et le lui montrai. Il s'age-
nouilla devant moi, le prit dans ses mains et l'examina.

— Oh là là, j'espère que tu n'as rien de cassé ! Quand
es-tu tombée ? Mais d'où viens-tu ? Tes parents doivent
s'inquiéter.

« J'essayai de parler. Aucun son ne parvenait à sortir
de ma bouche. L'homme sentit ma détresse. D'une
main apaisante, il me caressa la tête.

— Calme-toi, petite. Calme-toi. Je vais d'abord soigner ta cheville et te donner à manger. On verra ensuite
pour le reste.

« Il alla décharger les mulets et les attacha à un arbre.
A l'aide d'un couteau, il coupa une palme au plus
proche dattier, débarrassa la tige de ses feuilles, en
tailla trois baguettes et revint vers son chargement.
D'un grand sac en toile, il tira un chèche, m'en entoura
la cheville, plaçant les baguettes en attelles.

— Il faut que cela te tienne le pied. Sans que ce soit
trop serré.

« Comme je ne répondais toujours pas, il dit en riant :

— T'es-tu foulé la langue aussi ? Tu n'es pas muette
au moins ?

« Je fis non de la tête.

— *El hamdou lillah* [1] *!* Alors qu'est-ce que tu as ?

« N'obtenant pas de réponse, il ajouta :

---

1. *El hamdou lillah* : Dieu soit loué !

— Je suis algérien. Je fais du commerce entre Oujda et les villages de l'autre côté de la frontière.

« Il continua à parler. Il me raconta son va-et-vient entre les deux pays. Sa voix me calmait, relâchait la tension de mon corps. Le nœud qui étranglait ma gorge se desserrait peu à peu. Brusquement, j'éclatai en sanglots. Une véritable délivrance. Je pleurais avec rage et volupté. Curieuse sensation. Désemparé, l'homme me regardait. Puis, dans un irrépressible élan, il me prit dans ses bras et me berça doucement, comme on berce un nourrisson. Je n'avais jamais pleuré blottie contre quelqu'un. J'éprouvais un sentiment de bien-être mêlé de douleur. Tous deux intenses. Puis de la honte, lorsque enfin me vint l'apaisement. J'essuyai mes larmes et me dégageai de ses bras.

« Pour cacher sa confusion, l'homme se leva et alla vers son chargement. Il revint avec du pain, du khlii[1], du raisin et un melon. Ma faim se réveilla à la vue des aliments. Je mangeai de très bon appétit. Les enfants ont ceci d'extraordinaire : taraudés par la faim, leur chagrin, aussi intense soit-il, est vite remisé à la vue de la nourriture. Les horreurs de la journée n'avaient pas altéré mon appétit. L'homme me regardait dévorant pain et khlii en souriant. Puis, il se mit à manger aussi.

— Dis-moi petite, que t'a-t-on fait ?

« Je sentis le feu me monter au visage. Diffuser dans mon corps jusqu'au bout des doigts. Les yeux rivés au sol, je lui racontai tout. »

Au récit de cette journée, Saâdia s'était remise à pleurer. Ce n'étaient plus ces sanglots en saccades qui avaient déconcerté l'homme, un moment auparavant.

---

1. *Khlii* : viande de mouton parfumée aux aromates et séchée.

Non. Des larmes silencieuses ruisselaient maintenant sur ses joues empourprées, faisant à peine chevroter sa voix d'enfant.

— Ya Allah, *ya Rabbi* [1], le misérable, l'abominable, le monstre !

Ce disant, l'homme martelait sa paume gauche de son poing droit comme s'il châtiait l'infâme individu.

— Ecoute, on le retrouvera ! Il paiera, je te le promets !

Le crépuscule rougeoyait au sommet des collines en face. L'ouate de la nuit montait doucement de la terre, à l'opposé. La trame du silence s'épaissit. Même les cigales se turent.

A peine son récit achevé, Saâdia sombra dans le sommeil. L'homme la regardait. Les yeux clos, le visage encore baigné de larmes et son petit corps appuyé contre une pierre, elle était pathétique, d'une beauté tragique. Un sentiment étrange remua l'homme. Il aurait aimé la reprendre dans ses bras. La bercer encore. Il s'en garda bien, de peur de réveiller son chagrin. « Une bien jolie enfant, déjà marquée par la vie », pensa-t-il. Il alla chercher son burnous. L'étendit sur le sable. Plia sa djellaba en oreiller. Recouvrit le tout d'un drap. Prit avec précaution Saâdia endormie et la coucha sur ce lit improvisé.

Ensuite, il fit ses ablutions et pria. C'était le âacha, septième et dernière prière du jour. Il pria longuement. Il avait su garder la foi malgré tous les malheurs qui avaient jalonné sa vie. Petit garçon, une épidémie de choléra l'avait dépossédé de ses parents. Voilà un peu plus de deux ans, il s'était marié avec une jeune fille gaie et douce, à peine plus âgée que Saâdia. Sa première grossesse l'avait emportée elle et l'enfant encore

---

1. *Ya Rabbi* : Ô mon Dieu !

dans son ventre. Dans ses prières, il n'oubliait jamais de solliciter la paix pour leur âme. Mais ce soir-là, c'est en faveur de Saâdia qu'allèrent ses supplications.

Saâdia se réveilla le lendemain au lever du jour. Elle ouvrit les yeux et admira pour la première fois la beauté du paysage. L'aube diaprait le ciel et moirait le ruisseau. Saâdia prêta l'oreille au murmure badin des eaux. Elle se leva et alla s'y laver. Puis, assise sur une pierre, le regard errant avec le vagabondage de l'eau entre les rochers, elle se mit à réfléchir. L'homme dormait encore.

— As-tu bien dormi ?

Saâdia se retourna, l'esprit préoccupé par son histoire. L'homme était assis sur sa couche.

— Au fait, quel est ton nom ?

— Saâdia.

— Et moi Mahfoud.

Après sa prière, Mahfoud ramassa du bois et alluma un feu. Sortit une petite bouilloire de ses affaires, la remplit d'eau et la posa sur l'âtre. Saâdia était toujours perdue dans ses pensées. Quand la bouilloire chanta, Mahfoud fit du thé. Sortit un pot de miel et du pain. Ils mangèrent et burent leur thé en silence. Saâdia mastiquait lentement tandis que son esprit fonctionnait avec vivacité.

— Ils doivent me chercher encore.

L'homme approuva de la tête et attendit une suite qui ne vint pas. Saâdia continua pour elle-même.

Elle risquait la mort si elle demandait à Mahfoud de la ramener à la ferme. Ou du moins la bastonnade de sa vie. Et l'humiliation et le mépris pour le restant de ses jours. Avec la bénédiction de tous, cette fois. Une fille ne passe pas une journée et une nuit dehors ! Aïcha appellerait immédiatement une matrone du voisinage

pour vérifier si elle était toujours vierge. Le regard de
Saâdia se porta sur l'homme. La veille, elle avait pleuré
dans ses bras, un peu comme dans ceux d'un père. L'esprit plus clair et perspicace ce matin, elle se rendit
compte que Mahfoud était jeune. A peine vingt-cinq
ans. S'il la reconduisait chez elle, dans un de ses redoutables accès de colère, son père Mohamed, le plus
Bouhaloufa de la lignée, le tuerait lui. Comment l'inno-
center ? Comment disculper un homme dont la seule
présence à ses côtés était déjà un crime ? Dans ce cas,
le clan familial s'érigerait en tribunal. Mahfoud était en
danger, lui aussi.

La virginité des filles, au soir de leurs noces, était un
précepte absolu de la tradition. Celles qui le trahissaient se condamnaient à la répudiation immédiate,
souvent à l'assassinat par le mâle « le plus courageux »
de leur famille. Les femmes se chargeaient elles-mêmes
de colporter nombre de ces drames pour terroriser les
petites filles. Gare à celles qui fautaient !

Buvant son thé chaud à petites gorgées, Saâdia ruminait tout cela. Soudain, elle se mit à parler, à penser
tout haut, sans regarder Mahfoud. Perplexe, celui-ci
prenait conscience de la complexité de la situation. Il
mesurait, lui aussi, toutes les conséquences de leur rencontre. Aurait-il dû la ramener sur-le-champ chez elle ?
Cela n'aurait sans doute rien changé à leur sort, désormais commun.

— Veux-tu rentrer chez toi malgré tout ? demanda-
t-il stoïquement.

— Non, ils me tueraient. Quoi que je dise, quoi que
je fasse, tout sera ma faute.

La terreur se lut de nouveau dans ses yeux. Mahfoud
connaissait bien ces rudes mentalités et leurs lois
d'airain. Il n'ignorait rien de la bêtise et de l'arrogance

érigées en dignité. Sa décision était prise. Il n'abandon-
nerait pas cette enfant.

— Alors partons vite !

Il chargea ses affaires sur l'un des deux mulets. Montant ensemble le second, ils quittèrent les lieux à vive
allure. En chemin, ils évitèrent toutes les aggloméra-
tions, et franchirent la frontière algérienne. Au bout de
quelques jours, ils atteignirent son village. Un petit
bourg entre Oran et Tlemcen.

Quelques habitants les regardèrent arriver avec
curiosité. Aussitôt la rumeur se déchaîna pour se transformer en inquisition. Prétextant l'achat d'un chèche,
d'une fouta [1] ou d'un morceau d'étoffe, les habitants du
douar venaient à leur rencontre, les uns après les
autres, raides de désapprobation. Mahfoud leur racontait que Saâdia était sa cousine. Qu'il allait l'épouser.
Les gens affichaient des moues pour le moins dubita-
tives. Mahfoud n'était pas de leur douar. Ni même des
contrées avoisinantes. Il était arrivé un soir, seul et taciturne, voilà bientôt deux ans. Il leur avait dit n'avoir
aucune famille. Comme si cela était possible ! Mais
jusque-là, il s'était montré tranquille et courageux,
alors ils l'avaient toléré.

Le soir, après un repas frugal, Mahfoud entretint
Saâdia de ses projets : il avait à livrer une marchandise
au village voisin. Il partirait dès le lendemain. Pour un
jour, deux tout au plus. Il y avait un puits dans la cour.
Et dans la demeure, de la nourriture pour plusieurs
jours. Saâdia promit de ne pas sortir et de n'ouvrir à
personne en son absence. A son retour, ils devaient
absolument se marier s'ils voulaient obtenir la paix.

---

1. *Fouta* : rectangle de tissu multicolore dont les femmes
berbères s'entourent les jupes en l'attachant à leur ceinture.
Serviette.

Face à l'inquiétude du regard de Saâdia, Mahfoud lui sourit : « Rassure-toi, nous ferons un mariage fictif. Juste pour parer au danger. » Et si, dans quelque temps, Saâdia le voulait vraiment pour mari... Ils verraient... En attendant, ils se partageraient les tâches quotidiennes.

— Es-tu d'accord ? demanda-t-il en lui tendant une main ouverte.

Ils topèrent, déjà complices. Le lendemain matin après le thé, il l'emmena chez une voisine couturière à laquelle il remit du tissu pour la confection de quelques robes. « C'est pour son trousseau. Nous nous marions la semaine prochaine », répétait Mahfoud de son air le plus convaincant. Cela n'empêcha pas la femme de jauger sans vergogne Saâdia en prenant ses mesures. Mahfoud promit de repasser très bientôt, puis ils se hâtèrent de rentrer.

— Promets encore de n'ouvrir à personne !

— Je te promets. Je ne suis pas folle. Tu peux partir tranquille.

— *Fi amen Allah*[1] *!*

Le lendemain, Saâdia attendit toute la soirée. A l'approche de chaque pas, son regard s'allumait, se vrillait au mur comme s'il allait le transpercer et voir au travers. Son cœur bondissait et cognait dans sa poitrine. Voix et pas s'éloignaient. La nuit finit par éteindre tout à fait le douar et fermer enfin les paupières de Saâdia. « Il viendra demain. »

La nuit suivante, Saâdia se répéta cette phrase en essayant de lui insuffler encore plus de conviction pour ne pas céder à la peur qui, tapie en elle, la guettait.

---

1. *Fi amen Allah* : reste dans la paix de Dieu !

« Il viendra demain. » Les deux nuits d'après et jusqu'à l'aube encore. En vain.

L'attente de Saâdia tenait de la fébrilité et de la déraison d'un oiseau en cage. Elle s'envolait vers l'espoir comme à ciel ouvert. Elle se fracassait contre les hauts murs de la cour et retombait comme une pierre. Avec une impatience, un entêtement qui tournaient au cauchemar, Saâdia espérait le retour de Mahfoud.

Au matin du cinquième jour, on frappa énergiquement à la porte. Saâdia se précipita pour ouvrir. Ce n'était, hélas ! que la couturière. Elle tenait dans les mains les robes requises.

— Mahfoud devait passer les chercher... Comme il n'est pas venu... Et puis je voulais m'assurer qu'elles tombaient bien.

Avant que Saâdia n'eût réalisé, la femme était dans la cour de la maison. Ses yeux fureteurs inspectaient les lieux, couvrant d'opprobre la fillette déjà au comble du malaise.

— Mahfoud n'est pas là, bégaya Saâdia. Voilà quatre jours que je l'attends. Je ne sais pas ce qui lui est arrivé.

La femme l'assiégea de questions. Etait-elle vraiment la cousine de Mahfoud ? Comment se faisait-il que ses parents l'aient laissée partir avec un homme avant de lui être mariée ?

La torture de ces cinq jours de solitude tourmentée avait miné la prudence de Saâdia. Elle céda au besoin de se confier à une femme. En pleurant, elle conta toute son histoire à l'inconnue.

— Ya Allah ! Ya Allah ! ne cessait de s'exclamer la couturière sans une parole de réconfort pour le désarroi de l'enfant. Puis elle partit précipitamment.

Dans la bourgade, les langues s'affolaient. Les jours de fournaise, seule la médisance parvient à sortir les gens de leur torpeur. Comme si l'exacerbation des cancans devait nécessairement compenser la limitation des mouvements des corps pour maintenir un flux de vie. Tandis que le soleil fanfaronne et règne en despote, les gens s'espionnent et s'emprisonnent dans des archaïsmes promus en coutumes pour se protéger des mœurs de l'envahisseur.

Saâdia avait pris conscience de son erreur. Elle n'aurait jamais dû se livrer à cette femme, ni même lui ouvrir. Mais Mahfoud allait revenir et tout rentrerait dans l'ordre. Tard dans la soirée, Saâdia entendit des hommes frôler et gratter la porte. Des rires fusaient. La panique tint Saâdia rencognée dans l'angle d'une pièce. Le lendemain matin, on frappa violemment à la porte. Il y avait plusieurs voix d'hommes. Saâdia ne répondait pas. Terrorisée, elle regardait les vibrations de la porte. On essayait de la défoncer. Une voix forte lui intima l'ordre d'ouvrir. La volonté chancelante, Saâdia céda. Comme une somnambule, elle se leva et alla tirer la clenche du loquet. Une horde d'hommes la bouscula et s'engouffra dans la maison.

Ils fouillèrent la demeure de fond en comble. Saâdia ne savait pas ce qu'ils cherchaient. Debout, à l'écart, mains derrière le dos et l'air aussi boursouflé que le reste de sa personne, un homme la toisait de haut. « Si El caïd, si El caïd », ne cessaient de dire, avec déférence, ceux qui l'accompagnaient. Saâdia savait les caïds tout-puissants... Mais à présent, elle n'avait plus peur. Proche de l'évanouissement, elle regardait les hommes s'agiter avec la distance de sa lassitude. Au bout d'un moment, ceux-ci s'assirent à même le sol pour se concerter. Surenchère des mots la condamnant, dont quelques-uns déchiraient l'hébétude de Saâdia. Le corps de la fillette tressautait sous leurs chocs.

« Cahba[1]... à enfermer au bordel... » Les regards des hommes ne la lâchaient pas. Gras, rosses ou chassieux, ils ne pouvaient la meurtrir davantage. Saâdia était déjà brisée. Mahfoud ne viendrait pas. Jamais plus.

Que s'était-il passé au juste ? Le corps de Mahfoud fut découvert, gisant au bord d'un chemin, non loin du village où il se rendait. Il avait le crâne défoncé. On ne retrouva ni ses mulets ni sa marchandise. S'agissait-il d'un crime crapuleux ou d'un règlement de compte ? La question resta sans réponse.

Les filles de famille sont jalousement enfermées. Grand-mères, mères, tantes, cousines... forment le premier rempart contre toute tentation de transgression. Cette avant-garde féminine est elle-même harcelée, suspectée et surveillée de près par les hommes. Frères, cousins, oncles et pères, des plus imberbes bambins aux vieillards les plus chenus, tous veillent à écarter le péché et le déshonneur. Alors quel sort réserver à cette fille qui, au mépris de leur tradition, se donnait en exemple de rébellion et de luxure ? Oui, quel recours contre une roulure qui, surgie du néant sous des apprêts ingénus, avait le front de venir couver ici sa souillure ? Ils n'allaient pas la laisser contaminer le douar !

Saâdia était une traînée. On l'enferma donc au bordel. Elle n'avait pas treize ans. De l'Algérie, ce pays tant rêvé, le pays des hommes qui marchent dans la lumière, « libres comme un regard », Saâdia ne connaîtra, pendant de longues années, que les bordels. Lieux d'incarcération du plaisir, tombeaux du désir. Les esprits étaient enfermés dans des conceptions éculées. Le moindre écart à la rigidité coutumière leur semblait

---

1. *Cahba* : putain.

un péril collectif. Expéditives et cruelles, leurs sentences ne s'embarrassaient guère d'équité. Un châtiment pour toute insoumission. Une « justice » sans plaidoyer.

Pendant plus d'une dizaine d'années, Saâdia n'eut aucune nouvelle de sa famille. De son côté, elle se gardait bien d'en donner. Toute missive, tout messager lui auraient valu une deuxième expédition punitive. Celle des siens. A Oujda, sa fuite était déjà une faute inexpiable. Quelle sanction pourraient-ils alors envisager quand ils la sauraient dans ce lieu ? Même sa mort ne pourrait laver un tel déshonneur. Qu'on l'y séquestrât n'était pas une circonstance atténuante. Elle l'avait mérité. Le calvaire qu'endurait Saâdia était donc irrémédiable. Elle était condamnée au péché à perpétuité. Elle appartenait désormais au monde des bannies. Elle le savait si bien qu'elle en était parvenue à gommer toute vie extérieure de sa mémoire.

Saâdia grandissait, se transformait. Sa mélancolie se muait en combativité et en défi. En détermination. Douleurs et mépris avaient trempé son caractère. Son corps et son esprit triomphaient de ce lieu de toutes les damnations. Lui opposaient leurs armes : charme, insolence et dérision. Et la poigne nécessaire. Car dans les « maisons closes » s'exacerbaient jalousies, haines, disputes... toutes sortes de violences habituelles à la promiscuité carcérale. Beaucoup de femmes s'y trouvaient réduites à la crainte et à la veulerie. Saâdia, elle, se battit maintes fois avec des hommes pervers qui avaient essayé de la brutaliser. A deux reprises, elle avait fait sensation en chassant de sa chambre deux malotrus et en les poursuivant jusqu'à la porte d'entrée avec de cinglantes railleries. Peu à peu, elle avait gagné et la paix et le respect de la collectivité.

Physiquement, Saâdia était devenue une longue femme brune. Des yeux démesurés, à la brillance liquide, attisée par le jeu des cils. Une fossette, joliment enchâssée à la pointe du menton que le moindre sourire creusait de sillons. Deux nattes noires encadraient son visage et s'animaient au rythme de ses mouvements.

Une solide amitié liait Saâdia à l'un de ses clients, un dénommé Kaddour. L'homme faisait du commerce entre l'Algérie et le Maroc. « Comme Mahfoud », se répétait souvent Saâdia avec émotion. Mahfoud, compagnon et complice d'une brève rencontre. Espoir brisé avant même que son esquisse ne se soit précisée dans les attentes de la fillette qu'elle était. Dix ans plus tard, Saâdia était toujours bouleversée par son souvenir. Lui, l'homme pieux qui aurait dû être invulnérable, puisque son prénom signifiait « le protégé de Dieu », avait péri de façon violente, l'abandonnant au mépris et à la vindicte d'une plèbe cruelle, aux idées rétrogrades.

Kaddour était un homme bon et de grande éthique. Un jour, Saâdia se laissa aller à lui conter son histoire. Quelques mois plus tard, Kaddour lui annonça qu'il se rendait à Oujda. Oujda ! Ce mot réveilla en elle bien des souvenirs. Des champs de blé qui frémissaient à perte de vue. De gros caroubiers dont elle aimait croquer les fruits encore verts et âcres. Des eucalyptus que la floraison transformait en flamboyants. Une petite route sur laquelle planait, comme un cerf-volant, le mirage des rêves d'une enfance qu'elle avait si peu vécue. Deux petites filles : Zina, sa sœur, et Yamina, sa cousine. Yamina était un bébé dodu et sage, qu'elle aimait prendre dans ses bras. Elle la serrait contre son cœur et vibrait d'une sensation douce-amère. Comme elle, Yamina était orpheline de mère. Cela la lui rendait plus proche, plus chère... Un grand vide, soudain, se creusa en Saâdia. Des besoins occultés, des échos étouffés lui remontaient du passé. Brusquement, elle se sentit seule, perdue. Encore une fois, trop loin de tout. Encore une fois, la proie du douloureux vertige qui la ballottait de rébellions en méprises, de rejets en incompréhensions. Saâdia avait toute confiance en Kaddour. Aussi lui demanda-t-elle de trouver une ruse pour rencontrer sa sœur Zina, seule, et lui donner des nouvelles. Mais qu'à aucun prix les hommes n'apprennent...

Après maintes recommandations tourmentées, Kaddour partit, laissant Saâdia fébrile, la tête pleine d'interrogations et d'appréhensions.

A l'entrée d'Oujda, Kaddour repéra facilement la ferme. Il continua néanmoins son chemin jusqu'au cœur de la médina. Là, il se mit en quête d'un galopin qui, sitôt que quelques sous tintèrent dans la poche de son saroual, prit avec entrain la route de la demeure des Bouhaloufa. Ce n'étaient pas tant les messages en eux-mêmes, que les ruses à trouver et les risques encourus pour parvenir à les transmettre à leurs destinataires, que les garçonnets des cités monnayaient. Leur jeune âge était un atout majeur. Après quelques jeux avec les fils de Zina, le garçon s'infiltra chez elle. Il s'assura de son identité avant de lui chuchoter : « Un monsieur t'attend demain matin dans la boutique de Boualem, le cordonnier du souk. Il a des nouvelles de ta sœur Saâdia. »

Zina ferma les yeux sous le choc. Etait-ce un ange, un melek, ce chérubin qui venait de lui susurrer ce que son cœur attendait depuis toujours ? L'enfant dut répéter son message deux fois, trois fois. « *El hamdou lillah,*

El hamdou lillah, « Dieu soit loué ». Bouhaloufa et
Hamza l'avaient tant cherchée pendant des mois, de
longs mois, avant de se résigner. Enlevée par un mar-
chand d'esclaves ? Ils n'osaient même pas formuler les
autres possibilités. Mais même tues, ces éventualités
restaient d'une telle horreur qu'ils l'espéraient morte.
Du moins, ainsi, échappait-elle aux souffrances et eux
à la hantise de voir jamais poindre à l'horizon le spectre
de la honte. Alors pour que Saâdia mourût tout à fait,
ils réunirent parents et amis pour un faste âacha. Après
le traditionnel couscous, une cinquantaine de talebs
avaient récité des versets du Coran. Toute sa vie, Zina
se rappellera cette veillée funèbre. Pas un instant elle
n'avait cru à la mort de sa sœur. Elle était même si
persuadée que Saâdia avait simplement fui la cruauté
de sa mère que ce âacha l'avait révoltée. Le chœur des
talebs exaspérait sa colère. Ainsi la société était avisée.
Ils n'étaient pas responsables de ce qui pouvait advenir
de Saâdia. Pas responsables ? Le regard accusateur de
Zina accrochait celui de sa mère. Elle ne pleurait pas.
Ne posait jamais de questions. Ne disait jamais rien à
Aïcha sur l'absence de cette sœur qui la faisait souffrir.
Elle savait son silence la pire des accusations. Quand
le souvenir de Saâdia remuait violemment en elle, les
yeux de Zina se faisaient si éloquents que sa mère en
était saisie de tremblement.

— Ma fille, tes yeux sont parfois comme la foudre,
ils brûlent ce qu'ils touchent !

Aïcha n'eut pas le loisir d'oublier Saâdia, elle non
plus. Le repentir distillait insidieusement son fiel, troublant ses jours jusqu'à son dernier souffle. Avant de
mourir, huit ans plus tard, elle confia à sa fille :

— Un tourment ronge ma conscience. J'ai été sans
pitié avec Saâdia. Si un jour tu la revoyais, dis-lui que
je l'ai reconnue. Dis-lui aussi que j'ai purgé ma peine

ici-bas. Dis-lui tes yeux, ceux de ta tante Messaouda et d'autres pointés sur moi, ces longues années. Dis-lui ma pénitence quotidienne. Si elle pouvait venir se recueillir sur ma tombe et me donner de vive voix son pardon, mon âme trouverait sans doute la paix dans sa vie éternelle.

A ce moment seulement, les yeux de Zina offrirent au regard implorant de sa mère leur absolution :

— Je la reverrai, mère. J'en suis persuadée. Je lui dirai... Mais elle t'a déjà pardonné, ça aussi, je le sais.

Zina passa la journée le cœur en émoi, disputant à la peur des hommes une légitime joie. A l'appréhension des révélations, l'éclat inaltérable d'un fait : « Saâdia est vivante, vivante ! » Zina avait hâte d'être au lendemain, de voir cet inconnu et d'apprendre la vérité. L'esprit en effervescence, elle alla trouver Messaouda, la femme de son oncle Hamza, et la mit dans la confidence. C'était trop d'émotion pour elle seule. Et puis, Messaouda avait toujours eu beaucoup d'affection pour Saâdia. Leur joyeuse complicité galvanisait les deux femmes. Elles ne furent pas longues à trouver une ruse. Mais chuuut... Le secret ne devait, à aucun prix, s'ébruiter et parvenir aux oreilles des hommes.

Pour une fois, les deux femmes allaient se rendre seules au hammam, sans les habituelles ribambelles d'enfants. Loin des regards, en cours de route, elles se sépareraient. Messaouda se rendrait directement au bain. Protégée par sa caution, Zina ferait un détour rapide par le souk avant de l'y rejoindre.

L'impatience donnant des ailes à son voile, Zina, la femme de Nacer, l'aîné de Zohra la conteuse, se rendit aux nouvelles. Assise sur une besace dans l'arrière-boutique du cordonnier, elle reçut l'histoire de sa sœur comme un dard dans sa gaieté. C'est d'une voix endolo-

rie et les larmes aux yeux qu'elle chargea à son tour
Kaddour d'une missive pour Saâdia. Sans omettre la
requête d'Aïcha sur son lit de mort. Puis, elle quitta le
messager non sans lui avoir dit toute sa gratitude. Le
sort infamant de sa sœur poignait sa poitrine. Cette
fois, Zina la pleura et, pressant le pas, s'en alla trouver
du réconfort auprès de la douce Messaouda. Les deux
femmes gardèrent le secret pendant des années.

Saâdia eut donc des nouvelles des siens. Pendant
qu'elle survivait hors du cours habituel des jours, la vie
avait continué à tisser des existences normales, cei-
gnant les unes de labeur et d'enfants, scellant les autres.
Ainsi Aïcha était morte. Ainsi sa cousine, la petite
Yamina, était à présent mariée et mère de famille. Ainsi
il y avait des alliances entre le clan d'Oujda et celui du
désert algérien ! Yamina et sa famille habitaient un village nommé Kénadsa. Kénadsa, quel drôle de nom.
Mais où était-ce donc ? « C'est en Algérie, dans le Sahara », lui apprirent les rares hommes qui savaient retrouver les terres dessinées sur du papier.

Yamina en Algérie. Saâdia avait tant envie de se rap-
procher d'elle. Et ces cousins, les Ajalli, dont elle avait
tant rêvé quand elle était à Oujda... Les rêves de son
enfance lui paraissaient plus inaccessibles que jamais.
Elle appartenait à un monde banni de tous les clans, de
toutes les ethnies ! Mais puisque les Ajalli habitaient le
désert... Il y avait peut-être là une chance. Au dire de
Bouhaloufa le Premier, les hommes y étaient si différents, à l'aune de leur site. Une contrée aussi excessive
ne pouvait pas ne pas marquer de son empreinte... En
dépit de toutes les difficultés, Saâdia se mit à espérer.
Et si elle se rapprochait de ces cousins ? Elle ne portait
pas le même nom. Elle ne pouvait donc pas leur nuire.
Saâdia demanda à être transférée à Béchar. Du reste,

l'idée de quitter définitivement ces lieux la taraudait depuis quelque temps. Sortir enfin vers la vie. Saâdia n'avait encore aucune idée de la façon dont elle allait s'y prendre. Mais cette volonté s'affermissait en elle et ne lui laissait pas de trêve.

Une matrone conduisit Saâdia vers Béchar. Un petit train aussi noir que sa fumée, mordant les rails avec des quintes de gros poitrinaire, l'emportait vers le désert. Elle n'avait pas imaginé que la distance fût si grande. C'était encore plus loin que le Maroc. Les yeux avides de Saâdia s'enivraient de paysages. Depuis plus de dix ans, ils n'avaient aperçu que le rectangle de ciel qui surplombait la cour de *Dar el kbirra*, la « grande maison ». Le dévidement infini des immensités plates et nues. Les cieux qui de partout les hantaient, repoussaient les horizons aux quatre points cardinaux, concentraient toutes les saisons, l'éternité dans l'intensité de leur bleu... Le désert était encore plus impressionnant que dans ses rêves d'enfant.

Mais les immensités restèrent accrochées aux fenêtres du petit train poussif. A Béchar, Saâdia n'eut droit, encore une fois, qu'à un petit rectangle de ciel. Elle n'avait fait que troquer une cellule, dont au moins la température était viable, contre une autre identique mais torride. Le désespoir se transformait en fureur. Pour sortir de là, Saâdia se sentait désormais prête à tout. Jusqu'à la mort : la sienne ou mieux celle des autres, les crétins qui jugeaient qu'elle n'aurait jamais qu'une vie de putain. Elle leur arracherait le sexe. Elle mettrait le feu à cette maison, à la ville. Elle briserait tout, jusqu'à s'ouvrir une issue ou s'y briser tout entière.

Saâdia refusait de « travailler », de s'alimenter, de discuter. Ordres, chantages, menaces, plus rien n'avait d'emprise sur elle. De mémoire de « maison » on n'avait

vu cela. La panique du mauvais exemple fit trembler
ceux à qui le commerce du sexe profitait. Comme
toutes les armes se révélaient inutiles, les garde-
chiourme, afin de prévenir toute contagion, faisaient
courir le bruit que Saâdia était devenue folle. Et, prétextant que les grandes chaleurs du désert avaient certainement eu cet effet néfaste sur elle, ils voulurent la
réexpédier vers le nord. Rien n'y fit. Plutôt mourir que
céder. La mort était certes la moins séduisante des
libertés. Mais liberté tout de même !

A court de suppositions et d'argumentations, on alla
quérir le docteur, un médecin de l'armée française qui
examinait régulièrement « les filles ». C'était un homme
grand et sec. Ses yeux très clairs lui donnaient une
apparence de froideur. Saâdia l'avait déjà vu une
fois. Imperturbable, il débitait inlassablement les trois
mêmes injonctions en arabe : « *Koh*, tousse », « *Goule*,
dis trente-trois », « *hal foumec*, ouvre la bouche », avec
un accent qui faisait pouffer les filles.

L'homme se planta devant Saâdia sans parler, avec
son air d'être ailleurs. La colère de la jeune femme
explosa une nouvelle fois. N'avaient-ils pas compris
qu'elle ne céderait à rien ni à personne ? Pourquoi cet
étranger avec sa gueule de chameau à qui le bleu du
ciel aurait crevé les yeux ? Elle n'était pas malade. Et
que pouvait entendre cet être glacial à la complexité
des mœurs arabes ? Elle claqua la porte sur son regard
impassible. Mais il la rejoignit. Elle découvrit avec stupeur qu'il maîtrisait parfaitement l'arabe. Il lui parla
doucement. Son drôle d'accent adoucissait les sons gut-
turaux. Sa voix n'était qu'un chuchotement. Ses yeux
perdirent leur désaffection, s'emplirent d'une douceur
attentive, persuasive. Il s'excusa. Il n'avait pas dormi de
la nuit : beaucoup de travail, des urgences, son confrère
malade... Elle gardait le silence. Il continua son dis-

cours de cette voix à peine audible comme s'il se parlait
à lui-même. Puis, il partit sans avoir obtenu d'elle un
mot. Mais le docteur Vergne, c'était son nom, revint
le lendemain, le surlendemain et tous les jours. A la
deuxième ou troisième entrevue, Saâdia s'ouvrit à lui et
lui relata comment, un triste matin, elle s'était retrou-
vée dans une Dar el kbirra, lui expliqua qu'elle s'y
asphyxiait, qu'elle préférait la mort à cette agonie.
Vergne l'écouta avec une expression étrange dans le
regard. Aucun homme depuis Mahfoud ne l'avait regar-
dée et écoutée de cette façon. Elle avait tout simplement oublié que cela pouvait se rencontrer. Jusqu'à
présent, les autres ne lui avaient témoigné, au mieux,
qu'une condescendante camaraderie. L'âpreté de sa vie
l'avait conduite à confondre compassion et affection.

Les autres n'avaient jamais éveillé dans sa poitrine ce
lent mouvement qui surprenait le souffle. Physiquement, Saâdia était solide, une force minée par le
manque de tendresse et d'amour. Elle le comprenait
maintenant et se mit à pleurer sans honte.

Vergne se leva sans rien dire. Les mains derrière le
dos, il arpenta la pièce pendant un long moment. Puis,
se postant devant elle, il dit :

— Saâdia, aie confiance. Je te sortirai de là, je te le
promets.

Vergne utilisa toute son autorité, tous ses appuis
pour libérer Saâdia de sa prison. Le fait qu'elle était
devenue encombrante et inquiétait les gérants de la
« grande maison » facilita sa requête. Alors on céda à
l'exception. Au bout de quatorze ans d'enfermement,
Saâdia retrouva l'air libre. C'était en 1953.

Un jour radieux. L'éblouissante lumière, une fête.
Une fête, les vastes terres. Une danse cosmique, le mouvement des dunes par l'azur retenu. Un songe, l'amble
des chameaux. Saâdia en était ivre. Oubliant toute pru-

dence, elle s'éloigna de la ville. Elle marcha longtemps, longtemps. Elle marcha pour éprouver charnellement, à chaque foulée, sa liberté. Et, quand ses muscles, tétanisés par l'effort, devinrent douloureux et refusèrent d'obéir, Saâdia se laissa choir sur le sable et regarda avec extase la fuite des horizons. Mais il lui faudrait sans doute plusieurs mois, plusieurs années peut-être, avant de ressentir cette sensation dont Djelloul Bouhaloufa parlait souvent. Ce regard dans la lumière. Ce regard hanté par les mémoires des nomades et qui semble veiller sur le désert.

Si Saâdia s'était sentie craintive au début de sa nouvelle existence, deux ou trois années de vie responsable lui avaient rendu son assurance. Un jour, elle adressa une lettre à son père et lui révéla toute la vérité. Mais seule Zina lui répondit, en se cachant des autres. Les hommes ne voulaient pas entendre parler d'elle. Sa vie innommable ne valait pas un tel tribut. Sa résurrection à Oujda les réduirait à des « nuques brisées ». Ils lui avaient confectionné et célébré une mort commode et propre. Qu'elle y reste donc.

Indignée, Saâdia leur adressa une seconde et dernière lettre : ils venaient de mourir pour elle, ses hommes, Bouhaloufa et Hamza réunis dans une même mort. Et ce deuil parachevait sa liberté ! La virulence de sa réponse ne lui apporta qu'une maigre consolation. Elle s'était enhardie à s'adresser à la lointaine famille d'Oujda parce qu'elle avait pris conscience que la distance était une garantie de protection et de sécurité. Mais elle se gardait bien de se manifester aux cousins tout proches, là, à quelque trente kilomètres. Cette proximité, qu'elle avait tant désirée, l'effrayait à présent. Et puis, elle ne supporterait pas d'être, une nouvelle fois, bafouée. Non, elle ne le tolérerait plus !

Ce fut encore Zina qui plaida pour sa sœur. Elle fit écrire à son cousin et beau-frère Tayeb pour le mettre au courant. Yamina, elle, ne se souvenait pas de Saâdia. Elle était trop jeune quand celle-ci avait disparu. Mais Messaouda, sa marâtre, lui en avait beaucoup parlé. La savoir vivante et si proche l'ébranlait. Tayeb était exaspéré. Que le sort ait été impitoyable envers cette fille c'était un fait... Mais permettre à une femme entachée d'un tel passé de franchir son seuil, il n'en serait jamais question ! Yamina aura la pudeur et la prudence de se taire. Sinon, elle risquait de briser leur mariage.

Zohra, la femme aux tatouages sombres, restait silencieuse et perplexe. Elle ne se mêlait pas à la querelle, refusait de prendre parti, de se prononcer. Mais l'existence et le destin de cette femme bouleversaient ses pensées.

CHAPITRE III

Kénadsa est un gros bourg de l'ouest du désert, à moins d'une trentaine de kilomètres de Colomb-Béchar. C'est là que le petit train noir, venant d'Oran, finissait sa course entre dunes et terrils. Avant l'ère du charbon, Kénadsa était renommée pour le rayonnement de sa zaouïa[1]. De partout du désert et même du Tell, on venait faire obédience aux descendants du cheikh Sidi M'hamed Ben Bouziane. C'est pour prendre contact avec cette famille influente, que Lyautey, dont l'armée avançait avec la construction de la voie ferrée, avait envoyé Isabelle Eberhardt en 1904. Isabelle passa les cinq derniers mois de sa vie dans cette zaouïa. Et mourut noyée par la crue de l'oued de Aïn-Séfra peu de jours après avoir quitté Kénadsa.

C'est beaucoup plus près des terrils que des dunes que Zohra et sa petite famille avaient trouvé à se loger au nouveau ksar El Djedid[2]. D'un ksar, ce quartier n'avait, hélas ! que le nom, et ne ressemblait en rien au

---

1. *Zaouïa* : établissement religieux tenu par une confrérie se prétendant de la lignée du prophète.
2. *El djedid* : le nouveau.

vieux ksar ramassé autour de sa zaouïa et de sa mosquée. Il n'en avait pas le dédale de ruelles qui tissaient une ombre épaisse, pailletée par les éclaboussures solaires des cours et des terrasses. Il n'en possédait pas les maisons en tob, ces briques qui offraient aux regards toute la palette des teintes de la terre, du brunviolet des anciens crépis au fauve ou à l'ocre de ceux fraîchement ravalés. Ni le crénelé des murs qui dentelait l'azur. Ni les jardins dont les potagers s'ornaient de grenadiers et dévalaient jusqu'au cœur frais et obscur de la palmeraie, autour de l'oued.

Le ksar El Djedid, lui, était bâti en dur. Mais dur était aussi le mépris avec lequel il avait été conçu en dépit de tout bon sens, au début de l'exploitation des mines de charbon. Rien n'y permettait au regard de se poser, au corps de trouver refuge et à l'esprit de s'évader. Il était livré aux enfers du ciel sans la pitié de la moindre petite ombre. Ksar de la misère et de la désolation. L'alignement des pâtés de maisons borgnes comme des taupinières traçait de larges rues faites pour les naufrages dans les torpeurs de l'été. Et alors que la terre déroulait à l'infini ses ors et ses cuivres, il avait été érigé derrière les deux plus gros terrils. Sans doute était-ce pour le dissimuler au reste du village, comme on essaie de cacher la honte dans les recoins les plus reculés de la conscience. Ou était-ce pour que le mineur, qui logeait là bien sûr, s'engloutît dans les ténèbres sans prendre le temps de penser. Et, lorsque le soir, il émergeait des gouffres terrestres, le noir l'accompagnait encore jusque dans sa demeure. Car le poudroiement de suie parachevait le sinistre d'une touche de fin d'incendie et épandait sa grisaille jusque dans les yeux et dans les têtes. Il n'y avait aucun commerce, pas un hammam, pas de puits dans le ksar créé par le roumi pour son bougnoul. Et pourquoi ksar El Djedid et pas village nègre, comme ailleurs ?

Zohra détestait ce lieu. Aussi, chaque matin, fuyait-elle vers le vieux ksar pour respirer un peu d'humanité. Un pas, deux pas. Avec allégresse, le pied retrouvait la plasticité du sable. Délivré de ce sinistre environnement, le corps recouvrait sa souplesse. Un pas, deux pas. Sans voile, un magroune vaporeux flottant sur sa robe à grands volants et les mains nouées dans le dos, Zohra marchait en rêvant. Un pas, deux pas. Tête haute, sens aux aguets, elle observait à la dérobée la vie des citadins. Quand aucun but précis ne les animait, les hommes se regroupaient dehors et attendaient, mollement, que passât le temps. Temps du silence. Silence des fantasmes, de l'inavouable. Un pas, deux pas. Dans le labyrinthe des ruelles, l'odeur de la terre que les femmes arrosaient et balayaient. Les senteurs de cannelle, cumin, gingembre, coriandre, menthe, carvi... atteignaient ses narines comme de capiteux embruns. Les couleurs des épices, juxtaposées en gros tas, et la terre sombre des murs... succession de teintes à ravir les yeux. Le gazouillis des enfants. L'appel du muezzin qui remuait les entrailles. Les femmes, secrètes, drapées de voiles noirs, se hâtaient comme les ombres du soir en rasant les murs.

Puis la dame aux tatouages sombres se dirigeait vers la palmeraie. On était en octobre, et les dattes avaient cet aspect luisant et fondaient dans la bouche avec une saveur de miel. Zohra aimait les palmeraies à cette époque de l'année. Avec leurs grosses grappes fauves ornés de palmes d'un vert satiné, les palmiers étaient comme des bouquets géants suspendus au ciel. Zohra souriait aux palmiers mais aussi à une pensée. Elle sera grand-mère ce mois-ci, peut-être aujourd'hui ! Ce sera un garçon. Elle l'appellera Ahmed, comme son mari. Et

peut-être serait-il aussi beau, aussi fort que son grand-
père. Elle le bercera dans ses bras en lui racontant les
caravanes du sel. Maintenant, elle était tout à fait heureuse. L'intense lumière gagnait en pureté. Zohra alla
acheter une grande grappe de dattes aussi renflées que
son envie, avant de rentrer.

C'est donc en octobre 1949, dans ce ksar El Djedid,
cet endroit calciné et sans âme, ce quartier de rebut,
que naquit par une nuit de pleine lune le premier petit-
enfant de la famille. Une fille !

Dame Zohra se renfrogna et foudroya du regard la
citadine qu'elle avait pour belle-fille. Pourtant un crescendo de youyous déchira la nuit et piqua la nouvelle
dans le sourire de la lune. Ce n'était, bien sûr, ni la
grand-mère Zohra ni les voisines qui annonçaient la
joie au douar. Non. On ne s'égosillait pas en youyous
pour la naissance d'une fille ! « Quand ma mère était
jeune, disait souvent Zohra, il y avait encore des
familles qui enterraient les filles à leur premier cri. Il
n'y avait pas de place dans leur vie pour les bouches
inutiles », prétendaient-elles. Aujourd'hui on ne tuait
plus les petites filles mais elles restaient toujours indé-
sirables. Une sorte de malédiction qu'on acceptait en
incendiant l'infortunée mère d'yeux furibonds et en
levant vers le ciel des bras impuissants. Même Zohra,
femme d'esprit et de tolérance, ne parvenait pas à se
défaire complètement de cette réaction. C'est la sage-
femme du village, une roumia nommée Bernard et que
tous appelaient « la Bernard », qui osa pousser un trille
de youyous acérés ce soir-là.

— Zohra, ne fais pas cette tête-là. Pas toi ! dit la Bernard, en tendant l'enfant à sa grand-mère. Je youyoute,
justement parce que c'est une fille et que c'est mon
anniversaire aujourd'hui ! Comment vas-tu l'appeler ?

— Qu'Allah te prête longue vie ! Je ne sais pas... Khédidja, comme ma voisine d'El-Bayad que j'aimais bien ou... Leïla peut-être, puisqu'elle nous vient de nuit ? J'avais surtout préparé un prénom de garçon, rétorqua-t-elle avec une pointe pour Yamina.

— Bon, eh bien, cette petite farceuse s'appellera Leïla. Leïla, Nuit. C'est joli, Leïla. Et c'est une bien belle nuit ! Et puis cela nous changera des Khédidja, Fatiha, Zohra... répondit la Bernard en riant.

Zohra opina. La Bernard ajouta :

— Dès qu'elle sera en âge de comprendre les civilités, elle aura intérêt à venir m'embrasser le jour de notre anniversaire. Sinon, gare à ma colère. Ce soir, j'ai dû abandonner mes invités et ma fête pour l'aider à venir au monde.

On bouda un peu Yamina, mais pas longtemps. La déception du premier instant ne résista pas à la vue du petit corps qui gigotait. Les visages les plus bougons ne purent bientôt réprimer leurs sourires. Tout compte fait, ils étaient très heureux d'avoir ce premier enfant quel que soit son sexe. Sa venue occultait la laideur des terrils, faisait oublier la faim. Et, à le contempler, à s'en occuper, Zohra avait moins le temps de penser au passé. Le regard rédempteur, elle répétait à sa belle-fille :

— Leïla deviendra rapidement une petite femme. Elle t'aidera, tu verras. Elle s'occupera de ses frères.

Yamina recevait avec grâce cette absolution. Elle venait de vivre une année bien triste, faite d'enfermement et de solitude dans une chaleur suffocante. De temps à autre, elle ouvrait la porte de la maison et regardait, désemparée, ce paysage désolé. Au nord, la montagne de charbon, lugubre. Au sud, à l'est comme à l'ouest, plus rien. De loin en loin, on distinguait seulement la petite masse brune, ronde et crépue d'une

plante éphémère, née de l'illusion d'une pluie et aussitôt calcinée par les flammes du ciel. On aurait dit de
petits hérissons foudroyés. Il y avait des dunes magnifiques et une belle palmeraie et un ksar où il devait faire
bon vivre... Mais c'était de l'autre côté du noir. De
l'autre côté de la malédiction. Yamina pleurait, silencieusement. Aussi était-elle ravie, elle, que ce fût une
fille.

— Quand elle aura quinze ans, je n'aurai pas atteint
la trentaine. Elle sera l'amie, la vraie sœur et la mère
que je n'ai jamais eue, s'encourageait-elle pour supporter les jours torrides.

Au septième jour, les vieilles femmes du quartier
mirent du henné sur le front du bébé et la bercèrent
d'incantations :

— Qu'elle soit merbouha[1]. Qu'à sa suite viennent des
garçons et de l'argent.

L'argent, les Ajalli connaissaient maintenant les douleurs de sa rareté. Dans leur vie nomade, ils ne prati-
quaient jamais que le troc. Tout était plus simple. A
présent, même pour se nourrir, il fallait posséder ces
bouts de papier aussi froissés et crasseux que la misère.
Zohra trouvait cela bien absurde. Echanger du sel
contre d'autres denrées alimentaires, ça oui ! Le sel
était le gemme de la vie, une magie de lumière, de caravanes et de légendes. Mais ces papiers « plus sales que
le visage d'un orphelin, plus mâchonnés et tristes que
le temps immobile des sédentaires ! » Et son pauvre fils
Tayeb qui s'échinait, la pioche à la main, dans la fournaise des jardins. Heureusement, il y avait Bellal, son
neveu. Un homme instruit qui, lui, gagnait relativement
bien sa vie. Il les aidait tant bien que mal car il avait,

1. *Merbouh(a)* : celui, celle qui porte chance ou qui a de la
chance.

lui-même, une si grande famille. Il fit une chose merveilleuse, Bellal, oui, vraiment. Un jour, il trouva
Yamina mêlant ses sanglots aux pleurs de son bébé.

— Que se passe-t-il ? Raconte-moi !

Yamina hoqueta de plus belle. Bellal, qui s'impatien-
tait, mit un moment avant de parvenir à lui arracher
quelques mots enchifrenés. Il dut s'accroupir et la faire
répéter pour comprendre la raison de son chagrin : elle
n'avait pas une goutte de lait. Depuis deux ou trois
jours, elle ne donnait à son bébé que de l'eau sucrée.

— Cela ne m'étonne pas que tu n'aies plus de lait
nourrie comme tu l'es !

Bellal la quitta précipitamment. Deux heures plus
tard, il était de retour, tenant en laisse une belle chèvre :

— Voilà une nourrice pour Leïla, dit-il en riant. Surtout, fais bouillir le lait avant de le lui donner. Moi,
j'apporterai tous les jours de la luzerne pour la bête.

C'est ainsi que le bébé qui, à quatre mois, s'était mis
à dépérir à vue d'œil, cessa de pleurer et reprit du poids.

Khellil était à l'école. Il travaillait très bien. Tayeb
faisait le jardinier, pour ne pas descendre dans la mine.
Un puits important venait d'être découvert, très loin, de
l'autre côté du village, là où commençait l'erg. Une
source aux limbes de l'aridité ! On disait que ce serait,
bientôt, l'un des plus importants châteaux d'eau de la
région. L'administration des mines projetait de
construire à proximité un atelier pour le matériel du
fond, des forges et des salles de sport. Tayeb fut chargé
de verdir le site qu'agrémentaient déjà quelques palmiers. Il y planta des tamaris et une quantité phénomé-
nale de roseaux... L'homme promu chef de l'atelier était
un roumi, bien évidemment, un dénommé Portalès.
Mais celui-ci n'avait rien de l'arrogance habituelle des
petits chefs. Etait-ce la perte de sa femme, survenue

peu de mois auparavant, qui l'avait ouvert aux autres
souffrances ? Peut-être sa nature, tout simplement.
Quoi qu'il en soit, il portait, dans ses yeux, la marque
douloureuse de l'absence. Le travail fini, tout le monde
se hâtait vers le village sauf Portalès qui retardait au
maximum le moment de rentrer chez lui. Au bout de
quelques jours, saisi par le désarroi de son regard,
Tayeb s'enhardit à lui proposer du thé. Les deux
hommes restèrent là, à siroter leurs verres jusqu'à la
tombée de la nuit. Ils se trouvèrent si bien ensemble
dans cette paix, loin du village dont ne leur parvenait
qu'une vague rumeur, que ce moment s'imposa bientôt
comme un rituel quotidien. Après le départ des
ouvriers, Tayeb et Portalès s'asseyaient et bavardaient
dans le crépuscule. Parfois, ils ne parlaient presque pas.
Ils restaient simplement là, à admirer la dune splendide
et la note rafraîchissante du vert naissant autour d'eux.
De verre de thé en parole anodine, de silence en confidence, le roumi et l'arabe devenaient tout à fait amis.

Un jour, Tayeb ne put résister à l'envie d'inviter Portalès à venir manger le couscous chez lui. Pour l'occasion, il se mit en frais et acheta un kilo de viande, rare
denrée. L'annonce de l'événement provoqua l'émoi de
sa maisonnée. Car, excepté la Bernard, qui passait de
temps à autre examiner la petite Leïla et boire un verre
de thé, Yamina et Zohra n'avaient aucun contact avec
le monde extérieur. Partager un repas avec un roumi ?
Quelle affaire ! Mais quand Portalès arriva, il salua et
s'assit comme elles en tailleur sur la natte d'alfa. Ses
paroles furent aimables et affable son sourire. Zohra en
oublia ses craintes. Le regard charmeur, elle lui narra
ses nomades avec un brio tel que la mélancolie de son
convive s'évanouit. Yamina s'attela avec zèle à lui préparer le meilleur des couscous. La nuit était bien avancée quand ils parvinrent enfin à se quitter. Portalès

n'attendit pas une seconde invitation pour revenir. Une semaine plus tard, il poussa la porte de leur dechra[1] et déposa devant les deux femmes un couffin contenant viande et légumes pour le couscous. Leurs sourires lui dirent qu'il était le bienvenu. Il passa la soirée avec la petite Leïla sur ses genoux en écoutant la vieille dame lui conter ses légendes. Et quand Yamina apporta la guessâa[2], ses yeux scintillèrent de plaisir.

Un jour, Tayeb revint très tôt du travail, le visage illuminé :

— J'ai un nouveau travail, mieux payé. On va déménager de cet endroit maudit !

Là-bas, au pied de la dune, la construction du château d'eau commençait. Portalès fit muter Tayeb au poste de gardien des lieux.

— Il y a de l'eau. Tu pourras cultiver des légumes pour ta famille et le site est si beau. Cela me chagrine de voir une femme aussi remarquable que Zohra vivre dans cet enfer.

La nouvelle réjouit la vieille femme :

— Gardien d'un puits ? Par Allah, un ancien nomade ne pouvait attendre mieux de la vie sédentaire ! ça me plaît, mon fils. Et puis on sera à part, seuls face aux regs et hamadas. Presque comme avant.

A cent mètres de l'atelier, on bâtit donc la maison du gardien. Oh, rien d'extraordinaire bien sûr, mais des murs chaulés, du ciment au sol et des fenêtres à toutes les pièces. Les volets et portes ? Quelques planches et trois clous, mais quand on les ouvrait, quel spectacle !

---

1. *Dechra* : maison pauvre, habituellement en briques de terre crue dont le toit est fait de palmes recouvertes de boue séchée.

2. *Guessâa* : grand plat, traditionnellement en bois, dans lequel on roule et sert le couscous.

Là, à cent mètres sur la gauche de la maison, le moutonnement de l'erg avait envahi et recouvert toute une colline. A mi-hauteur de la dune de front, émergeaient des rocailles d'un ocre soutenu qui paraient le mordoré du sable comme une ceinture de corail. Au sommet, une crête rocheuse blanche, creusée de cavernes, tel un diadème couronnant les rondeurs voluptueuses de la dune. Sur la droite de la demeure, de longs palmiers vrillaient dans l'azur leur houppe de jade en frémissant. Le ciel sans la poussière de charbon ? D'un bleu insoutenable, à damner le regard. On apercevait bien, là-bas au sud, l'un des terrils. Mais loin, rendu fantomatique par l'intensité de la réverbération. Ce n'était plus qu'une toile de fond dont le sombre faisait ressortir la splendeur de l'endroit. Un repoussoir aux cauchemars.

Dans le ksar El Djedid, l'eau leur était chichement distribuée par un camion-citerne. Là, il leur suffisait de tourner une manette dite « robini » et une source jaillissait d'une bouche de métal. Dans des rigoles fréquemment alimentées poussaient des roseaux dont l'intarissable murmure délivrait la tête des hallucinations du silence. Ils dessinaient des allées et délimitaient un grand espace, leur jardin. Bientôt, carottes, navets, fèves, courgettes, oignons, poivrons, safran, menthe, persil, coriandre... y poussèrent à volonté. Au-delà des besoins de la famille, de ceux de Portalès et de Bellal. Ils pouvaient même en vendre un peu, pour acheter de la viande.

Qu'un Arabe pût ainsi utiliser à loisir l'eau de la commune, voilà qui n'était pas pour plaire à certains pieds-noirs de l'atelier. Cette aubaine aurait dû profiter à l'un d'eux plutôt que d'« engraisser la marmaille » de celui-là. Ils n'allaient pas laisser cette situation se perpétuer plus longtemps. Mais Portalès ne se laissait pas déborder par les excès de langage. Il mit rapidement le holà aux despotismes et aux cupidités.

Le bonheur régnait dans la famille. Un bonheur presque complet. Pour le parfaire, il ne manquait plus qu'une descendance mâle. Le sort refusait encore de répondre aux attentes de la famille, aux suppliques de ses femmes. Le second enfant ? Une autre fille appelée Bahia. Cette fois, même la Bernard n'osa égayer l'atmosphère par l'insolente gaieté de ses youyous. On bouda longuement Yamina. Fi donc ! la citadine se faisait accoucher par une roumia pour ne mettre au monde que des filles ! Si elle continuait, la répudiation risquait de lui pendre bientôt au nez. Le problème, c'est que renvoyer Yamina à Oujda ou l'affubler d'une darra[1], une deuxième épouse, aboutirait à une nouvelle brouille des deux clans familiaux à peine réconciliés. Pas d'affolement ! Il n'y avait pas encore péril en la demeure. On verrait ça plus tard.

Yamina ne fut pas répudiée et n'eut jamais de darra. Le troisième enfant ne la livra pas à l'anathème, ce fut un garçon. Cinq autres le suivront.

Une joie ineffable comblait les adultes.

— Tu es une grande merbouha, ma fille. Après toi sont arrivés plusieurs fils. La fortune te suivra toute ta vie, s'entendra souvent susurrer Bahia.

A la naissance du premier garçon, Leïla n'avait pas quatre ans, mais elle en gardera un souvenir indélébile. D'abord parce que son esprit, cabré de nature, y perçut toute l'injustice : pourquoi les parents préféraient-ils les garçons aux filles ? Mais surtout, parce que celle-ci s'accompagnait d'un événement autrement plus important

---

1. *Darra* : « douleur », appellation utilisée par les femmes pour désigner les autres épouses de leur mari.

que la venue de ce petit frère qui mettait en ébullition toute la maisonnée seulement parce qu'il lui pendait, au bas du ventre, un petit morceau de chair plus fripé que le plus vieux des visages. Elle observait avec dédain l'appendice ridicule qui lui volait l'attention de sa grand-mère. Qu'avait-il de si extraordinaire ? Boudant la fête et ses nuées de youyous, ses premières rages et rancœurs au ventre, Leïla alla se réfugier dans le giron de la dune.

Du haut de son observatoire, Leïla dominait les alentours. Elle aimait venir là et surprendre scorpions, lézards, scarabées... Débusquer vipères et autres serpents, se faire délicieusement peur. Ecouter la rumeur du village. Rêver aux lointains. Beaucoup plus tard dans la matinée, elle vit son père de retour du ksar sur sa bicyclette. Malgré sa colère, elle ne put s'empêcher de le trouver superbe et drôle sur ses deux roues. Un grand chapeau rifain, doublé de tissu bariolé, jetait une ombre épaisse sur son visage. Des pinces à linge retenaient son pantalon haut sur ses jambes osseuses. Personne n'avait cette allure, mélange insolite du rude berbère du Rif et du nonchalant pied-noir. Alors qu'il était bédouin, lui. Et cette indolence de chameau ! Mais qu'avait-il encore ? Contrairement à son habitude, il pédalait avec hardiesse. Sa précipitation l'intrigua. Leïla dévala la dune pour aller à sa rencontre.

Sur son porte-bagages trônait un grand paquet soigneusement ficelé. Ses proportions jointes à la mine si importante de Tayeb portèrent à son comble l'excitation de l'enfant.

— Ah ! tu vas voir, tu vas voir ! C'est une chose magique. Elle ne respire pas, mais elle vit. Elle n'a pas de bouche mais elle parle et chante dans toutes les langues. Elle n'a qu'un œil de verre, un seul, mais si puissant, qu'il voit par-delà les terres, les montagnes et les mers, un peu comme Allah ! clama-t-il.

Que signifiait cette histoire ? Son père n'avait pourtant aucun don pour les contes, lui. C'était même un taciturne. La naissance d'un fils lui aurait-elle fêlé la tête ? Arrivé à la maison, Tayeb, la moitié du visage tapie à l'ombre de son couvre-chef d'où seul perçait son regard de fennec, et avec la suffisance d'un pacha, défit son paquet. Il en sortit une caisse en bois d'un joli brillant. Sur l'un de ses côtés était tendue une toile tissée. Tayeb brancha le fil qui en sortait à la seule prise de courant électrique de la maison. Aussitôt, un œil unique, globuleux, d'un vert phosphorescent s'alluma. Il se mit à clignoter et les darda d'un air médusé.

— L'œil perçant du Cyclope qui voit tout à travers le monde ! s'exclama le père avec emphase.

Puis, il tourna un bouton faisant jaillir paroles et musique. Il se rengorgea de la stupeur des siens, enleva enfin son chapeau et caressa avec délectation sa calvitie naissante.

— C'est une radio, c'est la TSF !

Il immobilisa le bouton sur une voix d'homme. Zohra le regarda avec inquiétude. Puis, se tournant vers sa belle-fille, elle lui cacha le visage d'un pan de sa robe. Tayeb éclata de rire :

— Oummi, rassure-toi. L'homme qui parle ne nous voit pas. Il ne nous entend pas non plus.

— En es-tu sûr, mon fils ?

— Ou Allah oummi [1] !

— Bon... bon...

Elle observa la « chose » sans se départir d'une moue dubitative. Puis soudain son regard s'éclaira :

— Alors montre-moi comment je peux écouter la

---

1. *Ou Allah oummi* : Par Dieu, je le jure, maman.

ville d'El-Bayad. J'aimerais bien entendre Khédidja,
mon ex-voisine.

Tayeb s'esclaffa de nouveau.

— Oummi, on ne peut capter que quelques stations.
Avec la TSF tu ne peux pas envoyer de paroles, ni recevoir celles de tes amies. Mais il paraît que cela sera
bientôt possible.

A l'évidence Zohra était trop intriguée pour laisser
prise à la déception.

— Alors c'est ça « Tisfe » !

Tayeb opina.

— Dis-moi où trouver des chansons de chez nous ?

Il lui indiqua l'emplacement des radios arabes : Le
Caire, Tunis, Tétouan. Reprenant son sérieux, il ajouta
du ton de la confidence :

— C'est la guerre en Tunisie et au Maroc.

Yamina restait silencieuse, les yeux rivés sur la radio.
Zohra hochait tristement la tête. Puis, assaillie par une
inquiétude :

— Oualadi[1], tu ne vas pas faire el boulitique, toi ? !

Tayeb eut un sourire énigmatique avant de s'esquiver
sans répondre. Zohra resta là à fixer bêtement le poste,
les pensées en proie au soupçon.

Chaque soir Tayeb écoutait religieusement la radio
en compagnie du fils aîné de Meryeme, de Khellil et de
Bellal. Ils baissaient au minimum le son et collaient
leurs oreilles contre l'œil vitreux. Lorsque Leïla passait
par là, turbulente, ils faisaient « chuuut ! » doucement,
un doigt sur les lèvres. Leïla entendait : « *Houna-el-
Cahira*, ici Le Caire » ou « *Houna London*, ici Londres ».
Ces manigances l'intriguaient beaucoup. Mais le reste
de la journée, la caisse magique vibrait de tant de

---

1. *Oualadi* : mon fils.

musiques qu'elle vidait sa tête de toutes les questions encombrantes auxquelles personne ne daignait répondre.

*
* *

En septembre 1954, la terre trembla à Orléansville, El-Asnam « Les Pierres ». L'œil vert pétrifia les Ajalli au sortir du sommeil. Il leur débita la nouvelle comme n'importe quelle autre banalité, avec la même expression hagarde.

— Convulsion de terre qui, comme d'un seul coup de pieu, sans tempête ni tonnerre, dans l'indifférence des cieux, précipite dans des fosses communes des milliers d'hommes. El-Asnam, à entendre ton nom, les générations futures auront encore d'irrépressibles frissons comme si tu portais en toi-même une perpétuelle agonie, chanta Zohra avec douleur.

Tantôt maudit, tantôt béni, « Tisfe » captivait Zohra. Parfois, elle essayait de s'en défendre, de lui échapper. Elle ne parvenait qu'à tourner autour de l'appareil en lui jetant des regards furtifs et boudeurs. D'autres fois, l'air songeur, elle le dépoussiérait avec douceur afin qu'il ne lui livrât pas, en vrac, toutes les douleurs du monde. Un peu comme lorsqu'elle câlinait l'un de ses petits-enfants capricieux pour tenter de le calmer.

— Pense un peu au temps qu'il aurait fallu à des caravanes pour nous apporter toutes ces informations que, d'un clignement de son œil stupide, Tisfe verse dans nos oreilles !

Dans la tête de l'aïeule, les nouvelles vibraient avec la rapidité des tremblements d'El-Asnam.

*
* *

Un mois plus tard, heureuse initiative, Tayeb inscrivit son aînée à l'école. Que se passa-t-il dans sa tête pour qu'il scolarisât sa fille, lui qui avait boudé sa naissance ? Quel miraculeux hasard le poussa à la mettre à la communale au moment où le coup d'envoi de la guerre d'Algérie était donné ? A une époque où, dans le désert, les Algériens commençaient à peine à scolariser les gar-çons. Pas, ou si peu, les filles ? Fallait-il y voir une riche influence de Portalès et de son frère Khellil, qui venait d'avoir son certificat d'études ? Ou bien était-ce la volonté de Zohra, qui se sentait toujours une dette envers cet oncle original, l'homme au cochon, banni de sa tribu en partie à cause de sa passion pour l'écriture ? Etait-ce sa façon de parachever la réhabilitation de l'homme par le crédit accordé à ce qui avait été considéré, en son temps, comme une lubie : apprendre à lire et à écrire ?

Khellil, son certificat d'études obtenu, était comme quelques autres Algériens de son âge, écarté du savoir. Il est vrai que l'état de servitude dans lequel les colons entendaient maintenir « la population arabe » ne pou-vait s'accommoder de la découverte par celle-ci de la Révolution française et du siècle des Lumières. C'était comme si on leur suggérait d'une voix doucement menaçante : « Petit bougnoul, travaille des mains, pas de la tête. Un petit métier à la mesure des petites gens. Juste pour manger un peu et garder la faim au ventre afin ne pas oublier le respect des grands. »

Heureusement, il y avait d'autres Français avec des pensées et des volontés différentes. Et pas seulement parmi les laïques. C'est grâce à des Pères Blancs, que Khellil put assouvir son besoin d'étudier. N'empêche, il avait conçu une grande amertume et ressassait à sa nièce :

— Des Algériens à l'école, il n'y en a pas beaucoup. Des Algériennes encore moins. Tu vas t'en rendre compte. Il faut leur montrer que nous pouvons être brillants.

Leïla ne comprenait pas tout. Ne saisissait pas la note de revanche qui vibrait dans sa voix. Mais elle acquiesçait cœur à cœur, parce que c'était lui. On lui acheta un cartable et des sandales. Sa mère lui confectionna une jolie robe. Et quand vint le grand jour, sa grand-mère l'accompagna à l'école.

Journée mémorable. Il leur fallut traverser le quartier français qu'habituellement elles contournaient pour se rendre au ksar, les jours de hammam. Devant l'école, Zohra lâcha la main de Leïla que d'autres mains poussèrent vers l'intérieur. Arcades blanches, rires, cris et pleurs mêlés. Petites filles aux jupons gonflants qui voltigeaient joliment. Têtes brunes, têtes blondes, battements des nattes ou chevelures floues... Tant de visages de poupées. Cette agitation soûlait Leïla, habituée au calme et à la solitude des dunes. Rencognée contre un pilier, elle roulait de grands yeux inquiets. Derrière les grilles refermées, se tenait encore sa grand-mère, un sourire encourageant sur les lèvres. Plus loin, assis à califourchon sur son vélo, son père discutait avec d'autres hommes. Inutile de chercher le réconfort de ses yeux, à celui-là. Ils étaient noyés dans l'ombre de son chapeau. Comme toujours. Mais c'est à l'intérieur de la classe que le plus grand vertige attendait Leïla. S'asseoir sur un banc à côté d'une roumia et prendre une plume. La plonger au centre de la collerette blanche, la tremper dans l'encre violette et reproduire ce que la belle institutrice venait de dessiner sur le tableau noir, un A. Ce premier crissement de la plume sur le papier, jamais elle ne l'oubliera !

Le soir, à la maison, les hommes redoublaient d'intérêt pour la radio. Ils se regroupaient et l'écoutaient avec

solennité. Après les informations de la radio du Caire,
Yamina apportait du thé. Commentaires et discussions
se poursuivaient parfois fort tard dans la nuit. En ce
début d'hiver, Leïla sentait confusément que des
choses, sinon graves, du moins très importantes, se
passaient quelque part. Elle ne savait où. Mais elle
aimait beaucoup ces veillées entourées de mystère et de
chuchotements, autour du canoun. L'éclat des braises
enfiévrait davantage encore les regards. Le vent froid
de novembre était de la partie. Il grondait et sifflait à
travers les interstices des planches qui tenaient lieu de
portes et de fenêtres. Il gémissait et fouettait la maison.
Il semblait à Leïla que ses lamentations se nourrissaient de toutes les terreurs, de toutes les douleurs du
monde. Plus tard, beaucoup plus tard, la fillette saurait
que la guerre de libération avait commencé ce
1er novembre 1954, un mois après son entrée à l'école.

CHAPITRE IV

Zohra, la femme aux tatouages sombres, pensait sans cesse à sa nièce, Saâdia. Voilà deux ans que celle-ci avait quitté ce lieu de perdition... Un an qu'ils la savaient là, à proximité. Un an que Tayeb devenait blême et se mettait à trembler de rage rentrée dès que Yamina lui jetait un regard implorant. La pauvre Yamina n'allait pas plus loin... Un an que les hommes interdisaient qu'on prononçât son prénom en leur présence. Zohra en était exaspérée : « Comme s'il suffisait de ne pas évoquer quelqu'un pour que celui-ci cesse d'exister ! Les hommes se comportent parfois comme des enfants butés. Il faut trouver une ruse, un chemin détourné, comme dans leurs jeux d'antan, pour les amener à la raison. Un jeu, c'est ça. Les distraire de leurs préjugés pour débloquer une situation... Les vérités qui blessent sont les premières qu'on voudrait jeter à l'oubli. Et ce sont celles-là, précisément, qui nous enferrent et nous enferment. Dame, sans la conscience, le paradis serait sur terre. Et on l'aurait su depuis la nuit des temps ! »

Deux jours durant, Zohra ne quitta la maison que pour aller s'asseoir sous un palmier. Chèche serré, mordant les sourcils. Regard sombre, fixé sur le reg. Pas un sourire. Pas un geste. Pas même une réponse aux impertinences de Leïla qui sans cesse revenait à l'attaque. A présent, son opinion était faite. Il lui fallait agir.

Tracassé par son mutisme, Tayeb tournait autour d'elle, l'interrogeait. Elle l'ignorait. Au matin du troisième jour, elle se réveilla avec cet air docte et distant des personnes auxquelles incombent les grandes décisions. Au comble de l'inquiétude, Tayeb réitéra sa question :

— Oummi laziza[1], qu'est-ce qui te chagrine ? S'il te plaît, dis-le-moi.

Elle ne répondit pas, ne lui accorda pas un regard. Elle s'accroupit et but son thé par petites gorgées bruyantes, le regard dans le vide. Après le deuxième ou troisième verre, elle se décida enfin à parler :

— J'ai vu mon mari en rêve cette nuit.

Son ton avait encore plus de solennité que d'habitude. Incendiant l'assistance d'un regard brûlant, Zohra laissa s'écouler un long moment pour donner plus d'effet à sa déclaration. Tous étaient attentifs. Zohra reprit :

— Il m'a demandé d'aller voir cette nièce dont personne ne veut. D'agir comme lui lorsque, faisant fi des intolérances et du mépris, il se rendit à Oujda. Il n'y aura pas de « femme de Dar el kbirra » pour toute une vie comme Djelloul fut « l'homme au cochon » jusqu'à sa mort. A l'exemple de mon mari, je dois avoir la sagesse d'arrêter là ce rejet. Vais-je mourir bientôt ? Est-ce ma dernière mission ? J'ai eu l'impression qu'Ahmed m'attendait. Et, ma foi, je veux bien partir moi aussi après la réparation d'une injustice.

_____

1. *Oummi laziza* : Maman chérie.

Rêve ou pur scénario destiné à museler Tayeb ? Qu'importe, elle en escomptait le même effet. Car quand la chibania [1] avait tant à cœur un événement qu'elle en rêvait et parlait des morts, de sa propre mort, avec cette gravité, Tayeb se sentait pieds et poings liés. Ne jamais se retrouver dans la peau du fils maudit, c'était sa hantise. Mais la bénédiction exigeait dans ce cas un prix exorbitant. Douloureuse perspective que de n'échapper à l'enfer de l'au-delà que par la torture de la honte, ici-bas. Le fils baissa la tête, en signe de reddition. Zohra et Yamina se gardèrent bien de manifester leur joie. Pour Tayeb, l'épreuve était difficile. Elles devaient le ménager.

Zohra avait fixé le jour de sa visite à Saâdia. De conserve, Yamina et elle préparèrent ce départ : gâteaux, henné, ambre et sourires dans le dos du mâle pris au piège des intrigues féminines. Leïla, à qui Zohra et Yamina apprirent l'existence de cette tante, tomba des nues. Pourquoi n'avait-elle jamais vu cette parente ? Pourquoi ne lui avait-on jamais parlé d'elle auparavant ? Tous ces regards en biais, ces silences ou ces mots voilés... Que lui cachait-on ? Sa curiosité s'accrut davantage encore lorsque son père lui interdit, pour la première fois, de suivre les pas de Zohra.

Yamina, qui trépignait d'impatience elle aussi, entreprit Zohra à son retour au seuil de la maison :

— Raconte-moi tout, ma tante, depuis le début de votre entrevue.

— Je lui ai simplement demandé : Tu es Saâdia Bouhaloufa ? Elle a acquiescé. Alors je lui ai dit : Je suis ta tante Zohra Bent Slimane, épouse d'Ahmed Ajalli qui, de son vivant, était allé voir les tiens, les Bouhaloufa au

---

1. *Chibani(a)* : vieux, vieille, terme plutôt affectueux pour désigner les parents, les gens âgés de son entourage.

Maroc. Obéissant à sa volonté, il m'a visitée dans mes rêves, je viens te voir ce jour. Sois bénie, ma fille.

Se tournant vers Tayeb, elle continua :

— J'ai dit à ta cousine que tu irais la voir bientôt. C'est toi le chef de famille. C'est à toi à l'inviter à venir chez nous.

Le fils essaya bien d'échapper à cette injonction en faisant le sourd. Mais les assauts de Zohra ne lui laissaient aucun répit. Il finit par céder. C'est ainsi que Saâdia arriva un jour au pied de la Barga, la dune, et rencontra enfin les Ajalli.

*
* *

Sur les conseils de Vergne, Saâdia avait ouvert une blanchisserie. La première de la ville. Elle louait une maison dont elle avait aménagé une partie en lieu de travail. Vergne lui avait avancé les fonds pour lancer son entreprise. Il lui fournissait aussi une large clientèle : l'armée française, du troufion au plus gradé des convives du mess des officiers. Saâdia s'était mise à gagner plus d'argent qu'elle n'en avait jamais espéré. Plus qu'aucun autre Algérien en tout cas. Très vite, elle avait pu rembourser son ami et engager des employées. Elle suscita, très vite aussi, des jalousies. En sa présence, les envieux ravalaient leur fiel, pliés en révérences par la cupidité ou la veulerie. Mais elle n'avait pas plus tôt tourné le dos que blâmes et anathèmes la poursuivaient :

— Le vice a la fortune facile. Surtout lorsque des mécréants s'en mêlent. L'amante d'un roumi ! Voilà bien les parjures. Elles ne retirent leurs âmes de la boue que pour la rejeter aussitôt dans la soue.

Ces médisances-là ? Des broutilles ! Des épreuves plus terribles avaient aguerri Saâdia. Aussi restait-elle rayonnante. Elle était libre maintenant. Et elle avait le bonheur indulgent.

Tout de suite, Saâdia fut adoptée par les Ajalli. La beauté de son visage, de son long corps souple, son expression décidée, sa droiture les avaient conquis. Et puis, elle se révélait un soutien inespéré.

Chaque samedi après-midi, Leïla et Bahia, traînant ou portant le petit Faouad, l'attendaient à deux cents mètres de la maison. Dès qu'elles apercevaient au loin le taxi jaune, elles couraient à sa rencontre. La voiture s'arrêtait. Saâdia leur ouvrait une portière. Elles s'engouffraient à ses côtés, l'embrassaient. Le visage radieux, Saâdia les serrait contre elle. Devant la maison, le chauffeur déchargeait des couffins. Petits et grands s'empressaient autour de Saâdia.

Grâce à Vergne et aux autres officiers que son travail lui faisait côtoyer, Saâdia avait accès à l'économat de l'armée. Aussi apportait-elle aux Ajalli des denrées alimentaires dont ils n'avaient même pas soupçonné l'existence auparavant ou qu'ils n'avaient jamais goûtées : fromages divers, pommes rouges, bananes, poisson, beurre... Alors ils invitaient Portalès et se regroupaient pour festoyer. Ils auraient pu surnommer Saâdia Fichta[1] tant au pied de la dune son arrivée était toujours une fête.

Assise à même le sol, son superbe corps à l'abandon du repos, Saâdia plongeait une main entre ses seins et en retirait un paquet de cigarettes. Des Braz Bastos sans filtre, et se mettait à fumer. Il faut dire qu'en ce milieu des années cinquante même les hommes se cachaient encore du frère aîné, des oncles et du père pour fumer. C'était indécent. Saâdia, elle, dégustait ses cigarettes sans honte ni ostentation. Elle n'avait pas le

---

1. *Fichta* : fête.

plaisir offensant. Et les volutes de la fumée semblaient
auréoler sa méditation.

Elle était si différente des autres femmes. Son haïk,
elle ne le portait que comme une pèlerine, gardant le
visage découvert et les bras libres. La fierté de son
regard désarçonnait les coutumes et forçait les hommes
à baisser les yeux.

La curiosité de Leïla s'était rapidement muée en fascination. L'intrusion de Saâdia dans sa vie avait bouleversé les conventions. Un choc décisif. Il existait donc
des réfractaires parmi les femmes de son peuple, de sa
famille même. Lumineuse révélation ! Le mythe de
l'uniformité de la soumission féminine était brisé. Des
rêves insensés, démesurés, germaient dans la tête de
Leïla. La fillette aimait surtout Saâdia pour cela, ces
brèches ouvertes dans une tradition dont elle subissait
déjà le carcan.

*
* *

Début 1955, si la radio aimantait toujours les
membres de la famille, ses informations ou plutôt l'absence de ce qu'ils en attendaient les accablait. La
guerre, qui avait éclaté le 1er novembre 1954, ne s'étendait pas à l'Oranie. L'Ouest algérien demeurait figé
dans sa torpeur. L'émission « *Saout el arab*, La voix des
Arabes », qui, à partir du Caire, accordait aux Algériens
une demi-heure d'informations et de propagande,
s'était tue. Il n'était plus question que du Maroc et de
la Tunisie. L'isolement, la frustration et l'attente distil-
laient le doute après l'espoir. Les hommes fouillaient
fébrilement les ondes. Khellil et Bellal décryptaient la
presse locale. Celle-ci se refusait à considérer les accrochages des Aurès et de la Kabylie comme l'amorce d'un
mouvement structuré, d'une guerre. Qui prétendait-on

leurrer ? Les Ajalli en tout cas n'étaient pas dupes. Ceux que, avec ostentation, la presse qualifiait de « bandes de brigands », étaient bien des combattants. Là-bas, la flamme de la rébellion ne s'était pratiquement jamais éteinte.

Les Ajalli étaient messalistes dans l'âme, comme certains Algériens conscients autour d'eux. « Et le cheikh et le cheikh ? » s'inquiétait sans cesse Zohra qui craignait que, pris d'impatience, les hommes enfreignent les consignes du hadj. Cependant le cheikh, Messali Hadj, qui s'exprimait si bien, dont la voix avait le don de galvaniser et d'embraser les foules, ne passait pas à l'action. Ses discours étaient, certes, lénifiants. Mais les sept années de vie sédentaire écoulées avaient malmené la dignité de la tribu, insidieusement, elles leur avaient instillé dans la bouche un goût amer. Elles leur avaient fait mesurer les abîmes qui séparaient les différentes communautés. Plus que tous les autres sédentaires, les colons étaient des hommes de comptabilité. Et ils avaient le compte avide. A leur aune, l'ignorant « indigène » était juste bon à leur servir d'esclave. L'amoncellement de leurs richesses ne les rendait que plus arrogants. Ils refusaient de voir la monstruosité de leur gestion. A trop compter, à force d'égoïsme et de racisme, les roumis s'isolaient dans leurs îlots dorés, et acculaient peu à peu leurs bougnouls à la révolte.

Tayeb, Bellal et les autres avaient fondé de grands espoirs sur le gouvernement Mendès. La loi de 1947 et la loi-cadre passeraient. Cette fois, les colons n'y pourraient rien. Et les salaires de misère des Arabes s'en ressentiraient. Leur dignité aussi. Mais, le 6 février 1955, Mendès était renversé par les soins de quelques gros colons. Les puissants Français d'Algérie entendaient dicter leurs lois au gouvernement de la République. Pas d'assimilation, pas de réforme. Les

gouverneurs valsaient : Soustelle, Lacoste, plus tard
Delouvrier, aucun ne parviendra, malgré quelques velléités, à améliorer le sort des Algériens. Déçus ou
blessés, ceux-ci n'avaient plus confiance dans les promesses de la métropole. Et déjà, lorsque son ami Portalès était dans la maison le soir, Tayeb n'écoutait la
radio que d'une oreille détachée et en laissait le bouton
indifféremment sur la première station trouvée. Déjà,
la méfiance s'installait.

Le groupe regardait avec ferveur vers l'est. Vers cette
autre Mecque, les Aurès, d'où viendrait certainement le
souffle de la révolte ! Ces montagnes abritaient déjà des
maquisards depuis sept ans quand fut donné le coup
d'envoi de la guerre d'Algérie. Leurs griefs en sourdine,
les Ajalli scrutaient l'impassible œil vert de monsieur
« Tisfe » en attendant qu'il veuille bien combler leurs
attentes.

Bellal les encourageait. Il fallait les préparer et maintenir en permanence un sang chaud, prêt à l'action. Il
était leur leader, incontestablement. Le neveu de Zohra
était un colosse animé d'une volonté d'airain. Même la
mollesse féline de son corps au repos semblait feinte
tant sa pensée paraissait toujours en alerte. Ses larges
yeux de teinte changeante accentuaient cette impression. Homme instruit et doué de sens critique, il était
pour beaucoup dans la précoce prise de conscience
politique des deux frères Tayeb et Khellil. Tard dans la
nuit, quand les hommes du douar voisin qui s'étaient
joints à eux avaient regagné leur demeure, Bellal était
encore là, assis en tailleur, parlant à voix basse. Une
voix ardente qui vibrait comme une incantation. Il voulait se battre, Bellal. Il n'attendait plus rien du bon-vou-
loir des autres. Si, avec affection, Zohra lui reprochait
parfois son manque de religiosité, ses convictions poli-

tiques lui paraissaient tenir du mysticisme. Il avait
érigé la liberté en religion.

— Plutôt mourir que laisser le roumi continuer à
m'écraser !

Dans sa bouche, cette phrase était un leitmotiv.

Un événement sinistre allait pourtant redonner courage au petit noyau. Le 20 août 1955, date anniversaire
de la déposition du roi du Maroc, Mohamed Ben Yous-
sef, le Constantinois s'enflammait. C'était, dix années
après, la réédition de Sétif. Sombre et sanglant anniversaire. La lutte s'étendait donc et donnait le coup d'envoi
à l'engrenage : répression-violence-répression. L'irrépa-
rable avait déjà commencé.

Bellal fulminait :

— Pour eux, nous ne sommes que des chacals qui
infestent LEUR terre. Il leur faut cent soixante-dix
Arabes pour venger la mort d'un seul Français ! Mais,
qu'importent les morts, la révolution n'est pas étouffée.
Tout ce sang répandu vient même de lui donner un
nouveau souffle.

En effet, les massacres jetaient dans la révolte ceux
qui jusque-là s'étaient montrés encore tièdes. Et malgré
l'abomination, les hommes se réjouirent au pied de la
dune.

Assise sur les genoux de Zohra, Leïla assistait à la
fièvre qui, chaque soir, travaillait les hommes. Parfois,
les yeux de Bellal lui donnaient des frissons. Elle y sentait une féroce détermination mais n'en saisissait pas
l'objet. Pourquoi parlait-il aussi souvent de la mort ?
Leïla se blottissait contre Zohra qui lui caressait les
cheveux. Quand Bellal partait enfin, une grande
angoisse montait. La nuit devenait une menace
confuse. Et le silence retrouvé n'apportait plus le calme.
Il donnait la sensation de n'être, lui-même, qu'un
souffle coupé par l'imminence d'un danger. Le froid

mordait avec plus de cruauté. Allongée contre sa grand-mère, Leïla frissonnait. Zohra prenait les pieds glacés de la fillette et les plaçait entre ses cuisses pour les réchauffer. Puis, de son bras, elle entourait le frêle corps.

— Pourquoi as-tu peur, kebdi[1] ? Tu n'as rien à craindre. Je suis là. Ecoute, écoute, je vais te raconter les caravanes du sel.

« Un regard dans la lumière pour mémoire. Des hommes qui marchent. Des terres étales et nues... » L'éblouissement des sebkhas[2] déchirait l'obscurité et dissipait l'angoisse. Leurs étincelles traquaient les yeux de Leïla qui fermait les paupières pour se préserver. La voix de sa grand-mère se confondait avec le tamtam des dunes qu'elle racontait. Ces sons que produisent les sables braisés par des cieux en feu cognaient dans la tête de Leïla. Leur tamtam qui hallucinait la solitude des regs devenait de plus en plus sourd. Leïla s'en allait, bercée par l'amble d'un chameau. En rêve, elle vivait les caravanes du sel.

*
* *

En décembre 1955, au cours des vacances de Noël, Leïla partit avec sa grand-mère à Oujda. Fatna, la seule fille vivante de Zohra, allait y accoucher de son premier enfant. Fatna avait été mariée à un Marocain et habitait un petit village sur la montagne, près d'Oujda. Leïla découvrit avec ravissement la ferme, les champs, les vaches... Ici parler de Saâdia devant les hommes était

---

1. *Kebdi* : mon foie, expression de l'affection filiale qui se différencie de *kalbi*, « mon cœur ».
2. *Sebkhas* : marécage salé parfois temporairement asséché.

encore interdit. Les femmes l'évoquaient avec des regards froissés, des chuchotements, des mines coupables qui indignaient Leïla. Et loin d'entacher l'image de son idole, Saâdia, cet opprobre grandissait son prestige.

Zohra avait apporté une photo d'elle à Zina. Elle la lui donna en cachette. Zina admira longuement la photo de sa sœur, puis l'embrassa avec tendresse. Zina, cette autre tante, Leïla la découvrait aussi. Une femme de caractère, dynamique et primesautière, mais brimée. Son ivrogne de mari, Nacer, l'oncle paternel de Leïla, tenait un boui-boui qui empestait la piquette et dans lequel des nuées de grosses mouches disputaient, avec un bourdonnement continu, les verres et l'espace aux clients avachis. Nacer avait le vin violent et battait Zina régulièrement. Le rejet de Saâdia, les larmes de Zina ternissaient, aux yeux de Leïla, la beauté de la nature environnante. L'enfant détestait Nacer autant qu'elle aimait Zina. Les ambiguïtés et les paradoxes du comportement des adultes la laissaient perplexe. Pourquoi Zina restait-elle encore avec un tel homme ? Pourquoi n'allait-elle pas vivre seule, comme Saâdia ? Qu'attendait-elle pour mettre à exécution ce qu'avec rage elle murmurait parfois entre ses dents :

— Un jour, je me vengerai. Il verra.

Sidi Boubékeur, le village où habitait la tante Fatna, bénéficiait d'un site superbe. Niché sur un versant abrupt de montagne, il était cerné de forêts. Par la route, on l'apercevait de loin, dans un écrin sombre de cèdres. Et merveille, pendant leur séjour, il neigea plusieurs jours durant. Le ciel fondait en flocons. La terre, les cèdres, les habits des gens, tout était blanc. Un rêve avait transformé le monde en coton, en avait fait un univers pour contes de fées. Et quand le ciel s'éclaircit, Leïla découvrit avec ravissement les jeux du soleil et de

la gelée sur les branches irisées. Des étincelles éclaboussaient les yeux. « Comme dans les caravanes du
sel », se disait Leïla. Comme des rires éperdus qui ricochaient sur des paysages sculptés dans le cristal. Les
gouffres et ravins immaculés creusaient son oreille du
même vertige que l'envolée des youyous vers le firmament. Le regard de l'enfant, avide de diversité, faisait le
plein de sensations inconnues pour les emporter, là-
bas, au pied de sa dune, et les savourer lentement.

Mais ce séjour vert et opalescent, tout de quiétude
calfeutrée par l'étoupe des flocons, fut, hélas ! troublé
par un télégramme d'Oujda : « Ali est mort. » Le fils de
Mohamed Bouhaloufa le Deuxième, l'unique frère de
Saâdia et Zina. Il avait vingt-six ans et trois garçons.
Zohra et Leïla l'avaient vu cinq jours auparavant, resplendissant de santé. La vieille femme et la fillette
reprirent le car pour Oujda. Là, elles apprirent la
vérité : Ali, militant actif du parti communiste, avait été
tué d'une balle en plein cœur à Casablanca par la
« Main rouge », une organisation antinationaliste. Bouhaloufa, qui était allé chercher son corps, fut de retour
tard dans la nuit. Son visage, déjà tout ridé, avait pris
dix années de plus en quelques heures. Il avait le regard
d'un homme définitivement brisé.

Leïla avait encore dans les oreilles le rire fort de cet
oncle quand, la semaine précédente, il l'avait juchée sur
son alezan. Elle le revit ce jour-là, raide, livide, un
grand trou rouge sur la poitrine, le visage comme
absorbé par une douleur entêtée. Personne ne ferma
l'œil en cette nuit funèbre. Dehors, le vent hurlait. Il
agitait les arbres comme des fouets menaçants. Il grattait le ciel, la terre et les maisons. Il remplissait la gorge
du puits d'un ululement sinistre et l'obscurité de craquements inquiétants. Dedans, dans la pièce adjacente

à celle où reposait le corps, la voix de l'aïeule Zohra défiait la mort :

— Je la sens. Elle est à nouveau là, dans mes yeux, dans ma tête et dans mes narines. Mais encore plus forte qu'avant. Plus dépravée. Plus hideuse. Autrefois, elle se contentait des faibles. De ceux que sa comparse, la maladie, rongeait et habitait sournoisement. Maintenant, elle n'a plus besoin de complice. Elle a ses propres instruments. Des canons, immenses flûtes d'acier, qui n'ont pour musique que le fracas avec lequel ils déciment les populations. Elle a des oiseaux de métal qui n'ont pas besoin de nid. Ils ne portent en eux aucun germe de vie. Ils pondent la mort dans le ciel, en plein vol. Sur terre, elle crâne avec des monstres de ferraille qui broient en poussière le plus dur des sols. Elle se grise avec l'odeur de la poudre. S'enivre de sang frais et se nourrit de chair tendre. Elle est là qui rôde, qui fouille et caresse la jeunesse, avec convoitise, de sa traîtresse main. Et elle s'empare des plus intrépides, des plus fous, des plus courageux, des plus solides... Mais qu'elle sache, l'insatiable, qu'en brisant des corps, elle forge une volonté infinie ! Nous ne nous laisserons pas faire ! Les femmes vont enfanter bien au-delà de ses appétits ! Nous la vaincrons à force de vie ! L'espoir renaîtra !

*
* *

Là-bas à Kénadsa, Yamina, enceinte, accoucha la même nuit. Alors que sa famille à Oujda veillait le mort, elle mit au monde deux garçons. L'un d'eux s'appellera Ali. C'était en janvier 1956. Leïla et sa grand-mère apprirent cette double naissance le lendemain. Un autre télégramme, au retour du cimetière, un camouflet, une riposte à dame Mort. Alors Zohra chanta encore : « Ali n'est pas mort. Il vient de renaître. Il a un jour ! »

Immobile, Leïla admirait les champs. Quelque chose de glacé agrippait ses membres. Ces nuits froides et sans sommeil avaient givré ses os. Seuls ses yeux bougeaient. Ils suivaient, là-haut dans le ciel, la lente évolution d'un épervier. Le corps fauve tendu comme une flèche, les ailes largement déployées, il tournoyait. Puis, ailes repliées, il se laissa brusquement tomber. Avant qu'elle ait pu comprendre ce qui arrivait, il avait regagné l'azur avec un petit poussin doré entre ses serres. Alors les paroles de la grand-mère sur la mort lui revinrent à l'esprit. Elle frissonna : même l'épervier, cet oiseau dont le vol plané la fascinait, dont elle enviait la liberté céleste, avait, ce matin, l'œil et les griffes de la mort.

Saâdia vint visiter Zohra dès son retour du Maroc :

— Mes yeux sont restés secs. Ali était déjà mort en moi. Une mort sans deuil, on n'a même pas de mot pour ça.

Pourtant chaque samedi, quand elle arrivait au pied de la dune, des jumeaux, Ali et Bachir, c'était Ali, l'héritier du prénom du défunt, qu'elle serrait contre son cœur en balançant doucement le buste, les yeux empreints de mélancolie.

*
* *

L'hiver s'achevait à peine que l'été s'installait déjà. Et quand arrivaient les redoutables vacances scolaires, les jours étaient depuis si longtemps calcinés qu'était parti en cendres tout souvenir des frissons de janvier. Durant cette période interminable, Khellil faisait travailler sa nièce. La fillette chérissait ces instants passés avec lui, chaque fin d'après-midi. L'affection mêlée de compli-

cité qui les liait mettait un peu de douceur dans l'isolement qui accablait son esprit. Quand le soleil déclinait
et que la chaleur se faisait moins torride, ils montaient
tous deux à la Barga. Perchés sur les rochers blancs qui
la dominaient, ils admiraient le paysage. C'était surtout
l'erg, océan de sable à la longue houle pétrifiée, qu'ils
fixaient, subjugués. Seul le vent délivrait ce mouvement
de sa paralysie. Sous son souffle, les dunes se mettaient
à écumer. Se dressaient en grandes lames rouges.
Déferlaient avec rage. Quand le vent s'en allait vers
d'autres horizons, la surface des sables gardait une fine
ondulation, frémissements arrêtés d'un orgasme cosmique. Face à l'erg, l'horizontalité du reg dévidait le
silence. Et l'on n'avait que le songe pour ranimer les
pensées. Que le rêve pour habiller tant d'aridité.

Enfin vint la rentrée et Leïla retrouva sa blanche
école avec ses belles arcades bordant les classes, son
préau au plafond haut et voûté comme ceux des mosquées. Elle surplombait la palmeraie et l'oued. Mais
surtout, cette année-là, Leïla avait la plus belle et la plus
douce des institutrices de l'école !

*
* *

Les hommes se réunissaient toujours le soir autour
de la radio. L'émission « *Saout El Djezaïr*, La voix de
l'Algérie » leur parvenait de nouveau à partir du Caire.
Qui pourra jamais oublier cette voix, véritable déflagra-
tion radiophonique : *Saout El Djazaïr mina El Kahira !*
Elle assénait des paroles avec une telle passion, une
telle force que Leïla se demandait si l'œil vert n'allait
pas s'énucléer sous le choc des mots. Ces mots qui battaient en Leïla. L'obsédaient.

Tout autour d'eux, les gens disputaient à la faim les
sous de quelques bouchées de pain et économisaient

pour pouvoir s'acheter un transistor. L'avènement de celui-ci constituait une révolution. Il pénétrait dans les dechras les plus reculées, dans les solitudes des montagnes et des regs. Il trônait même sur les bâts des chameaux de nomades, ou ouvrait la marche des caravanes à la main des guides. Son impact était considérable. Tous ceux qui vivaient dans le plus total isolement, à l'oubli du restant du monde, prenaient conscience, grâce à lui, qu'ils appartenaient à un pays, à un peuple opprimé mais en mouvement vers El Houria, la Liberté ! Le transistor sapait les tribalismes et participait à l'extension du nationalisme algérien.

Un soir, Bellal arriva avec un tampon du FLN dans sa poche. Il n'était pas peu fier de l'appliquer sur les listes et divers papiers qui circulaient entre eux. La bataille d'Alger faisait rage. Des bombes explosaient dans des lieux publics tuant des innocents. En réponse, une répression sauvage s'abattait sur la ville. La torture se systématisait. Les Algériens misérables, illettrés et persécutés vivaient avec la peur au ventre.

*
* *

Durant l'été 1956, l'*Athos*, un bateau transportant des armes pour le compte du FLN, fut arraisonné au large d'Oran par l'armée française. En octobre de cette même année, la nouvelle de la capture « en plein ciel » de Ben Bella et de plusieurs membres du FLN, essaimée dans les douars par la magie des ondes, atterra les plus impassibles.

— C'est la catastrophe, ne cessait de se lamenter Tayeb, le regard endolori.

— Personne n'est irremplaçable. Tous les enfants d'Algérie sont des Ben Bella en puissance. Sa capture aura pour effet la révélation de dizaines... que dis-je, de centaines, de milliers de héros ! lui rétorquait Bellal, les yeux fiévreux.

— Et si nous n'avons plus d'armes ?

— Nous combattrons à l'arme blanche. Nous tuerons avec nos mains, avec nos dents ! Nous vaincrons, nous vaincrons ! Ceux qui se battent pour leur liberté, pour la justice, possèdent la plus redoutable arme qui soit : une inébranlable volonté. Nous vaincrons !

L'afflux de soldats se faisait sentir de plus en plus. Kénadsa n'était plus qu'une grande caserne et une prison tristement renommée. Tous les corps de l'armée étaient là. Les grands camions-citernes des militaires venaient régulièrement s'approvisionner en eau douce chez les Ajalli. Tayeb actionnait fièrement ses pompes tandis que Leïla observait avec curiosité les hommes en uniforme. Les mises en garde familiales lui revenaient en tête : « Il ne faut rien raconter de ce qui se passe le soir. Il ne faut pas dire que nous écoutons *Saout El Djazaïr*. Il ne faut pas chanter *Kassaman* [1] ou *Min jibalina* [2] en leur présence. "Ils" sont capables de mettre ton père en prison, peut-être même de le tuer. »

Pourtant, jusqu'à présent, les militaires ne leur avaient jamais nui. Alors elle admirait leurs gros camions qui avançaient sur le sable en cahotant tels des scarabées géants. Elle avait toujours envie de courir et de s'accrocher à l'arrière des véhicules comme les garçons. Elle n'osait pas. Et puis, la mine accablée par la chaleur de certains hommes en kaki, leurs visages congestionnés, lustrés de sueur, qui semblaient bouillir sous les casques, lui donnaient le fou rire. D'autres affi-

---

1. *Kassaman* : hymne national algérien.
2. *Min jibalina* : « De nos montagnes », chant patriotique algérien.

chaient des regards fixes et vitreux qui disaient, mieux
que tous les discours, un ennui à l'image du désert,
incommensurable. Parfois au puits, ils l'appelaient, la
prenaient dans leurs bras et lui donnaient des bonbons.
Alors les contradictions qui grinçaient dans sa tête la
laissaient perplexe. Cependant, la peur de l'uniforme
allait s'emparer d'elle et de tous, lentement, inexora-
blement.

Il y eut d'abord l'installation d'un champ de tir à proximité de chez les Ajalli, au pied de la dune. Parfois, les
rafales des mitrailleuses les arrachaient au sommeil du
petit matin. Ils se réveillaient en sursaut. Les murs de
leur pauvre demeure vibraient dangereusement. Les
planches des portes et fenêtres craquaient. Les enfants,
les yeux encore ensommeillés, allaient s'asseoir dehors.
Leurs regards fascinés suivaient le vol fulgurant des
projectiles qui soulevaient de grandes gerbes de sable.
Ils trouvaient la mise en scène grandiose et applaudissaient les plus fortes déflagrations. Celles qui soulevaient des geysers de sable et menaçaient leurs
tympans... Après le départ des militaires et malgré les
interdictions parentales, ils couraient vers ces lieux. Le
spectacle était une féerie de lumière et leur récolte
fabuleuse. Le cuivre des cartouches essaimait le sable
d'une poudre d'étoiles. Celui des obus mamelonnait la
dune d'une multitude de petits soleils oblongs. Les bouteilles se transformaient en prismes aux éclats aveuglants. Les couleurs vives des paquets de cigarettes
vides, jetés épars... Au comble de la joie, filles et garçons cueillaient une moisson d'objets précieux pour
leurs jeux. Par crainte du danger, les parents sévirent.
Pour tromper leur vigilance, les enfants usèrent de
mille subterfuges. Ils attendaient, par exemple, l'heure
où l'hypnose de la mi-journée couchait les adultes.
Alors seulement, mais avec le sentiment exquis de l'in-

terdit et de la complicité, ils se rendaient sur les lieux
de leurs mirages... Jusqu'à ce jour terrible... Leïla
pourra-t-elle jamais oublier l'enfer de cet instant ?

Une explosion empala le silence. Au cœur même de
l'explosion, un cri inhumain. Le cri ricocha de caverne
en caverne. Aspirée par une peur démoniaque, Leïla
courut, courut. Soudain, elle s'arrêta foudroyée... Un
bras. Effarée, Leïla fixa ce bras irréel qui gisait là, seul,
main fermée, hachis de chair ensanglantée. L'œil de
Leïla s'arracha à l'horreur de cette vision. Il buta aussitôt contre quelque chose qui ressemblait aux restes
d'un autre membre. Traqué, au comble de l'épouvante,
le regard de la fillette balaya la dune. Elle ne la reconnut pas. Celle-ci n'était plus qu'un théâtre tragique, une
convulsion colossale. Le ciel s'échappait d'elle, sec et
violent, un sanglot cosmique. Le silence était un coupe-
ret suspendu au fil d'un interminable cri muet. Leïla
tomba à terre. Et la dune que ne retrouvaient plus ses
yeux écrasa sa gorge et sa poitrine.

Que se passait-il donc pour que les jours transfor-
ment les hommes en monstres de perversion et de
cruauté ? Quel était ce cauchemar où les mains qui tendaient des bonbons aux enfants pouvaient aussi jalon-
ner de bombes les chemins du Petit Poucet ? Les
galopins déjouaient la surveillance et marchaient à la
recherche de détritus, de toutes choses jetées, seuls
jouets laissés à leur misère. Et ce n'était pas un hasard
si la mort, parée à leurs attraits, les guettait sur la route
de leur butin. C'est de là qu'elle avait jailli, pulvérisant
l'un d'eux comme un objet non désiré.

S'il vous plaît, vite, ramassez les pauvres restes de
l'enfant. S'il vous plaît, vite, mettez-les à l'abri de
l'homme, dans une tombe. S'il vous plaît.

CHAPITRE V

Ce mois de janvier 1957, la terreur ajoutait ses frissons à ceux de l'hiver. Les leaders du FLN appelaient les Algériens à une grève générale. Le but visé était double : faire un coup d'éclat avant une session de l'ONU, et estimer l'ampleur de l'appui populaire. Un soutien que les civils paieront chèrement.

La fièvre des préparatifs de ce jour mémorable du 28 janvier s'emparait de tous. Chaque famille stockait des vivres, de quoi tenir un siège d'un mois, et accumulait les angoisses, à en avoir une attaque cardiaque. Les Algériens étaient devenus des fantômes. Des fantômes que la peur continuait à vampiriser. Elle suspendait le sommeil, tenaillait les entrailles, vidait les membres de leur consistance, suffoquait les poumons... Et comme les fantômes n'ont à perdre que ce qui leur fait hanter la vie, ils avaient du courage, les Algériens. Ils s'accrochaient à l'espoir. Se l'ébouriffaient de défi pour qu'il tienne debout, afin de tenir eux-mêmes, de supporter les patrouilles militaires, les fouilles, de plus en plus fréquentes, le couvre-feu et les humiliations.

Les Ajalli se levèrent tôt ce matin-là. Après un petit déjeuner, pris hâtivement et en silence, Zohra se dirigea vers la porte. Elle l'ouvrit, en franchit le seuil, regarda à droite, à gauche, la referma brusquement et s'élança vers les autres les yeux exorbités :

— Tayeb, Tayeb, *el âskar ejrrad ! ou tanck* ! les militaires, comme des sauterelles !

Les hauts murs de la cour leur cachaient l'extérieur. Mais dans un coin, le toit du four à pain offrait une plate-forme d'observatoire. Tayeb, Khellil et Zohra s'y précipitèrent aussitôt, suivis par Leïla. Là, serrés les uns contre les autres, les yeux au ras du mur, ils découvrirent un spectacle qui leur glaça le sang. Des chars d'assaut et des blindés cernaient la maison, le château d'eau et les ateliers.

— Leur mort est déjà là en habit de fer ! marmonna Zohra.

Trois des canons pivotèrent pour se braquer sur eux. Une violente douleur au ventre plia Leïla en deux. Tayeb descendit et la prit dans ses bras :

— N'aie pas peur, n'aie pas peur, c'est de l'intimidation. Ils ne tireront pas.

Leïla trouva que la voix de son père manquait de conviction. Elle s'écarta de lui, s'assit contre un mur et chercha des yeux sa grand-mère. Tayeb s'accroupit à côté d'elle. L'instant d'après, la porte d'entrée vola en éclats. Quatre militaires, fusil en main, firent leur apparition.

— Comme ça, le bougnoul ne veut pas travailler ! Alors on t'emmène en prison. Allez ouste !

Ils le tiraient vers la porte quand Portalès arriva en courant :

— S'il vous plaît, s'il vous plaît, messieurs, ne vous énervez pas. Ce brave homme m'attend toujours pour ouvrir les ateliers.

Portalès savait où se trouvaient les clefs, suspendues sous la tonnelle. Il les décrocha et, prenant Tayeb par un bras, il l'arracha aux militaires et l'entraîna avec lui. Les hommes en uniforme restèrent un moment sans réaction. Puis, se tournant vers Bahia et Leïla :

— Allez la marmaille, à l'école, zou et que ça saute !

Ce disant, l'un d'eux les poussa du pied vers la porte. Leïla prit Bahia par la main. Blêmes, les yeux rivés sur Zohra et Yamina, elles sortirent à reculons. Devant la maison, la vue des canons faillit leur couper les jambes. Elles firent volte-face et détalèrent.

Un raz de marée militaire avait investi le village. Les rues grouillaient d'uniformes. Des camions remplis d'hommes dépassaient les fillettes qui couraient toujours. Les battements effrénés de leur cœur s'ajoutaient au vacarme environnant et les assourdissaient. Une voiture s'arrêta à leur hauteur. Elles sursautèrent. Mais ce n'était que la Bernard :

— Où allez-vous comme ça toutes les deux ? Il ne fait pas bon circuler ce matin !

— Ils nous ont dit d'aller à l'école, répondit Leïla hors d'haleine.

— Sans cartable, sans rien ? Allez montez.

Elle leur ouvrit la portière arrière de sa 2 Chevaux.

— Comment ça se passe à la maison ?

Les gamines lui racontèrent en haletant ce qui s'était passé.

— Je vais vous déposer chez moi et j'irai faire un tour là-bas.

Leur recommandant de n'ouvrir à personne, la Bernard les abandonna dans sa maison et partit. A l'aide d'un tabouret, Bahia et Leïla grimpèrent sur le rebord de la fenêtre de la cuisine. Là, dissimulées par la moustiquaire, elles purent observer à loisir la rue principale du village. Des groupes d'Algériens, visages fermés, passaient sous escorte militaire et se dirigeaient vers la gendarmerie toute proche d'où s'élevait déjà une rumeur. Des centaines d'hommes y étaient massés debout offrant un spectacle poignant. Roulant les yeux, les fillettes s'adressaient des regards entendus. Sans commentaire. Elles se doutaient bien de la gravité du moment. Quelque chose d'irréversible venait de se produire.

Une petite heure plus tard, la Bernard était de retour. Elle claqua avec rage la porte derrière elle tandis qu'une main coléreuse fourrageait sa crinière. Mais elle éclata de rire en découvrant les fillettes, l'œil aux aguets, dissimulées dans le clair-obscur de la fenêtre.

— Bon, ça ne se passe pas trop mal à la maison. Ça aurait pu être pire... Il n'y a pas grand-monde à l'école. C'est la débandade. Votre mère a besoin que vous vous occupiez des jumeaux. Les militaires ont tout cassé, éventré, les salauds ! Si Portalès n'était pas arrivé à temps, Tayeb serait en ce moment avec les autres. Dans un enclos, comme des bêtes, les salauds !

Elle fouilla de nouveau sa chevelure.

— Avez-vous faim ? Je ne pense pas que votre mère ait la tête à s'occuper de cuisine ce midi.

Ventres et gorges noués, les fillettes se taisaient.

— Surtout ne me répondez pas toutes à la fois !

Son ton s'était fait léger. Mais ses traits restaient accablés. Elle s'effondra sur une chaise :

— Les salauds !

Les fillettes descendirent de leur perchoir et se dirigèrent vers la Bernard. Celle-ci les attira contre elle et les tint serrées. Puis, elle éclata de rire. A la voir ainsi rire à gorge déployée, les filles se mirent à rire aussi, tout à coup rassurées.

La Bernard avait perdu son mari durant la Seconde Guerre mondiale. Arrivée dans le désert peu de temps après, elle était tombée amoureuse des paysages et des gens. Elle était restée. Parce qu'elle était à leurs côtés à chaque douleur, à chaque joie, à chaque naissance, parce qu'elle avait appris leur langue, les « indigènes » l'avaient adoptée, puis aimée. Mais sa vie de femme libre, belle, et qui de surcroît ne boudait pas les plaisirs, ses complicités avec les moukères lui valaient inimitiés et médisances d'une frange de la communauté française.

Leïla cacha son visage dans l'épaisse chevelure brune que de fréquents hennés moiraient de roux. Elle aimait sentir cette odeur dans les cheveux de la femme. Une odeur de filiation rassurante. L'odeur de celle pour qui, s'ouvrir aux autres, c'était enrichir sa vie, l'affranchir des entraves des races, castes et religions. Leïla savait déjà que c'étaient ces affections-là, celles venues des autres camps, qui avaient à jamais détruit dans sa tête les rejets et les mépris liés aux méconnaissances, à l'ignorance, à l'intolérance.

La Bernard écarta le tête de Leïla et lui tenant le visage dans ses mains :

— J'avais peur que Yamina ne me fasse une fausse-couche. Elle est enceinte, le saviez-vous ?

Les filles ne répondirent pas.

— Eh bien, c'est tout l'effet que ça vous fait !

— Ma mère est toujours enceinte. Dans mes cauchemars, je la vois avec des cheveux blancs et accouchant encore... de toutes sortes de monstres.

Il y avait une lézarde dans la voix de l'aînée. Un chagrin qu'elle ne parvenait pas à dissimuler.

Ce fut alors que Bellal s'envola pour le maquis. Jusque-là, il avait eu pour mission l'organisation de la résistance populaire et la collecte des fonds. Il avait attendu le moment de rejoindre « le terrain des armes » de façon certes efficace, mais avec une exaspération croissante. Sa vie était désormais en danger. Il s'était trop exposé.

La tristesse et l'inquiétude minaient Zohra. Reverrait-elle jamais cet intrépide si cher à son cœur ? Assise au soleil devant la maison, le regard accroché à l'horizon, elle composa une complainte pour Bellal qu'elle surnommait « S'baâ », le lion : « Maintenant, tu parles à ceux des montagnes. Et tes mots de liberté et de dignité font vibrer les rochers à pierre fendre. Ta voix à elle seule est lumière, mon S'baâ... Fils des avenirs, qu'Allah fasse que tu nous reviennes avec cette autre vie pour laquelle tu te bats. »

Le lendemain, après le petit déjeuner, la vieille femme dit à Yamina :

— Je vais m'asseoir au soleil pour essayer de me réchauffer. J'ai l'âme gelée.

Leïla sur les talons, elle sortit de la maison. Leïla adorait Bellal, elle aussi. Depuis son départ, elle se sentait la poitrine oppressée et l'état de sa grand-mère n'était pas pour la soulager.

— S'il te plaît, hanna[1], chante le S'baâ.

Balançant doucement le buste, Zohra venait de commencer sa complainte quand elle s'arrêta tout à coup et d'un bond se leva. L'enfant se dressa aussi, intriguée. Scrutant l'horizon du côté que fixait Zohra, Leïla vit poindre un nuage rouge.

— C'est le vent de sable, hanna !

La vieille femme mit un moment avant de répliquer :

— Non, ce sont des chameaux... un groupe de nomades. Mais que viennent-ils faire par ici ? Nous sommes en dehors des circuits habituels des caravanes !

Soudain, Zohra s'élança à leur rencontre alors qu'ils

---

1. *Hanna* : Grand-mère.

n'étaient encore qu'un petit halo lointain. Elle avait échappé à sa peine.

C'étaient des hommes bleus. Ils avaient appris l'existence de ce puits à une distance respectable du village. Evitant les cités de Béchar et de Bidon-Deux, ils venaient y faire eau et vivres, au grand bonheur de Zohra. Les chameaux portaient des charges qui doublaient leur hauteur. A les observer ainsi harnachés et le pas lourd, ils donnaient à Leïla l'impression de pachydermes surgis du passé de Zohra, afin de soulager sa tristesse. Et c'est avec étonnement qu'elle assistait à la métamorphose de sa grand-mère. N'étaient ses habits de bédouine des hauts plateaux, on l'aurait vraiment crue membre de cette tribu berbère. Parvenus à proximité de la maison et tout en les aidant à planter les piquets des tentes, à dérouler les kheïmas... Zohra prenait des nouvelles des pistes, des points d'eau, s'informait de certaines tribus... Leïla l'admirait dans ses gestes d'autrefois. Quand le campement fut établi, Zohra alla quérir les réserves de la maison et, avec véhémence, cloua le bec de Yamina qui essayait de protester :

— Sais-tu, malheureuse, qu'ils ne vivent que de semoule, de dattes et de thé ? L'odeur d'un oignon frit ou d'une tomate leur sont des arômes de fête ! Je ne vais pas leur voler ce bonheur-là. Je ne vais pas me priver de leur joie !

Elle alla ensuite dans le jardin qui subit le même sort que les stocks de la maison. Les femmes se rendirent au puits. Robes et chèches indigo. Corps de lumières noires frottées à la poussière des chemins. La lenteur du geste, entre lassitude et sacre du quotidien. La nuit des yeux consumée par les mirages du jour. L'éclat du sourire...

Tôt le lendemain, ils replièrent leurs tentes, remercièrent la cheikha de baisers sur sa tête et repartirent. Ils n'avaient que leurs yeux et leur mémoire pour tout instrument d'orientation. Mais ils ne pouvaient pas se perdre. La marche était leur respiration. Le seul risque qui les guettait était le piège de l'immobilité des citadins. Loin d'elle, ils étaient partout dans leur élément. Gens d'espaces et de mouvements, ils n'en admettaient pas les limites. Et s'ils évoquaient parfois celles du temps, c'était pour les mettre aussitôt en abîme en parlant d'éternité. Leur existence rejoignait les générations passées et futures de nomades dans l'immatérialité : ils étaient un regard qui planait dans la lumière.

Bientôt, ils ne furent plus qu'un nuage de poussière, puis disparurent complètement. Existaient-ils réellement ? Leïla ne les avait-elle pas rêvés ? Un rêve mis dans sa tête par la magie des incantations de l'aïeule ? N'étaient-ils pas un mirage né de son désir grandissant de franchir les horizons ?

*
* *

Le 25 février 1957, Larbie Ben M'Hidi est emprisonné. Quelques jours plus tard, un laconique bulletin officiel annonçait sa mort. Mort sous la torture, se répétaient les Algériens. Ce nom faisait partie des plus prestigieux, avec ceux de Youcef Saâdi, Ali la Pointe, les « sœurs de la révolution » : Zohra Drif, Djamila Bouhered, Hassiba Ben Bouali, Danièle Minne, Nefissa Hamoud, Raymonde Peschard... Ces noms qu'on ne prononçait qu'à voix basse allaient nourrir et exalter les songes de Leïla. Elle se les représentait comme des sortes de demi-dieux et déesses qui habitaient les cimes des montagnes, tout près de la voûte céleste. Un jour, quand elle serait un peu plus grande, Leïla les rejoindrait. Elle le savait.

Aussi loin que remontaient ses souvenirs, Leïla voyait sa mère enceinte. Yamina n'avait pas plus tôt accouché, qu'elle remettait ça. Grosse boursouflure devant, deux ou trois mioches piaffant autour d'elle, il n'y avait jamais de place pour Leïla dans son giron ou contre sa poitrine. Tout comme les mots de la tendresse réservés aux garçons. La fillette ne recevait d'elle qu'ordres et remontrances : « Prépare le biberon du petit ! La soupe de l'autre ! Prends ton frère, ne le laisse pas pleurer comme ça ! Torche celui-ci ! Va étendre le linge ! Pourquoi me regardes-tu comme ça ? Pourquoi restes-tu au soleil ? Ce n'est pas une fille que j'ai là, c'est une négrita. Pose ce livre, et fais ce que je te dis !... » Yamina pouvait répéter sa rengaine autant qu'elle le voulait. Au lieu de ranger le livre ouvert sur ses genoux et d'obtempérer, Leïla le prenait à deux mains et le dressait contre son visage, entre elle et la donneuse d'ordres. De guerre lasse, et parce que certaines tâches ne pouvaient attendre le bon vouloir d'une fillette entêtée, Yamina, pestant contre le sort qui lui avait fait engendrer une telle teigne, se levait et accomplissait elle-même lesdites besognes. Son irritation ne la propulsait même plus vers Leïla pour lui administrer une raclée. Elle savait qu'en trois enjambées, la petite garce serait dehors. L'extérieur était un territoire défendu pour Yamina.

Par-dessus son livre, Leïla la surveillait à la dérobée de peur de se laisser surprendre par elle. Parfois, elle jubilait à la vue de l'exaspération de sa mère qui ruminait ses imprécations. Non, Leïla ne se laisserait pas dévorer par ce travail à la chaîne qui accaparait totalement Yamina. Les bercements, biberons, soupes, pipis, défécations multiples, toilettes même sommaires... n'étaient pas son affaire. Ne le seraient jamais. Les livres étaient devenus son refuge contre cette mère à laquelle elle ne voulait pas ressembler. Un refuge

aussi contre les criailleries de la maisonnée. Son res-
sentiment envers Yamina conduisait l'effrontée à des
conclusions qu'elle croyait vengeresses et blessantes. Et
qui n'étaient, de fait, que des banalités éculées :

— Tu n'es qu'une usine d'enfants !

Etalée, renflée de toute part, Yamina joignait ses
mains sur son ventre rebondi et le caressait. Loin de la
fâcher, l'expression la comblait d'aise au grand dam de
sa fille.

Des petits frères ayant succédé à Bahia, il y avait
d'abord eu Jaouad. Ensuite, Nourredine, qui mourut à
l'âge de six mois. Puis Bachir et Ali, les jumeaux. Deux
garçons d'un seul coup ! Yamina s'était mise à exister
grâce à son ventre. C'est grâce à lui aussi qu'elle avait
parfois droit au chapitre de la protestation. Parfois seulement. Encore que nul n'était contraint d'en tenir
compte. Cependant, pour parler d'elle, Tayeb disait
désormais « la mère de mes fils ». Un signe qui ne trompait pas.

Et puis il y avait eu encore d'autres frères. D'autres
sœurs aussi. Leïla en avait la nausée. Seule l'observa-
tion des jumeaux parvenait à capter son attention.
Contrairement à ce qu'on pouvait attendre, ils étaient
en tout point différents. Ali était aussi malingre que
Bachir était robuste. Aussi muet que son frère était
braillard. Il faut croire que le prénom qu'il portait, celui
du défunt frère de Saâdia, le protégeait. C'est Bachir le
bien portant que la mort a fauché. On dit que la main
d'un roumi l'aurait aidée. Allez donc savoir en ces
temps où la peur déclenchait toute sorte de rumeurs !

— Bachir avait vomi et je l'avais senti un peu fiévreux. Je ne m'étais pas inquiétée outre mesure. Quand
son père était arrivé, je l'avais mis au courant. Tu sais
comment il est dès qu'il s'agit de ses fils ! Il a tenu à ce
qu'on aille tout de suite consulter le médecin. Nous

nous sommes rendus à l'hôpital en début d'après-midi.
Le médecin était absent. L'infirmier, celui à qui l'on
impute tant de méfaits, nous a pris Bachir des bras
pour le déposer sur la table d'examen. « Ce n'est rien.
Je vais lui faire une piqûre et cela lui passera complètement », nous a-t-il déclaré. Il lui a fait une piqûre. Mon
fils s'est raidi tout de suite. Il est mort sur-le-champ.
L'infirmier s'est sauvé, poursuivi par Tayeb qui hurlait
de douleur. Le roumi a réussi à s'enfermer dans un
bureau.

Combien de fois Yamina avait-elle raconté cette
mort ? Acte criminel ou choc consécutif à l'injection
d'un produit pharmaceutique ? On ne le saura jamais.
Tayeb voulut tuer l'infirmier. Il en informa le FLN qui
l'en dissuada. Ils enquêtaient. L'homme était suspect.
Ils en faisaient leur affaire. Un mois plus tard, « Tonio »
plia bagages et disparut sans crier gare.

On racontait tellement de choses effroyables. Depuis
un peu plus d'un an, il y avait une deuxième sage-
femme à l'hôpital, Mme Rodriguez. On disait dans tous
les douars qu'elle faisait équipe avec ce Tonio et liqui-
dait le maximum de fellagas à la naissance. On racontait qu'ils supprimaient les nouveau-nés mâles en
faisant croire qu'ils étaient mort-nés. Ou qu'il y avait eu
des « complications ». Vraies, fausses ou seulement un
peu exagérées, ces abominations accablaient les
enfants déjà terrorisés par les violences quotidiennes.

Un jour, en sortant de l'école, Leïla rencontra la Bernard devant l'hôpital. Celle-ci se baissa pour l'embrasser et lui apprit :

— J'ai vu ta mère ce matin. Le petit frère ou la petite
sœur sera bientôt là. Que préfères-tu ?

Pour toute réponse, Leïla éclata en sanglots.

— Qu'est-ce qui t'arrive ? Pourquoi pleures-tu ?

— Je ne veux pas que Mme Rodriguez touche à ma maman. Elle...

— Tu vas me faire le plaisir de ne plus prêter l'oreille aux racontars !

Devant l'air penaud de la fillette, la Bernard éclata de rire. Ce fut elle qui, comme d'habitude, aida Yamina à mettre au monde un autre garçon.

*
* *

De Gaulle fit une tournée dans le Sud algérien. Il vint jusqu'à Kénadsa, jusqu'à ce bout du monde où voie ferrée et route s'arrêtaient. Drif, le mari de Meryeme, la sœur de Bellal, un spahi à la retraite, ressortit son uniforme et astiqua ses médailles pour l'occasion. Puis, torse bombé sous ses décorations, il alla saluer « le Général ».

Dans les écoles, on avait appris *La Marseillaise* à tous les enfants. On leur avait fait fabriquer des drapeaux tricolores : une grande feuille collée sur une règle qu'ils devaient agiter en criant « Algérie française ! » Ainsi préparés, les écoliers furent conduits en rangs sur la principale place du village.

Sur un podium recouvert de tapis flamboyants, dépassant d'une tête les hommes qui se pressaient autour de lui, le Général recevait comme un dû les acclamations des trois communautés. La foule en délire lui fit, sur cette immense place en terre battue, une fantasia et une ovation à la mesure des espoirs qu'elle mettait en lui. Espoirs opposés, évidemment. Longtemps après son retour à Colomb-Béchar, avec Lacoste et d'autres officiels, les Algériens étaient restés là à se répandre en supputations. « Le Général » n'était pas venu jusqu'ici pour rien ! Il était un homme de justice et de liberté, lui ! Il l'avait prouvé. Il devait sûrement avoir son idée pour ce pays...

Quand tout le monde se fut enfin dispersé, Leïla, son petit drapeau toujours à la main, regagna sa maison. Son père et son oncle se tenaient dans la cour et commentaient l'événement. Dès que Tayeb aperçut sa fille, il se jeta sur elle, lui arracha le drapeau et le lui déchira sur la tête. Khellil s'interposa et attira Leïla dans une pièce pour la soustraire à la colère de son père qui se défoula sur les restes du drapeau en brisant la règle en petits morceaux :

— Il ne manquait plus que ça ! Ma propre fille sous mon toit avec un drapeau français !

Douchée par la fureur de son père, Leïla prit conscience qu'elle n'avait pas participé à un jeu collectif. Que les actes et les paroles étaient devenus des enjeux...

— Il a de l'allure ce « Génénar ». Avec sa tête qui se rengorge au-dessus des foules et ses yeux qui se plissent, je lui ai trouvé une superbe de chameau.

Leïla en oublia sa honte et faillit pouffer de rire. Elle s'en garda bien. Khellil aussi. Car tous deux savaient que, dans la bouche de Zohra, cette métaphore n'était ni une moquerie, ni une insulte. Tout au contraire, un hommage.

Au début de l'été, le soleil fondait sur terre, la transformant en brasier. Une lumière de cendre tremblait et le monde vacillait. Torture des pieds qui ne pouvaient plus marcher nus comme à l'accoutumée. Qui n'avaient plus le choix qu'entre les cloques faites par les chaussures ou les brûlures occasionnées par les sables en feu. Torture des yeux fusillés par les réverbérations qui ricochaient de toutes parts. Torture de la peau qui, entre chaleur et poussière, craquelait comme celle des serpents. Et pour Leïla, torture de ce que ses petites copines pieds-noirs appelaient « les grandes vacances » et qui, pour elle, n'était qu'ennui et solitude surajoutés à l'accablement des jours.

L'armée française fermait la frontière entre le Maroc et l'Algérie pour tenter d'enrayer la fuite des familles vers ce pays voisin. Et les nouvelles d'Oujda n'étaient pas bonnes. Le vieux Bouhaloufa était gravement malade. Depuis la mort de son fils, il traînait un corps décharné sans plus aucun goût pour la vie. Son regard errait sur ces terres qui avaient été la fierté de son père, puis leur orgueil à son frère et lui. Les voilà abandonnées par leurs descendants, confiées à des métayers. Son frère Hamza était aussi reclus par la vieillesse que lui. Ses neveux étaient allés rejoindre les maquis algériens. Ils se battaient pour un pays que, jusqu'alors, ils n'avaient pas connu. Et son propre fils Ali avait été tué à quelques mois seulement de l'indépendance du Maroc. Quelle malédiction ! Ali avait laissé trois fils. El Hamdoulilah, Dieu soit béni, le nom de Bouhaloufa n'allait pas disparaître avec lui. Mais ils étaient si jeunes, ces garçons, tandis que les jours lui étaient désormais comptés. Il ne les verrait pas grandir et reprendre en main les domaines.

La présence de Zina à ses côtés le réconfortait et l'attristait à la fois. Elle ne méritait pas un tel mari, la pauvre Zina. Ah, s'il avait eu pour gendre un autre des Ajalli...

Délivré des fureurs qui jadis obscurcissaient ses pensées, Bouhaloufa le Deuxième reconsidérait le passé avec davantage d'objectivité. Il regrettait les conceptions un peu abruptes qui avaient fait qu'il ne s'était jamais rendu en Algérie. L'Algérie... depuis combien de temps Saâdia y vivait-elle ? Comme s'il ne le savait pas ! Vingt-deux années exactement. Toute une vie. Il avait toujours été d'un caractère entier et excessif, dans ses colères et ses rancunes, comme dans ses affections et ses générosités. Mais par Allah, Saâdia était bien une Bouhaloufa, elle aussi. Une tentative, une seule et puis plus rien. Comme s'il suffisait d'un signe pour blanchir les mémoires. Elle ne s'est même pas manifestée à la mort d'Ali. C'était pourtant l'occasion ou jamais... Seules des tragédies peuvent en faire oublier d'autres plus anciennes. Et ce sont les plus grandes douleurs qui font remiser aux hommes leur orgueil et leur vanité. Du reste, c'est depuis cette disparition que tout a basculé dans sa tête et que le souvenir de Saâdia s'est mis à le hanter.

— Zina, ma fille, ma fin est proche. J'aimerais revoir Saâdia avant de mourir.

Paroles terribles. Geste inespéré. Bouhaloufa n'eut pas à les répéter. Zina fit immédiatement envoyer une lettre à Saâdia. Grâce à l'intervention de Vergne, celle-ci put obtenir un visa de sortie. Faveur que les Ajalli se virent refuser, comme prévu. Saâdia leur fit une visite éclair avant de partir pour le Maroc. L'air perplexe et tendu, elle tirait fébrilement sur sa cigarette, essayant de cacher derrière les volutes de sa fumée ce qu'il y avait d'inconsolable dans son regard. Qu'est-ce qui désespérait ces yeux sans larmes ? La souffrance de revoir les lieux d'une mémoire blessée ? Ne retrouver un père, mort pour elle depuis si longtemps, que pour le perdre une seconde fois ? Les deuils qui s'enchaînaient sur les absences creusant des abîmes autour de sa solitude ?

Yamina en revanche ne tarit pas de larmes. Un chagrin sans hoquets ni sanglots, bouleversant de silence. Le chèche tourmenté par une main qui ne savait comment le placer, Zohra servit le thé :

— Il faut que tu ailles sur la tombe d'Aïcha. Après tant de temps, il faut apprendre le pardon.

Saâdia acquiesça et dit dans un murmure :

— Ne t'inquiète pas, j'irai auprès de sa tombe. Je n'ai jamais eu de haine contre personne. Gardez-vous bien, tous, jusqu'à mon retour. Vous êtes ma seule famille.

Bouhaloufa mourut dix jours plus tard. Yamina ne cessait de pleurer, désemparé, Tayeb cherchait comment l'apaiser. Soudain, il s'accroupit en face d'elle. Il venait d'avoir une idée :

— Au retour de Saâdia, nous irons tous lui rendre visite, je reviendrai travailler mais toi, maman et les enfants vous pourriez passer quelques jours avec elle. Cela fera du bien à tout le monde.

Si Tayeb avait accepté Saâdia, il n'avait encore jamais permis à sa femme de se rendre chez elle. Mais maintenant que tant d'hommes étaient au maquis ou en prison, beaucoup de foyers étaient tenus par des femmes seules. Et le courage et la dignité de celles-ci avaient fait tomber en désuétude les hantises que leur solitude inspirait aux fantasmes masculins. Livrées à elles-mêmes, les femmes ne convoquaient pas tous les démons de la création. Elles ne fragilisaient pas les hommes de leur entourage à force de tentations. Bien au contraire. Nombre d'entre elles s'étaient transformées en statues de commandeur et n'avaient de cesse de tancer les poltrons, les acculant, sinon au courage, du moins à ravaler leurs calomnies et à leur montrer du respect.

Yamina s'attendait si peu à cette proposition de la part de Tayeb, qu'elle en oublia de pleurer et le considéra avec incrédulité. Il sourit, se leva et sortit. Yamina se retourna vers Leïla :

— Tu as entendu ? Il a dit que je pourrai aller chez Saâdia !

— Il a dit ça pour que tu t'arrêtes de pleurer.

— Non, il ne mentait pas. Je le connais.

De l'aïeule au dernier des petits braillards, tous allèrent accueillir Saâdia qui revenait accompagnée de Hafid, l'aîné de son défunt frère. Avant de mourir, son père lui avait demandé de prendre en charge ses neveux. Les deux derniers viendraient plus tard.

— Savez-vous que, depuis la mort de son frère, l'oncle Hamza impose qu'on le nomme désormais Bouhaloufa, lui aussi ?

Tous éclatèrent de rire.

*
* *

Octobre 1957, Leïla entamait sa troisième année avec la même institutrice. Au début de sa scolarisation, elle avait eu le sentiment d'être entrée par effraction dans un monde auquel elle n'avait pas droit. Le nombre d'Algériennes à l'école se comptait alors sur les doigts des mains. Mais depuis, si Leïla se sentait encore handicapée par son milieu, par des préoccupations différentes, par la misère... en un mot étrangère parmi les écolières pieds-noirs, le regard bienveillant de son institutrice l'avait tant galvanisée que la fillette avait l'impression que Mme Bensoussan ne regardait qu'elle. Elle se trompait sans doute. Qu'importe ! Ses chaussures de gavroche grossièrement fabriquées par le cordonnier du village, ses robes cousues par sa mère qui croyait bien faire en les affublant de zigzags multicolores... tout ce qui aurait pu l'accabler de honte avait été balayé par ces yeux-là qui ne la jugeaient pas à son accoutrement. Tout au contraire. Ils étaient peut-être plus vigilants, plus encourageants pour elle précisément en raison de ses plus grandes difficultés. Eperdue de reconnaissance, Leïla s'était attelée à ne pas démériter et décevoir. Plus que le fait, miraculeux en soi, d'avoir été mise à l'école en ces années-là, c'est l'attention de cette femme qui lui avait véritablement ouvert une brèche dans ce bastion de la France coloniale, l'école.

Craie, ardoise, encrier, plume, cahiers, livres... Leïla avait d'abord eu un contact charnel, sensuel, avec les éléments qui allaient façonner son esprit. D'où lui était venu ce plaisir tactile instantané ? Du fait, encore inconscient, qu'un univers s'ouvrait à elle ? Un univers aux antipodes de celui qui emprisonnait sa mère ? De la richesse que Leïla y soupçonnait et qui éveillait sa curiosité ? Plume, cahiers et livres allaient devenir ses seules lignes de fuite hors de tous les enfermements : les ordres de sa mère, les tâches ménagères, une tradition rouillée et verrouillée, le néant des immensités. Plus tard encore, ils seraient ses armes et moyens de résistance.

Forte de l'intérêt et de l'affection de son institutrice, Leïla avait osé des prouesses et pris d'assaut ce que, jusque-là, elle avait cru réservé aux autres par un intouchable sceau. Elle était première de sa classe depuis une année déjà et ne comptait pas se laisser dépasser. Alors tout le monde s'intéressa à cette fillette aux longues nattes brunes qui, tous les matins, quittait sa dune pour se rendre à l'école. Qu'une petite Arabe fût si douée étonnait. Mme Bensoussan en était très fière. Et c'était là la meilleure récompense pour son élève. Durant les récréations, l'institutrice gardait souvent Leïla auprès d'elle et lui parlait. Parfois, elle défaisait ses nattes et la recoiffait à sa manière, ce qui suscitait bien des jalousies. Des parents d'élèves vinrent même protester :

— Il ne faut pas que votre pitié pour la petite Arabe

fasse d'elle la première de la classe. Il ne faut pas tout mélanger.

— D'abord ce n'est pas de la pitié, comme vous dites, mais une juste reconnaissance de son travail ! Ensuite, qui, de vous ou moi, fait l'amalgame ?...

Elle les toisait du haut de ses talons aiguilles. Devant la persistance de la bêtise, elle haussait les épaules et d'une virevolte de ses jupons gonflants, leur tournait le dos et s'en allait :

— Tu te rends compte, Leïla, tu fais déjà des envieux ! J'espère qu'il en sera ainsi toute ta vie. Tu es douée, ce serait merveilleux que tu puisses continuer tes études jusqu'au bout. Cela me ferait mal au cœur si tu devais subir le sort des autres Algériennes. Accroche-toi à l'école, c'est ta seule planche de salut.

L'enfant la regardait avec un amour démesuré. Que serait-il advenu d'elle dans ce monde hostile sans l'égide de cette roumia ? Pudeur ou peur en moins, les propos des petites filles n'étaient que les échos des dires de leurs parents. Et la candeur du ton n'en rendait que plus cinglant le mépris. Que l'école fût « sa seule planche de salut », pour l'heure, Leïla commençait à peine à en prendre conscience. Car l'affection de cette roumia ouvrait dans sa tête des horizons insoupçonnés. Elle la guidait dans cette langue qu'elle n'avait pas choisie mais qu'elle aimait déjà, le français. Lentement, et avec la complicité de ses mots et de ses livres, elle lui dévoilait ce monde qu'elle ne faisait que traverser pour se rendre à l'école.

CHAPITRE VI

Tous les jours, Zohra guettait le facteur. Dès qu'il apparaissait au loin, elle s'élançait à sa rencontre. Avait-il une lettre du Maroc ? Les heures piétinaient dans le malheur. Toutes les familles étaient éclatées : qui au maquis, qui en prison. Et ceux, nombreux, qui fuyaient la répression en émigrant. L'espoir des retrouvailles était souvent laminé par la guerre qui ne comptait plus ses ravages. Les familles, elles, comptaient leurs morts. Mais les avis de décès n'arrivaient que rarement sur papier, dans la sacoche du facteur. Ils se chuchotaient de djebels en hamadas. Des cailloux du front, de l'obscurité des cachots jusque dans les murs de terre des mechtas[1] et atteignaient les femmes.

« Bellal a été tué ! » et Zohra ratatinée au sol. La dune noire, le ciel noir de ce que les yeux ne pouvaient plus voir. « Bellal ! » Il était le préféré de Zohra. Elle l'aimait sans doute plus que ses trois fils réunis, pour ce qu'il était, la quintessence de son monde, des hommes qui marchent. Celui qu'elle avait surnommé « S'baâ », le lion, était aussi l'idole de Leïla qui le considérait

---

1. *Mechta* : Hameau.

comme un démiurge, un maître de ces demi-dieux de
la montagne rugissante. Mort ? Comment était-ce possible ? Leïla s'apprêtait à sortir pour fuir l'insoutenable.
Pour aller pleurer, seule, dans le giron de la dune,
quand des youyous stridents la hérissèrent de frissons.
Leïla s'arrêta. Les youyous reprirent. Youyous leurres !
cris qui affûtaient leur douleur. Corps et cordes vocales
tendus à se rompre et le regard vrillé sur Zohra,
Yamina s'y adonnait toute. Les rochers surplombant la
dune la relayaient, les amplifiaient et les propulsaient
plus haut en un crescendo obsédant. Et ne voilà-t-il pas
qu'atteinte par la même fièvre, l'aïeule s'y mettait
aussi !

Sombre journée où les youyous, censés annoncer la
joie, prenaient à témoin les hauteurs célestes du tribut
encore une fois exigé par la Houria. Soir de âacha,
repas et Coran pour une autre veillée funèbre. Au son
des versets, Zohra, Yamina et Meryeme, voix fêlées,
yeux et corps par le drame roués, étaient, à présent,
soudées par un silence sans larmes. Mais Leïla savait
leur mutisme préoccupé à composer des louanges pour
Bellal, le S'baâ. Demain, leurs bouches diront ses
mérites et leurs peines. Demain, leurs chants seront les
premières fleurs du deuil. Et, la tête pleine du bourdon
de la litanie des talebs, Leïla repensa à ces youyous qui
laissaient dans son oreille leurs déchirures. Dorénavant, son ouïe s'exercera à en discerner toutes les subtilités. Elle en découvrira une gamme si riche que son
esprit qualifiera ces virtuoses vocalises d'éclats musi-
cien, poète et dramaturge.

Car le youyou, du rire, sonne le grelot. Le youyou est
un motet qui torpille l'azur en quête d'angelots.
Youyou, vertige voluptueux du sanglot, cri de l'indicible
lancé vers les cieux. Youyou voyou qui aguiche ou provoque, crâne ou s'encanaille. Youyou câlin. Youyou

malin qui, par-dessus les murailles, unit vierges et catins. Youyou triomphal qui s'embrase et empale les cœurs des rivales. Le youyou peut être la démence de la colère, quand elle a brûlé tous ses feux, la semence de la douleur saignée par tous les maux. Youyou, cadeau de vie. Youyou, panache des noces.

Et à présent, le youyou est aussi l'adieu sublimé aux morts glorieux. Youyou aile de l'émotion, bouclier contre les commotions. Youyou drapeau qui parade. Youyou dard. Youyou étendard qu'on plante dans l'oreille ennemie jusqu'à s'en fendre l'âme. Le youyou devient une arme qui refoule les larmes. Le youyou est aux femmes tout ce qui manque à leur lot. Le youyou est l'étincelance, la fulgurance dont sont privés les mots. Le youyou est un rayon de soleil, une moisson du ciel.

Le lendemain, au réveil, chèche bridant les paupières, œil damné et tatouages de travers, Zohra dit à Leïla d'un ton las :

— Viens avec moi à la hadra.

Les hadras sont des réunions de femmes autour de la célébration d'Allah et de son prophète. Inattaquable alibi qui avait toujours acculé les hommes à une tolérance agacée et suspicieuse... Mais, puisque leur présence souillait la maison d'Allah, elles ne pouvaient prier ensemble que dans leur gourbi ! Quel sacre attendre des femmes, emblème même du profane ? Leurs communes prières n'avaient jamais été, au mieux, que des cantiques qui, au fil du temps, avaient tourné en complaintes diverses. En divertissement, en somme. Transes orchestrées par le lyrisme des incantations et les battements puissants des bendirs. Danse-délivrance des tensions accumulées. Si des chants liturgiques inauguraient toujours les hadras, ils n'étaient

plus que de courts préludes au répertoire féminin.
Encore que, auparavant, seules celles qu'un âge avancé
libérait des tâches ménagères avaient le loisir de participer à ces défoulements. Mais la guerre avait tout
bouleversé. Les grands chambardements ont, parfois,
quelques bienfaits. Cependant le patriotisme mystifiait
tous les actes et masquait quelques évidences.

Chants, patrimoines transmis de mère en fille avec la
vie. Aux battements des bendirs, les gosiers flambaient
à l'unisson. Leurs mots étaient le miel et le chicotin,
l'attente et les larmes, la lassitude... Leurs mots étaient
fièvre, feu et sang. La tourmente des voix montait, sem-
blable à l'ivresse des sables dans le vent du désert. Les
bustes se mettaient à tanguer doucement. Les yeux fermaient leurs paupières, regardaient en dedans. Les
jours remontaient, le noir déferlait, les souffles luttaient. Les bendirs des plaintes de tous les temps
cognaient dans la tête. Le corps vibrait à son raï. Ruade
de la vie sur les heures cruelles. Raï d'hier, raï de
demain. Raï, nœud dans les entrailles, écharde dans les
cordes vocales. Raï, comment transformer tes lamentations en espoir ?

Meurtrissures à fleur de voix, d'étranges gronde-
ments aux limbes de la conscience et la sensibilité exacerbée par le vibrato des chœurs, chaque femme
attendait Son Chant. Un rythme et des mots à la mesure
de son désarroi. Ses compagnes les lui offraient. Elle
les recevait comme une décharge au corps et se laissait
emporter par l'accélération des bendirs. Avec la beauté
d'une fureur déchaînée, hélas ! transitoire, la femme
soumise accouchait d'une déesse digne des mytholo-
gies. Visage tout à coup griffé par une expression sauvage, la tempête dans les nattes et dans les vêtements,
les pieds frappant le sol avec la même violence que les
mains amies les tambourins, les kholkhales s'entrecho-

quant... La terre résonnait de ces battements comme de milliers de cœurs précipités. Femmes-toupies, femmes-roulis, femmes-folies. Elles déchiraient leurs robes. Avec une véhémence muette, elles libéraient un ventre, une hanche, depuis si longtemps relégués aux oubliettes. Elles mangeaient de la terre par poignées. Qu'y puisaient-elles ? Un avant-goût de la mort qui endeuillait déjà leurs jours ? Les baisers qu'elles ne recevaient jamais ? Un regain de courage pour ne pas lâcher le fil de la vie ? Elles mangeaient des braises, les femmes, jusqu'à la brûlure de l'inconscient, jusqu'à l'irréel.

Tamtam et chants roulaient, travaillaient les corps qui tombaient d'épuisement. Alors seulement, ils se calmaient aussi et les berçaient. Haletantes, vidées de toute énergie, de toute volonté, de tout désir, les femmes gisaient au sol. Quelques-unes, angoisse désamorcée, inhibitions défaites, éclataient en sanglots. Un lamento s'élevait de l'assemblée et les accompagnait. Puis des mains se tendaient et les aidaient à se relever. Elles regagnaient le rang. On leur donnait un verre de thé qu'elles sirotaient en silence. Puis, elles reprenaient chants et bendirs pour que d'autres puissent se décharger à leur tour des détresses rentrées.

Ces débordements, ailleurs interdits, restaient là. La maâlma, cette gardienne de la tradition, les enroulerait dans les mendils [1] avec les bendirs pour ne les ressortir que lors de la hadra suivante. Les autres réendossaient leur voile et leur passivité habituelle. Elles repartaient vers les solitudes tannées des bêtes de somme, vers une vie de rien. Elles reprenaient d'elles-mêmes les harnais dont les dotaient les hommes. Elles n'étaient venues

---

1. *Mendil* : grand châle en laine tissée.

chercher que l'épuisement salvateur, pour retrouver le visage lisse de la fatalité.

Avec la guerre de libération, le répertoire des hadras se transformait en formidable outil de résistance et de propagande : récits de batailles, louanges des héros, chants patriotiques et hymnes à la liberté éteignaient les raïs de désespérance... Si les femmes continuaient à avoir leurs séances de défoulement, celles-ci se faisaient plus courtes. Par la suite, assises en tailleur, par petits cercles de quatre ou cinq, le bendir non plus vertical mais horizontal, en signe de deuil, maintenu par les deux mains, le feu n'était plus dans leurs corps mais dans leurs yeux et dans leurs voix. Dans les mots. Chaque fois qu'était cité le nom d'un héros ou d'un martyr, chaque fois qu'était nommée la Houria, des youyous s'élevaient de l'assemblée. Ils allaient dorénavant faire écho aux nouvelles douloureuses mais qui contribuaient, chaque jour, à l'avance de la liberté. C'est ainsi que des femmes parmi les plus traditionalistes s'étaient mises à exulter et à insuffler, à travers tout le pays, vers d'autres « sœurs », informations, motions de soutien, encouragements et défis ponctués par le refrain :

— Si on tuait mon mari, mon frère et mes enfants, je pousserais des youyous qui leur ouvriraient les portes du ciel et j'irais au djebel combattre à mon tour pour la liberté.

Et les femmes ne regagnaient plus leurs demeures sinon exorcisées et sereines, du moins anesthésiées pour un temps. Elles s'en retournaient pleines d'espoirs et de volonté.

Ce jour-là, Zohra, la femme aux tatouages sombres, leur chanta la complainte du S'baâ. Leïla regardait toutes ces femmes avec des yeux brûlants. Elle ne se rendait pas compte alors qu'il ne s'agissait pas là d'un

anachronisme. Ces femmes, que les hadras galvani-
saient, avaient à présent des regards et des chants
délestés de leur malédiction. Un langage nouveau. La
liberté, la révolution et tous ces noms d'héroïnes, c'était
merveilleux. Un jour viendrait sûrement où toutes les
femmes en Algérie vivraient comme sa tante Saâdia,
comme Mme Bensoussan ou comme la Bernard.

*
* *

Pour tous, la terreur avait maintenant la couleur des
treillis des hommes de Bigeard. Ces militaires « ont
quelque chose de dénaturé. Ils ont perdu cœur et âme
dans les rizières d'Indochine. Ils ne sont plus que des
machines à torturer et à tuer », disait-on. Des machines
rodées aux tactiques de la guérilla. Par petits groupes,
ils allaient « débusquer le *fell* » et martyriser les populations.

Ils hantaient le sommeil de Leïla. Ils en avaient
chassé les caravanes du sel et tous les personnages
des contes de Zohra. Maintenant, des tempêtes chargeaient le ciel de leurs uniformes dont les taches
gouttaient de sang. « Le sang de nos S'baâs ! Le sang
de nos S'baâs », hurlait-on. Dans les rafales du vent
s'élevaient des gémissements. La dune respirait
comme un poumon malade. Elle écumait, tirait et
cornait. Elle se soulevait et explosait en un énorme
tourbillon. Le sable cardait et criblait les uniformes
qui disparaissaient, comme attaqués par un acide.
Dans ce vacarme, une explosion, un cri d'enfant et la
vision d'un petit bras, le poing serré, et à sa racine,
une fleur de sang. Leïla se réveillait. Tremblante, elle
écoutait longtemps la tourmente des sables, la hadra
des dunes dans la furie du vent.

L'hiver 1958 fut terrible pour les habitants de la petite maison blanche, isolée comme une kheïma, au pied de sa dune. Un point névralgique, l'un des rares puits de la région. Les militaires étaient persuadés que les fellagas s'y alimentaient en eau. De plus, ils soupçonnaient Tayeb de faire partie du FLN. Aussi exerçaient-ils une haute surveillance alentour et ne cessaient-ils de harceler et de malmener la famille.

Les paras arrivaient à une, deux ou trois heures du matin. Les planches et les clous de la porte d'entrée, démembrée aux premiers coups de bottes, volaient en éclats. Leurs craquements sonnaient comme un cri d'effroi. Réveil en sursaut de la maisonnée. On les alignait dans la cour, contre un mur, dans le froid mordant des nuits. Les faisceaux des torches traquaient leurs yeux. Les coups de pied et de crosses. Les gueules vociférantes. Et l'hébétude face à la violence des paras qui saccageaient la maison.

Vivant avec cette hantise, Tayeb et les siens avaient pris l'habitude de dormir habillés et de ne fermer leur porte qu'avec un caillou. S'ils ne pouvaient empêcher les militaires d'emmener Tayeb avec eux, du moins économisaient-ils des planches, denrée rare.

Tayeb revenait généralement le lendemain dans la matinée. Visage fermé, orbites creusées, il essayait de cacher à sa famille les marbrures de sa peau.

— Ils ne m'ont pas passé à l'électricité.

Il avait tout dit. Car s'il puisait dans sa piété et son endurance de nomade la force et la foi de son engagement, l'idée de la torture par l'électricité le jetait dans une irrépressible panique. Mais tant qu'on ne le gardait pas en prison, c'est qu'il n'y avait aucune preuve contre lui ! Cette évidence rassurait un peu les Ajalli qui redoublaient de prudence et de vigilance.

Un jour, emmené la veille par les militaires, il n'était

pas revenu le lendemain matin. En début d'après-midi,
Khellil voulut aller aux nouvelles. Zohra et Yamina s'y
opposèrent. Elles avaient trop peur qu'on l'enfermât
aussi.

— Moi, je ne cours aucun risque. Leïla m'accompa-
gnera, décida Zohra.

Devant la porte de la gendarmerie, elles croisèrent
Berger, un officier qui avait l'habitude de s'approvisionner en eau chez eux :

— Ne vous inquiétez pas, Tayeb va bien.

— Quand sera-t-il relâché ? s'inquiéta Leïla.

Berger ne put répondre que d'un geste impuissant.
Abattues, Zohra et Leïla se séparèrent. Zohra, plis du
chèche vissés aux sourcils, regagna la maison. Leïla
continua vers son école. Habituellement, elle courait à
la rencontre de Mme Bensoussan dès qu'elle l'apercevait et l'accompagnait. Ainsi l'avait-elle pour elle seule
jusqu'à ce que sonne la seconde cloche. Ce jour-là, Leïla
resta collée à l'un des piliers des arcades de la cour sans
broncher. Son institutrice s'arrêta devant elle :

— Eh bien ! qu'est-ce qui t'arrive ?

— Ils ont mis mon père en prison.

Elle ne put finir sa phrase sans éclater en sanglots.
Mme Bensoussan lui prit la main et l'entraîna dans la
classe.

— Ecoute, la guerre est une monstruosité. Mais elle
ne durera pas éternellement. Ne pleure pas. Il faut que
tu sois forte. Il ne faut pas que les paras gagnent sur
tous les plans !

Tayeb ne revint qu'au bout de plusieurs jours, le
visage olivâtre, le corps couvert d'ecchymoses :

— *Ya Allah*, j'étais à un doigt de lâcher ! Berger m'a
sauvé.

Il leur raconta l'interrogatoire, les coups et l'attitude
de Berger. L'officier s'était opposé à ce qu'on le passât

« à la gégène ». Il y avait veillé en venant de temps en temps jeter un coup d'œil par la porte. A un moment, Tayeb lui avait demandé à boire.

— Je n'en pouvais vraiment plus. Je crois bien que j'étais sur le point de m'effondrer ! Les autres ont éclaté de rire. « Est-ce que tu veux du gazouz[1] ? » Pas question de boire. Berger s'est mis en colère et leur a rétorqué : « Quand j'ai besoin d'eau, je vais en chercher chez lui, à n'importe quel moment. Tayeb n'a jamais refusé d'abandonner ce qu'il faisait pour m'en donner. Alors, que cela vous plaise ou non, je lui rends la pareille. » Il a quitté le bureau puis est revenu avec une grande carafe. Il m'a appelé du seuil de la porte. Au moment où je portais la carafe à mes lèvres, Berger m'a murmuré en arabe : « Tayeb, serre les dents, ne flanche pas. Ils n'ont aucune preuve contre toi. C'est du bluff. Tiens bon, il ne t'arrivera rien. Si tu parles, tu es mort ! »

« Il se tenait dans le couloir, hors de la vue des autres. J'ignorais qu'il parlait l'arabe. J'ai failli en lâcher la carafe d'étonnement. Le regard encourageant, le pouce et l'index serrés en pince, Berger a souligné sa bouche fermée, à plusieurs reprises. Ces gorgées d'eau fraîche dans le feu de mon gosier, ces paroles, ce regard, en cette nuit d'hostilité, m'ont insufflé un regain de volonté. Je suis retourné vers les autres métamorphosé.

Tayeb collectait l'argent des cotisations pour le FLN et s'occupait du ravitaillement en matériel et vivres dont le plus pressant, l'eau. Celle-ci ne partait pas de son puits mais du vieux ksar, à l'opposé de sa maison par rapport au centre du village. Et ce n'était pas lui qui la transportait vers le cimetière juif, loin des regards indiscrets... Personne n'avait eu l'idée de chercher des membres du FLN au cimetière juif et de nuit.

---

1. *Gazouz* : limonade.

A partir du mois de mai, avec l'arrivée des grosses chaleurs, la famille dînait et veillait dehors, devant la maison. Les murs de la cour cimentée emprisonnaient l'air chaud, la transformant en un véritable four. Après le marasme de la journée, quand l'indigo du ciel avait fini par couvrir totalement les derniers brandons du soleil, les femmes arrosaient longuement tout autour de la demeure. L'eau avait à peine touché le sol qu'elle y disparaissait sans l'humecter. Avec des chuintements avides, des vapeurs s'en exhalaient qui faisaient de sa surface une croûte craquelée. Il fallait reprendre le tuyau d'eau et recommencer encore et encore, avant de sentir enfin une légère différence.

Cet été non plus, les Ajalli ne pourraient se rendre à Oujda. La frontière étant toujours fermée. Une fois de plus, ils devraient affronter les géhennes de l'été. Leïla redoutait ces quatre mois de vacances scolaires. Ennui et solitude englués dans la torpeur. Et la disparition de l'alibi des devoirs scolaires la livrait aux assauts de sa mère. Ses camarades, Claire et Gisèle, étaient parties. L'une pour Biarritz, l'autre pour Nice. Auparavant, elles lui avaient décrit l'effervescence côtière en période estivale. Leïla avait cherché l'emplacement des deux villes sur la carte de France. Elle, elle n'avait jamais vu la mer que sur l'affiche que son institutrice avait accrochée à l'un des murs de la classe.

A l'autre bout du village, dans le mellah[1] juif, vivait son amie Sarah. Mais Leïla n'avait pas le droit de lui rendre visite. Et malgré ses supplications, Sarah n'avait jamais osé venir jusqu'au pied de la dune. L'été fermait d'autres frontières, celles des traditions. Et celles des différents quartiers, qu'en cours d'année, les vagabon-

---

1. *Mellah* : quartier juif.

dages autour de l'école et les amitiés taillaient en brèche.

Heureusement il y avait les étoiles pour y accrocher quelques rêves. Allongée, la tête sur les genoux de sa grand-mère, Leïla les admirait. Les cieux de Biarritz et de Nice étaient-ils aussi beaux, aussi étoilés ? Ici, l'extrême sécheresse de l'atmosphère donnait au firmament une profondeur toute de poudre or et argent, dans laquelle les astres flottaient comme des paillettes. Et cette texture de lumière faisait que, même les nuits sans lune, ce ciel n'était jamais noir mais d'un velours marine irisé. Les étoiles ruisselaient, flirtaient puis filaient en éclipse. Leïla restait des heures, tête levée, à observer cette kyrielle de vies lointaines. Cet univers captivant apaisait les sentiments d'injustice et berçait ses songes. C'est à peine si, de temps à autre, elle s'interrompait pour jeter un regard circulaire au sol. Scorpions et vipères abondaient, attirés par la lumière.

Ce soir, la lune était pleine. La dune blonde berçait des ombres dans son giron. Le palmier s'allongeait. La nuit à son tronc, la lumière dans sa corolle, ouatée comme une fleur de coton. Le reg se rayait de zones sombres essaimées de rocs blancs. Les roseaux ressemblaient à des plumes d'argent. Les enfants s'agglutinaient autour du lampadaire. De leurs jeux s'élevaient des bourdons de frelons.

Assis en tailleur devant une meïda, Khellil rédigeait du courrier pour Oujda. Zohra lui avait dit ce qu'elle voulait qu'il transmît à sa fille Fatna et son fils Nacer. Et Yamina à son père. Reniflant ses larmes, Yamina pensait à ces trois années qui la séparaient du reste de sa famille. Le chien, détaché pour la nuit, s'était couché auprès d'elles. La tête posée sur ses pattes avant, il observait les deux femmes d'un œil morne, comme accablé par leurs perpétuelles doléances. Tout à coup, il redressa sa tête, bougea les oreilles, se leva et se mit à aboyer. Presque au même moment, les Ajalli se figèrent aux bruits des pas. Bientôt une douzaine de paras les encerclèrent. Ordres claqués, armes braquées, regards de détraqués. L'un d'entre eux, un géant, tout en muscles et en nerfs, vociféra à l'adresse de Khellil :

— Fais taire ton chien ou je vous descends tous les deux !

— Comment voulez-vous que je fasse ? Tant que vous êtes par ici, il aboiera, c'est normal, dit Khellil d'un ton conciliant.

L'autre hurla de plus belle :

— Non de Dieu ! tu le fais taire ou je te flingue avec lui ! Tu l'as dressé pour qu'il te prévienne de notre arrivée. Hein ?

Son fusil semblait faire partie de son corps, de sa rage. Khellil, le visage ciré par la sueur, ferma d'une main le museau de Tobi. De l'autre, il le tira à l'intérieur de la maison. Toute la famille suivit en silence. Ils passèrent la soirée, l'une des plus torrides, enfermés avec le chien dans une pièce, le serrant et le caressant pour l'empêcher d'aboyer.

Tobi avait une fonction essentielle dans l'isolement dans lequel vivaient les Ajalli : veiller sur le château d'eau et tout le matériel déposé autour de l'atelier et des forges. Le jour, la présence des ouvriers les contraignait à l'attacher dans sa niche. Après leur départ, il était le gardien des lieux.

Quelques nuits après cet incident, ils l'entendirent aboyer vers trois heures du matin. Après une rafale de mitraillette, Tobi poussa un gémissement lugubre. Khellil se leva d'un bond. A plat ventre, enserrant de ses bras les jambes de son fils, Zohra supplia :

— Non, non, mon fils, ne sors pas ! Ils te tueraient aussi !

Une seconde rafale. Le hurlement du chien s'arrêta. Par la fenêtre grande ouverte sur la chaleur de la nuit, ils entendirent des pas s'approcher :

— Couche-toi, Khellil. Faisons semblant de dormir. C'est ce que nous avons de mieux à faire, conseilla Zohra.

Leïla tremblait. Elle s'accrocha à sa grand-mère qui l'étreignit. Un instant plus tard, une ombre se profila dans l'encadrement de la fenêtre. Le faisceau d'une torche balaya la pièce qu'ils partageaient tous les trois et se fixa sur eux. La bouche d'un fusil brasilla furtivement. Ils restèrent inertes, comme morts.

Le lendemain matin, ils découvrirent le corps de Tobi criblé de balles.

*
* *

Yamina avait maintenant cinq garçons et une expression goguenarde qui se teintait de dédain en présence des « pauvres femmes à filles ». Et si elle feignait, parfois, quelque condescendance à l'égard de celles-ci, ce n'était de toute évidence qu'une façon appuyée de leur infliger son triomphe. Elle était sortie victorieuse de la guerre du ventre, elle, et savourait de petites cruautés envers les vaincues de la natalité.

Nassim, le cinquième des garçons, était de l'avis de tous un très beau bébé. Mais la préférence de Leïla allait à Ali, le quatrième de cette lignée. Un être maladif, à l'apparence d'un vieux en miniature tant la maigreur fripait sa peau. D'immenses yeux dévoraient son visage avec une gravité pathétique. Pour parvenir à le faire manger, il fallait toujours user de ruses, au désespoir de ses parents. Leïla le prenait un peu sous sa pro-

tection. Mais, hélas ! il n'était pas le seul qui exigeât de
l'attention. Nassim, ce vigoureux petit braillard, lançait
ses pleurs comme des ordres « obtempérez ! »

Parfois, Leïla imaginait Gisèle et Claire s'ébattant
dans les flots. Ses yeux s'embuaient. Etait-il juste
qu'elle ne pût passer ses vacances autrement ? Elle, elle
n'avait que le rempart en papier des livres pour se préserver des biberons, des soupes, des cris, des pipis...
Que leurs histoires pour voyager. Un jour, prise de rage,
elle avait puisé dans les métaphores de son aïeule et
hurlé à la face de sa mère :

— Tes grossesses sont comme des pustules dans mes
yeux. Et tes fils, des sauterelles qui dévorent mes jours.
Je ne veux pas être ton ouvrière, ton esclave, hé reine
de ruche !

Suffoquée par son insolence, Yamina fondit sur elle.
C'était sans compter avec Zohra. Son diaphane
magroune était un sanctuaire contre les pires colères.
Et Tayeb n'y pouvait rien. Dame Zohra assurait sa
malédiction à quiconque oserait lever la main sur Leïla.

— Le djinn de Bouhaloufa a frappé encore une fois.
Et Zohra ne m'aide pas à te remettre dans le droit che-
min. Que vais-je pouvoir faire de toi ? se lamentait
Yamina quand sa belle-mère était loin.

Qu'elle fût atteinte par le même démon que Bouhaloufa n'était pas la moindre des fiertés de Leïla. Elle
allait s'employer à cultiver cette folie-là.

Durant les journées d'été, la température trop élevée
du sable lui interdisait de gravir la dune. La fillette
avait un autre refuge, l'épais fourré de roseaux. Allongée à leurs pieds, dans le limon humide de la séguia,
mains derrière la nuque, Leïla se laissait bercer par
leurs murmures et rêvait. Ou lisait. Quand des appels
sonnaient l'heure du déjeuner, elle ne répondait pas.
Plutôt jeûner que d'avoir à affronter les servitudes de

l'après-repas. Elle trouverait toujours à chaparder une tomate, un œuf dur, une tranche de pain, lorsque la torpeur de la sieste se serait saisie des autres. Du reste, le sentiment de transgression la rassasiait et donnait une saveur exquise à sa solitude.

A court de moyens, son père lui dit un jour :

— Ecoute, je te propose un marché : tu acceptes de t'occuper de ton frère Ali et tu recevras une paie. Ce ne sera plus de l'esclavage comme tu dis, mais un travail rémunéré. D'accord ?

Les yeux de l'effrontée avaient longuement sondé ceux de Tayeb, essayant d'y déceler quelque lueur perfide qui eût miné tout pacte entre eux. Tayeb s'était composé un visage débonnaire.

— Ali seulement ? avança la fillette avec une moue dubitative.

— Ali seulement, rassura le père en dépit de la mine contrariée de Yamina.

— Ça marche !

L'affaire était conclue. Tayeb fabriqua à Leïla une petite tirelire en bois qu'elle confia à sa grand-mère. Chaque fin de mois, il y mettait cinq francs. De temps en temps, Khellil y déposait quelques pièces aussi. Ce tintement prometteur ravissait Leïla qui avait pris Ali en charge, même si, de taille, elle ne le dépassait guère que d'un empan. Consciente de son ascendant sur le petit garçon, elle rêvait et lisait maintenant tout haut. Pour deux.

Quand elle aurait amassé une petite fortune, elle achèterait une grande poupée. Claire en avait une si belle, avec des habits si chics que Leïla n'osait la toucher, se contentant de la couver des yeux. Et puis elle offrirait à sa tante Saâdia un cadeau à la mesure de son admiration. Une fibule ou un chèche pour Zohra. Et surtout, elle pourrait enfin avoir une bicyclette, comme ses amies pieds-noirs. Sa grand-mère acquiesçait. Au fil des mois, la tirelire se remplissait. De temps en temps, Leïla la secouait pour en faire tomber les pièces que son père ou son oncle remplaçaient par des billets.

— Bientôt, on pourra l'ouvrir et on ira toutes les deux à Béchar. Tante Saâdia nous emmènera aux magasins.

C'est dire sa surprise et son chagrin lorsqu'un jour, en rentrant de l'école, Leïla découvrit sa tirelire éventrée et vide. Bouche bée, elle se tourna vers sa grand-mère.

— C'est ton père, kebdi ! Il avait peur que tu n'ailles gaspiller bêtement cet argent. Comme il avait remarqué une chèvre horra[1] sur le marché, il est allé l'acheter avec tes économies. Tu sais, ta mère n'a plus de lait pour nourrir Nassim... Mais Tayeb m'a promis de te donner le double de ton argent, dit-elle d'un ton doux en essayant d'atténuer sa peine, lorsqu'il la revendra ou vendra l'un de ses petits. Pour l'instant, tu n'as plus de sous mais tu as une chèvre magnifique. Va la voir ! Il l'a enfermée dans le poulailler.

Qu'avait-elle à faire d'une chèvre, fût-elle la plus belle de toutes, quand des rêves longtemps caressés étaient ainsi balayés par une trahison ? Que son père lui portât un tel coup était insoutenable. Ruminant cette infamie avec une rage muette, elle l'attendit. Lorsqu'il arriva, elle se dressa sur ses ergots et, avec toute la hargne dont elle était capable, lui hurla :

— Tu n'es plus mon père. Je t'ai fait confiance et tu m'as trahie. Je te hais ! Je te hais ! Tu n'aurais jamais fait ça à l'un de tes fils, je le sais, et je te hais encore plus pour ça !

---

1. *Horra* : pure, libre, dans le texte désigne une race de chèvres à poil ras ou beige.

— Mon Dieu, mon Dieu, qu'ai-je fait pour mériter un démon pareil !

C'était là tout le souci de Yamina. Tayeb, lui, mal à l'aise, essaya de se justifier :

— Ma fille, cette chèvre, il nous la fallait et je n'avais pas d'argent !

Balivernes ! de l'argent, maintenant il en avait un peu. Du moins de quoi acheter une chèvre ! Depuis quelques mois, Khellil travaillait aussi. Et les deux hommes s'étaient mis à économiser. Sans doute parce qu'il faudrait songer à marier Khellil. Et Zohra le savait bien, elle qui cachait leur épargne dans son armoire et mettait la clef dans sa ceinture en laine tissée. Pour qui la prenaient-ils, tous ?

La chèvre en question donnera de nombreux petits. Elle était bien jolie, Leïla dut en convenir. Avec son poil ras, d'un beige presque blanc, ses cornes fines comme de cuivre torsadé, on aurait dit une gazelle.

Leïla devenait plus vigilante et surveillait son père. Toutes les différences qu'il établissait entre Bahia et elle d'une part et ses fils d'autre part, tous les privilèges réservés aux garçons, rien ne lui échappait. Pourquoi n'était-elle son orgueil que dans son statut d'écolière ? Qu'un faire-valoir aux yeux des roumis ? Il ne manquait pas une occasion de lui rappeler insidieusement qu'elle était vouée, elle aussi, au sort féminin commun. Allait-il au moins tenir sa promesse le jour de la vente de la chèvre ? Tayeb ne la tint pas. Il était donc normal de mentir à sa fille. Normal de la trahir et de la voler. Normal de lui faire tout perdre jusqu'aux dernières joies enfantines, jusqu'à la confiance. Une façon systématique de laminer les reliefs du caractère. Personne n'avait pris au sérieux son chagrin. Pas même sa grand-mère. Pour la première fois, Leïla se sentit seule face à une famille soudée par la tradition. Une tradition dans laquelle une femme ne conquiert une place qu'à force de blessures pansées en silence.

Beaucoup plus tard, Tayeb offrira tout de même à Leïla une bicyclette. Mais ce sera pour une autre raison, un autre marchandage. Pour l'heure, Leïla dérangeait, inquiétait. Et c'est avec soulagement que, les vacances de Noël venues, on lui permit de partir à Béchar avec Saâdia.

CHAPITRE VII

Il y avait foule au marché de Béchar. La communauté française s'activait aux derniers préparatifs des fêtes de Noël. Sur les instances de son neveu Hafid et de sa nièce Leïla, Saâdia les accompagna d'abord au souk à bétail. Dès l'approche, les émanations âcres des déjections, chauffées par le soleil, piquaient les narines. Il y régnait comme toujours ce charivari qui enchantait les enfants. Les bêlements monocordes des moutons et les caquets des volailles ficelées formaient un canon à deux voix sur lequel s'accéléraient les prouesses des coqs et les quintes rogues des boucs. Electrisés, œil fulminant et barbiche tressautante, ceux-ci ruaient vers les chèvres, cassés dans leur élan par des cordes qui les maintenaient fermement attachés à des piliers. Les chèvres, elles, broutaient des brassées de luzerne, indifférentes à ces appels. A proximité, trônant avec un silence dédaigneux sur ce tintamarre sédentaire, des chameaux baraqués s'appliquaient à mastiquer, naseaux en l'air. Et les voix fortes des hommes riaient, plaisantaient et vantaient les qualités de leurs bêtes.

Au sud de la partie couverte du marché, foisonnaient les effluves mêlés des épices. Un peu plus loin, ils

cédaient la place à l'odeur fade du sang, la gamme de
leurs teintes chaudes à l'orgiaque bestialité des bouche-
ries. Les animaux étaient égorgés sur place. Leur sang
s'écoulait devant les comptoirs, dans les rigoles prévues
à cet effet et s'étalait en nappes gluantes devant la porte
est du marché. De grosses mouches vertes y pullulaient.
La viscosité de leurs pattes révulsait Leïla qui s'en
défendait avec horreur tant elles lui semblaient de
petits vampires. Pendus à d'énormes crochets rouillés,
des poumons, encore laqués de sérosité, étaient d'un
rose troublant et leur trachée se dressait entre leurs
lobes comme un phallus. Des têtes de béliers, les cornes
superbement enroulées, le cou tranché et le regard ter-
reux, glaçaient d'effroi Leïla.

Saâdia saluait, se faisait servir, passait. Avec des propos taquins lancés aux voisins, les marchands se la disputaient. Ils soignaient la cliente avec un peu trop
d'insistance et l'admiraient à la dérobée. Détendue,
Saâdia plaisantait, s'inquiétait des familles de chacun.
L'aisance avec laquelle elle évoluait au milieu des
hommes stupéfiait toujours Leïla. C'est cette assurance
sans doute qui en imposait aux plus rustres. Mais ce
jour-là, un homme probablement étranger à la ville se
mit à l'importuner. Cette conduite était si déplacée
dans la bonhomie ambiante que tous tentèrent de
l'ignorer. Malgré la crispation de Saâdia et les brefs
coups d'œil exaspérés que lui jetaient les marchands,
l'homme n'en continua pas moins son harcèlement et
s'attacha aux pas de Saâdia. Lorsque celle-ci tenta,
d'abord gentiment, puis de façon plus ferme, de le
décourager, le malotru se fit grossier. La femme en
lâcha son couffin et, mains aux hanches, le railla verte-
ment, prenant à témoin les marchands. Ceux-ci suspendirent leurs gestes, attentifs au dénouement de
l'algarade. C'était là une attitude que l'arrogance de

l'homme ne pouvait tolérer. Furieux, il s'avança vers
Saâdia. Avant qu'il n'eût compris ce qui lui arrivait,
celle-ci l'empoigna d'une main au col. De l'autre, elle
lui administra une paire de gifles retentissantes. Puis,
elle le repoussa avec force. Propulsé à plusieurs mètres
de là, l'homme alla s'effondrer contre des caisses
d'agrumes qui lui dégringolèrent sur la tête avec leur
contenu. L'hilarité explosa dans tout le marché. Les
hommes s'esclaffèrent en se tapant les cuisses. De
mémoire de commerçants, ils n'avaient vu cela. Deux
d'entre eux allèrent aider le mufle à se relever. Et d'autorité, le jetèrent dehors sous les menaces. Les curieux
accouraient de tous les côtés du marché. Les commentaires allaient bon train. Leïla sautillait, au comble de
l'allégresse. Hafid avait déjà des fanfaronnades
d'homme et promettait les pires représailles à l'inconnu
s'il s'avisait de réapparaître. Les commerçants entourèrent Saâdia. De son énorme glacière, Boualem sortit
une bouteille de gazouz. Et Belkacem, qui tenait
l'échoppe d'en face, lui apporta une chaise. On dégusta
un verre de limonade. Autour de Saâdia, se racontait
déjà exagérée l'histoire de ses exploits.

— *Alla kheir ya Zinna*, au revoir la belle, lui dirent les
marchands, quand elle les quitta flanquée de Hafid et
Leïla qui pavoisaient.

Le soir de Noël venu, Saâdia s'attela à la préparation
d'un repas de fête. Elle avait invité son amie Estelle.
Les pommes du dessert étaient si belles, avec leur peau
d'un pourpre lustré et leur chair blanche à la saveur
acidulée, que ce fut un instant magique.

Quelques jours après la reprise des classes, Leïla
tomba malade. Au cours de la récréation, sa maîtresse
la conduisit à l'hôpital, situé juste en face de l'école.
Oreillons, diagnostiqua le médecin. Son institutrice la
raccompagna chez elle. Leïla, qui ne se sentait nulle-

ment en danger, ne comprit pas pourquoi, en l'embras-
sant, Mme Bensoussan eut de grosses larmes qui
brouillèrent ses yeux et précipitèrent son départ. Elle
refusa un verre de thé, et s'enfuit presque en disant :

— Prends bien soin de toi, ma petite gazelle, et n'oublie jamais mes conseils.

Leïla n'aura l'explication de ce chagrin que quelques
jours plus tard, en réintégrant l'école. Mme Bensoussan
était repartie en France. Un problème familial l'y avait
contrainte. Leïla ne devait jamais plus la revoir ! Ce
jour-là, l'établissement lui parut tout à coup lugubre.
Pour la première fois, l'enfant le déserta. Elle courut
vers sa maison. Prenant à peine le temps de jeter son
cartable dans un coin, elle s'élança vers la Barga, sa
dune. Et seuls le sable et le ciel furent témoins de son
immense douleur.

Un à deux mois plus tard, Mme Bensoussan envoya à
Leïla une photo prise à l'école. Elle avait écrit au verso :
« N'oublie pas que tu m'as promis de toujours bien tra-
vailler. Avec toute mon affection. »

Cette attention raviva la peine de l'enfant et l'émut
profondément. Leïla garda religieusement cet inestimable souvenir. Sur l'un des murs de sa classe, il y avait
toujours l'affiche, représentant la mer. Elle avait le bleu
éclatant des yeux de Mme Bensoussan. Et quand Leïla
baissait la tête pour écrire, elle avait l'impression que
son regard était toujours là à la fixer, avec tendresse et
complicité. Son cœur palpitait un peu. Elle s'arrêtait
d'écrire, mais ne levait pas les yeux vers l'affiche pour
ne pas dissiper cette sensation. Elle trempait sa plume
dans l'encrier. Le crissement de celle-ci sur la page du
cahier tissait entre elle et la disparue un sentiment indicible qui habita longtemps la fillette.

Pour aller à l'école, Leïla, balançant son cartable et
ses longues nattes brunes, traversait le quartier le plus

chic du village, celui des roumis. Les grandes villas d'un
rose ocre lui semblaient avoir une magnificence de
palais comparées à sa petite maison chaulée. Elles
s'égayaient à l'avant d'une petite cour délimitée par un
muret et sur laquelle s'ouvraient les fenêtres des cui-
sines. A l'arrière, de grands jardins, prolongés par ceux
des voisins, offraient à l'ardente lumière leurs bouquets. Senteurs délicates des œillets. Bouffées capiteuses du jasmin, celles encore plus entêtantes de
l'absinthe. Celles pétillantes, de la menthe...

Les ruelles y étaient sans fantaisie, tracées à
l'équerre. En février-mars, les tempêtes de vent de sable
ressemblaient à une révolte du désert contre l'intrusion
de cette verdure en son fief sacré. Avec des rugisse-
ments qui obsédaient, avec une fureur opaque, il déferlait sur le village. Le sable en crue s'emparait des rues.
Lorsque les dernières quintes du vent cessaient enfin,
le sable, entassé sur des camions par une armée d'ouvriers, regagnait la dune.

Au milieu de ce quartier se trouvait l'attraction principale du village, une grande et superbe piscine, fierté
de la commune. Dès le début de mars et jusqu'à la fin
octobre, la fournaise des jours y poussait toute la jeunesse du village, excepté les Algériennes, pas même les
fillettes. De la radio du bar, s'élevaient les mêmes tubes
de l'été. Les inlassables voix de Tino Rossi, d'Aznavour
ou de Dalida couvraient le brouhaha. Les pieds-noirs
aimaient à se retrouver là, le soir venu, à l'heure savou-
reuse de l'anisette. Regarder s'ébrouer les corps ruisse-
lants de cette jeunesse insouciante, les réconfortait. Ils
avaient tant besoin d'être rassurés. Ils parlaient du
pays, de leur pays, l'Algérie. Anisette, kémia et cigarettes. Sourires, bourrades amicales, oreilles indul-
gentes pour toutes les rodomontades, car ici, on était
au sud de tous les suds. Et là-bas, leur ciel rose et violet,

à nul autre pareil... De temps en temps, ils jetaient un regard songeur vers le petit Arabe qui jouait avec leurs enfants. Un jour, il serait peut-être un ennemi, lui aussi. Un jour, lui aussi ne la voudrait que pour lui, l'Algérie. « Ce pays de leurs parents et grands-parents », que certains dirigeants français de la métropole essayaient de « brader ». Ils ne les laisseraient pas refaire ici « ce qu'ils avaient déjà fait en Indochine ». Ils y veillaient jalousement. C'étaient eux qui, avec le soutien des paras, de Massu et de Salan, avaient amené de Gaulle au pouvoir. Oui, c'était grâce à eux qu'il pavoisait partout. Et ne voilà-t-il pas que le Général clamait « l'Algérie algérienne » et parlait d'autodétermination ! S'il n'y prenait garde, l'homme du 18 Juin, ils lui brandiraient sous le nez un second Pétain ! Ils referaient le 13 Mai...

De l'autre côté du village, séparé du centre par tout un alignement de casernes, s'étendait le quartier ouvrier français, « le Pourini ». C'était déjà autre chose, un autre monde. Un monde braillard, grouillant et pétillant. Les familles y étaient d'origine espagnole, maltaise, sicilienne, calabraise... L'accent pied-noir y était mâtiné par toutes les consonances qui jalonnent le pourtour de la Méditerranée. Les femmes y avaient des allures de mammas italiennes ou andalouses. Entourées d'une nombreuse marmaille aux petits corps bruns et frétillants, elles tricotaient devant leur porte en chantant, pour elles et pour les voisines, des sérénades de l'autre rive de la mer. Ce quartier ne sentait pas le jasmin et l'absinthe. Des fenêtres grandes ouvertes, se dégageaient de fortes odeurs d'ail et de poivrons frits, d'huile d'olive et de melon. Les rues, gorgées de sable, n'étaient pas désensablées avec la même régularité que dans le quartier chic. Même le sable n'avait pas ici la même couleur. La proximité d'un terril le saupoudrait, sournoisement, d'une fine poussière de charbon. Mais rien, non, rien ne pouvait ternir ni entamer la bonne humeur et la joie de vivre de ses habitants.

Entre ces deux côtés français du village et le mellah et le ksar, il y avait les bâtiments des administrations : la gendarmerie, la mairie, les écoles, l'hôpital... sorte de no man's land déserté la nuit, quand les « bronzés » paraissaient encore plus bronzés. Quand tout bronzé devenait un fellaga potentiel.

Le mellah abritait la population juive ; géographiquement comme humainement, il faisait office de tampon entre les deux autres communautés, musulmane et chrétienne. La rue principale s'y parait de boutiques aux murs de couleurs variées. Des hommes en saroual, kippa sur le sommet du crâne, œil espiègle et bras agiles, mesuraient déjà par empans et coudées dansants le tissu que le client, bouche bée, avait à peine eu l'imprudence de regarder. Et, même s'il n'était entré dans leur échoppe que par curiosité, il n'en ressortait que très rarement les mains vides et toujours avec le sentiment d'avoir conclu le long marchandage à son avantage.

Venait ensuite le vieux ksar. Fourmillant d'enfants et pauvre. Un ksar pauvre mais pas sinistre comme Hassi el-Frid ou Ksar el-Djedid. La zaouïa de Sidi M'Hamed Ben Bouziane, vestige d'un vaste palais en terre en occupait le cœur. Quelques corps de bâtiments, encore intacts parmi les ruines, témoignaient d'un fastueux passé.

Enfin, Hassi el-Frid d'un côté et Ksar el-Djedid de l'autre. Misérables, désolés et désolants. Rien pour le ventre, rien pour le rêve. Là, ce n'étaient pas seulement les rues qui étaient tristes. La tristesse dominait partout, même dans le regard sombre des enfants affamés. Des enfants qui avaient les yeux et le ventre dilatés par le vide, les membres secs et fripés. Leur regard semblait se nourrir de toute la détresse du monde, avec un rien de fatalité et d'ennui.

Ainsi était cloisonné le village. Chacun à sa place, selon son ethnie d'abord, selon sa bourse ensuite. Chacun son territoire en dehors duquel il devenait l'intrus. On ne se mélangeait pas, non. On s'observait et on se surveillait.

*
* *

— Tu vas voir, Leïla, avec Mme Tolédano, ça va changer pour toi. Tu ne seras plus la chouchou. Tu ne seras plus toujours première ! s'étaient délectées, avec perfidie, quelques élèves après le départ de Mme Bensoussan. Leïla ne fut pas la « chouchou » de Tolédano. Mais elle demeura « une Arabe pas comme les autres » puisqu'elle restait première de sa classe, au grand dam des jalouses. Elle en éprouvait une joie vengeresse qui l'exorcisait de toutes ses fureurs. Mais cela lui valait bien des vexations. Juliette, une fillette un peu précieuse et pâlotte, que même le soleil du désert n'arrivait pas à brunir, lui dit un jour :

— Oh ! maman dit que cela ne sert à rien à une Arabe d'être première ! De toute façon, on la mariera et on l'enfermera à douze ans. Elle dit que c'est donner de la confiture aux cochons !

Folle de rage, Leïla se jeta sur elle. Il fallut toute l'autorité et la force de Mme Tolédano pour la libérer de ses griffes.

Pour aller à l'école, Leïla quittait un monde pour en traverser un autre. La Barga, la dune, les palmiers, sa grand-mère et ses contes, ce regard dans la lumière, tout restait là-bas, en marge. Elle passait par cet univers de riches. Parfois pleine d'appréhension, elle marchait vite et poussait un soupir de soulagement en arrivant devant l'école. D'autres fois, la curiosité l'emportant sur la peur, elle s'y promenait et observait la vie des autres. Les jeunes filles surtout. Jupes amples ou serrées, hauts talons caquetant sur le macadam, chevelures crêpées en crinières, elles creusaient les reins et pointaient les seins. Les filles du ksar, elles, courbaient dos et nuque pour camoufler leur poitrine. Leïla n'avait pas encore de seins. Mais elle se surprenait à redresser sa colonne vertébrale et à tortiller le cou avec l'illusion d'allonger sa petite silhouette... Elle admirait les bicyclettes rutilantes, les voitures, les intérieurs entrevus à travers les portes et les fenêtres ouvertes, les jardins foisonnant de fleurs...

Le trajet jusqu'à l'école passait devant la maison de Gisèle Fernandez, sa meilleure amie. Une amitié sinon contre nature, du moins contre l'avis des parents. La mère de Gisèle était d'un racisme envers les Arabes aussi grand que celui de Yamina envers les Noirs et les Juifs. Une absurdité qui horripilait les deux fillettes. Aussi Leïla n'entrait-elle jamais chez les Fernandez. Les deux amies s'attendaient l'une l'autre au bout de la rue et faisaient le reste du chemin ensemble. Très souvent, à la sortie de l'école, Gisèle déposait son cartable chez elle et accompagnait Leïla jusqu'à la limite du village, l'aidant ainsi à traverser son quartier sans encombre. Mais Gisèle n'était jamais venue au pied de la dune.

Un jour, elles avaient reçu leurs cahiers de compositions à faire signer. En arrivant devant chez son amie, Leïla vit Mme Fernandez dans le jardin. Celle-ci s'approcha et s'inquiéta :

— Leïla, tu as ton cahier de compositions ?

— Bonjour madame, oui, je l'ai.

— Peux-tu me le montrer ?

Leïla ouvrit son cartable et lui tendit ledit cahier. La femme le feuilleta, une crispation marquant de plus en plus ses traits. Dès qu'elle aperçut Gisèle, qui sortait de la maison à ce moment, elle roula le cahier et en hurlant la battit avec :

— Te rends-tu compte que la petite Arabe travaille bien, elle, alors que tu ne fiches rien. Ma parole, c'est le monde à l'envers ! Et puis, il me semble t'avoir déjà dit que je ne voulais plus te voir fréquenter des moukères. Si au moins tu prenais exemple sur celle-là !

Gisèle bondit, lui arracha le cahier des mains et rétorqua avec véhémence :

— La moukère te dit merde et moi aussi, eh vieille conne !

D'un bond elle fut hors de portée. Le cahier de Leïla était tout froissé, racorni. Son orgueil aussi. Blême et muette de rage, elle rejoignit Gisèle. Les deux filles firent quelques pas en silence. Puis, Gisèle enlaça Leïla et dit d'un ton navré :

— Tu le savais que ma mère était comme ça. Si tes notes avaient été plus mauvaises que les miennes, elle t'aurait peut-être supportée... Moi, je m'en fiche de l'école. Complètement. Ce que je veux, c'est chanter !

Et de sa belle voix, elle entonna sa chanson favorite du moment : « *Ya el kaouini, ya el jafini*, Toi, qui m'enflammes et puis m'abandonnes », qu'elle acheva par un grand éclat de rire :

— Aïe aïe, la raclée que je vais recevoir ce soir... Imagine un peu si ma mère apprenait que je suis amoureuse de Khéfi !

— Parce que tu es amoureuse de Khéfi ?

— A la vie, à la mort !

Elles éclatèrent de rire ensemble.

Hélas ! dilemme de l'enfance de Leïla, aucune des trois communautés n'avait le monopole du racisme. Sa mère, Yamina, était aussi virulente que Mme Fernandez dans ce domaine. « Ihoudia, juive ! » était l'une

de ses insultes favorites quand elle voulait blesser Leïla.
Et elle y parvenait. Non pas que ce terme fût injurieux
pour la fillette, non ! c'est qu'il fût considéré comme tel
qui la meurtrissait car cela l'atteignait dans son affection même. Leïla avait aussi une amie dans le mellah,
Sarah, dont elle adorait la mère. Leïla trouvait souvent
Emna Ben Yatto assise devant sa maison, sur un petit
tabouret caché sous ses grandes jupes. Son foulard noir
frangé d'écarlate et d'or, légèrement incliné sur un œil,
était la seule coquetterie de son costume strict. Son
corps lourd et nonchalant, appuyé au mur, elle discutait avec les voisines assises, elles aussi, sur le pas de
leur porte. Leïla se jetait contre sa poitrine et enfouis-
sait la tête au plus chaud de sa gorge opulente. Elle y
humait une senteur de musc, de clou de girofle et
d'huile d'olive mêlés, tandis que la femme la picorait de
doux baisers en susurrant à son oreille :
— Ma petite kahloucha, kahlouchti.
Le giron de sa propre mère, toujours rempli par un
gros ventre ou occupé par un dernier-né, toujours
assailli, entouré par d'autres bambins, lui restait inaccessible. De la bouche de cette mère, Leïla ne recevait
que des ordres... jusqu'à cet adjectif, Kahloucha, noiraude, qui dit par elle, devenait une insulte comme
Ihoudia, juive. « Kahlouchti, ma noiraude », la voix
d'Emna roucoulait à son oreille. Et Leïla en frétillait de
bonheur. Ce bonheur arraché aux interdits, le même
que celui éprouvé auprès de Mme Bensoussan et de la
Bernard, triomphe de l'affection sur la bêtise, la déli-
vrera à jamais des peurs et des enfermements.
Chaque vendredi, Emna préparait une dolma[1] de sardines qui était consommée froide le samedi, jour où
aucun âtre ne s'allumait dans les familles juives. Leïla

---

1. *Dolma* : boulette.

aimait assister à ce rituel. Emna nettoyait le poisson, en retirait les filets, les écrasait et les mélangeait avec du riz, des herbes, de l'ail et un œuf. Elle en faisait des boulettes qu'elle mettait à cuire dans une grande marmite avec une sauce tomate onctueuse et parfumée. Le lendemain, Sarah et Leïla, arrivant affamées de l'école, se précipitaient vers la cuisine. Elles en ressortaient les mains pleines de boulettes et, assises côte à côte au soleil, dégustaient ce mets savoureux en se léchant les doigts. Un sourire aux lèvres, Emna les couvait d'un œil attendri.

Comme la majorité des Juifs du village, les parents de Sarah parlaient surtout l'arabe. Beaucoup ne comprenaient pas le français. La présence de cette communauté en Algérie était antérieure à l'arrivée des pieds-noirs. Certains d'entre eux disaient en riant qu'elle précédait même l'invasion arabe ! Le décret Crémieux les avait faits français, du jour au lendemain, eux que seule la religion distinguait des autres Algériens. Langue, costumes, habitat... tout était identique. Et même s'ils ne se mélangeaient pas, Juifs et Arabes vivaient paisiblement ensemble depuis si longtemps que c'en était presque un miracle. Ce décret avait fait naître la suspicion des musulmans à leur égard. Les pieds-noirs, eux, leur reprochaient de ne pas être totalement de leur côté. Et, pour compléter l'ambiguïté de la situation, l'État d'Israël se prononçait maintenant pour une Algérie française !

Un fâcheux événement, survenu en cette année 1958 allait encore envenimer la situation. Un Juif, chargé par le comité international d'enquêter sur les conditions de vie de sa communauté dans le Sud-Ouest, fut abattu lors d'un accrochage entre les hommes de Boumediene et l'armée française qui se rejetèrent mutuellement la responsabilité du meurtre. Le raffut international qu'il engendra empoisonna la région pendant longtemps.

Les aberrations de l'enseignement et des manuels scolaires imprégnaient l'esprit de Leïla d'un étrange sentiment d'irréalité. Des dissonances s'entrechoquaient dans sa tête. Outre la litanie de « nos ancêtres les Gaulois » infligée à l'ensemble des élèves sans discernement, tout concourait à bannir l'identité, la culture et l'existence même de l'environnement quotidien de Leïla. Les textes des dictées et des lectures n'évoquaient jamais que la France. Même les sujets des cours de dessin n'avaient que la France pour modèle. « Dessinez un chalet de montagne ou une maison de campagne. » Leïla n'était pas dupe, non. Elle s'en amusait. Alors elle dessinait, avec mille détails, un chalet de montagne. Un chalet tout en bois comme les coffrets à bijoux des mariées, un ruisseau... l'herbe et ses pâquerettes ? Elle dessinait seulement les constellations de son ciel nocturne dont ses doigts farceurs auraient transformé le velours marine en jade... Mais sa maison arabe, blanc petit coquillage échoué sur le rivage de la mer de sable ? Mais ses palmiers lancés vers le ciel comme des appels au vert et qui ne verraient jamais cette couleur s'étendre à leurs pieds ? Mais sa dune aux formes voluptueuses, brunes, blondes ou rousses selon les ardeurs despotiques du soleil ? Mais l'incendie des couchants qui consumait ses terreurs, et du ksar éteignait les rumeurs ? Tout cela, personne ne demandait à Leïla de l'illustrer. Cette autre vie n'avait droit qu'au silence. Une dualité naissait déjà en elle avec ses joies aigres-douces et ses écartèlements.

On apprit à Kénadsa que le FLN avait établi une base à Oujda, juste à l'arrière de la ferme Bouhaloufa. Il y avait là une caserne que l'armée américaine avait occupée auparavant. C'est à la porte de celle-ci qu'un jour Leïla avait admiré, pour la première fois, une moto. Jouant à proximité avec ses cousins, ils avaient vu surgir ce monstre vrombissant. Un colosse aussi noir que sa bête de fer était aux commandes. A le regarder fendant l'air, Leïla avait cru un instant qu'il allait s'envoler. L'homme fit des dérapages qui arrachèrent à ses pneus des gémissements et aux enfants des cris admiratifs. Prenant conscience de l'intérêt que ceux-ci lui portaient, l'homme avait fini par se diriger vers eux. Les enfants n'avaient pas compris un traître mot de son parler. Ils avaient seulement retenu qu'il s'appelait John. Fascinée par sa machine, Leïla avait tourné autour en la caressant. Tout à coup, John l'avait saisie et hissée sur la moto qui, déjà, bondissait dans un nuage de poussière. Inquiète, Leïla s'était agrippée des mains et des pieds au corps gigantesque. L'homme tournait la tête vers elle et riait. L'éclat de ses dents, son rire tonitruant, la force huilée de ses mouvements... il était à l'image de la puissante mécanique. John s'était arrêté devant la ferme et l'y avait déposée. Il avait déplié sa haute stature, ôté son casque et salué Zohra. Assise sur la margelle du puits, celle-ci avait fait un salem[1] de la main avec son plus beau sourire. Un moment plus tard, les autres enfants arrivés hors d'haleine conspuaient Leïla :

— Houhou, elle est montée avec un Sénégalais !

— Sénégalais n'est pas une insulte. Et ce n'en est pas un. C'est un Américain, rétorqua Zohra.

— C'est pareil, c'est un Abd[2] un esclave, argua Yacine sentencieux.

---

1. *Salem* : paix, terme de salutation. Abréviation de « restez en paix ».
2. *Abd* : esclave.

Zohra s'était levée et, les mains sur les hanches, s'était avancée vers lui :

— Abd ? ! Est-il ton esclave ? Je te défends d'employer ce mot à la place de khal[1]. Sinon, c'est toi qui resteras l'esclave des préjugés. Et puis, si tu n'aimes pas le noir, mon petit, tu n'as qu'à l'enlever de tes yeux !

Yacine avait des yeux plus noirs que la peau de John.

— Et n'oubliez pas, tous, que vous avez du sang noir qui coule dans vos veines.

— Du sang noir ! s'exclama Yacine ahuri.

— Oui, du sang noir. Vos mères ne vous le disent jamais. Elles en ont trop honte. L'un de vos ancêtres avait fait des enfants à sa servante noire. Une femme si belle qu'elle avait évincé ses épouses blanches. Nous descendons de cette femme. N'oubliez jamais cela !

Se radoucissant et d'un geste machinal, elle caressa la tête de Yacine. Ses doigts s'arrêtèrent au toucher des cheveux, en saisirent une touffe entre pouce et index :

— Tiens en voilà une preuve, mon petit, tes cheveux crépus sont la marque de cette ascendance !

D'un bond, Yacine se dégagea et partit la lippe boudeuse et les pieds martelant le sol. Se découvrir une ancêtre noire n'était pas pour lui plaire. Des Noirs, il y en avait à la ferme, des esclaves affranchis devenus métayers...

On disait que Houari Boumediene, le commandant de l'Ouest algérien, ne ressemblait en rien aux maquisards passionnés et impulsifs des Aurès et de Kabylie. On le décrivait froid, méthodique, ne laissant rien au hasard. Il avait développé un système de liaisons radio dans toute la région et semblait au courant des moindres faits et gestes de l'armée française.

---

1. *Khal* : Noir.

La prison de Kénadsa devenait tristement célèbre. Devant sa porte, il y avait souvent des queues interminables de femmes, d'enfants et de vieillards venus, des quatre coins du pays, dans l'espoir souvent vain de voir un frère, un père, un mari ou un fils.

Las d'être harcelé par des interrogatoires de plus en plus pénibles et fréquents, Tayeb demandait à rejoindre le maquis. Le FLN s'y opposait encore. Il était « beaucoup plus utile ici qu'au djebel ». Maintenant, il avait un pistolet en sa possession, un Mauser, et aussi un coutelas. Leïla les avait vus une fois. Mais elle ignorait où Tayeb pouvait bien les cacher. Certainement pas à l'intérieur de la maison. Les paras les auraient trouvés.

Chaque jour apportait son lot d'atrocités : torture pour extorquer des aveux, sanctions et représailles s'entrecroisaient et s'enchaînaient. Les moudjahidines, eux, traquaient le collabo et s'adonnaient à des mises en scène effroyables, pour l'exemple. Le spectacle de corps humains décapités ou dépecés hantait les esprits.

Un jour, Tayeb arriva à la maison, fou de rage. Il avait entendu Drif, le mari de Meryeme, l'ancien spahi aux médailles, dire à quelques hommes au marché : « L'armée française est bien trop forte face à ce ramassis de voyous qu'est le FLN. Ils devraient arrêter tout ça, se rendre et nous laisser vivre en paix !

— Il est maboul ! « Le ramassis de voyous » va lui couper la tête !

Zohra prit la défense du vieil imprudent :

— Tu sais bien que c'est un homme tranquille et inoffensif.

— Mais par les temps qui courent, ses propos sont passibles de mort !

— Il faut lui parler avant qu'il ne soit trop tard.

— J'irai le mettre en garde, moi, contre les dangers qu'il court. Il m'écoutera.

Les appréhensions de Tayeb étaient fondées. Quelques jours plus tard, la décision de liquider le pauvre Drif était prise et aurait été exécutée si Tayeb n'avait plaidé avec conviction la cause du vieil insensé.

Le FLN imposait lui aussi maintes interdictions. Consommer de l'alcool et même fumer dans des lieux publics devenait condamnable. Saâdia, elle, fumait toujours son paquet de Braz Bastos sans filtre par jour. Mais elle était à présent une militante rompue à toutes les actions et n'épargnant ni ses forces ni sa bourse. Un samedi soir, alors qu'elle était à Kénadsa, Zohra essaya de la raisonner :

— Tu devrais cesser de fumer ma fille. Ce n'est pas bon pour ta santé. Ta voix devient de plus en plus rauque. Et puis, c'est déjà mal vu pour un homme, alors une femme...

— Je sais. J'ai essayé à plusieurs reprises, sans succès.

— Viens avec moi à la zaouïa demain. Tu déposeras ton paquet de cigarettes entamé sur la tombe de Sidi M'Hamed Ben Bouziane et tu l'imploreras de t'armer de volonté. Ensuite, nous donnerons l'obole aux pauvres pour que ton vœu soit exaucé.

— Si tu veux...

Le lendemain matin, Saâdia posa avec regret son paquet sur les tapis recouvrant le tombeau de Sidi M'Hamed. Tandis que Zohra priait avec ferveur, assise en tailleur, les coudes appuyés sur ses cuisses et le menton dans les mains, Saâdia la regardait d'un air plus abattu que recueilli. Elle attendit la fin des nombreuses prières et bénédictions de la femme aux tatouages sombres. Ensuite, magnanime, elle alla acheter des dattes, des figues et du pain qu'elle distribua avec quelques pièces à des mendiants. Mais en repartant, à dix mètres de la lourde porte cloutée de la mosquée, au pied d'un mur, que vit-elle ? Un paquet de Braz Bastos entamé ! Saâdia bondit et, avec une joie non dissimulée, le ramassa. Elle l'enfouit prestement entre ses seins et conclut avec triomphe :

— Ah ça, tu es témoin, tante Zohra, même Sidi M'Hamed n'y peut rien. Ceux du FLN, j'en fais mon affaire.

Et alors que Zohra dépitée hochait la tête, Saâdia retrouvant son allant et la vivacité de son regard, se mit à caracoler devant elle.

Ce long été 1959, qu'ils passèrent à guetter le facteur apportant des nouvelles du Maroc, allait cependant se terminer sur une note gaie, un espoir. A la mi-septembre, de Gaulle avait proclamé le droit des Algériens à l'autodétermination, par la voie du référendum. « Quel grand homme ! » se félicitaient les Algériens qui observaient avec une crainte narquoise le tollé que cette déclaration suscitait au sein de la communauté pied-noir et d'une partie de l'armée.

Enfin, la rentrée approchait. Il n'y avait qu'à regarder les palmiers pour s'en assurer. Quand les dattes avaient bruni et mûri. Quand elles se détachaient d'elles-mêmes, comme de grosses gouttes de miel, des grappes cannelle et or que les palmiers tendaient encore vers un soleil devenu moins arrogant et venaient se piquer sur les palmes au pied des arbres, formant comme un bouquet de sucres d'orge. Quand enfin le matin au réveil, les yeux encore ensommeillés, les enfants pouvaient déguster cette offrande mise chaque jour à leur portée par l'arbre altier, c'était que l'école était vraiment pour bientôt.

Mais lorsque les fruits mûrissaient, il fallait veiller aux chapardeurs. La palmeraie appartenait à la zaouïa.

Les Ajalli en avaient la garde et bénéficiaient de la jouissance des quelques dattiers à proximité de leur demeure. Cela couvrait largement leur consommation, celle de Saâdia et de Meryeme. Et, depuis que les hommes bleus avaient surgi dans leur vie, Zohra gardait précieusement quelques grappes pour eux.

Après la rentrée, à peine si une semaine s'était écoulée, qu'un homme au saroual flottant grimpait avec une facilité simiesque le long des troncs et allait couper les lourdes grappes chargées de fruits, les arjounes[1]. Leïla ne se lassait pas d'admirer sa dextérité. La tête levée, elle le regardait juché comme un oiseau à la cime du palmier qui, doucement, balançait. Des palmiers si hauts qu'ils caressaient le bleu du ciel comme des éventails. Combien de fois Leïla s'était-elle essayée à l'imiter ? Mais sa témérité s'évanouissait dès qu'elle atteignait deux ou trois mètres de hauteur. Elle redescendait avec prudence. Assurément, les cieux n'étaient pas à la portée de tous.

Pendant plus d'un mois, à cinq heures en sortant de l'école, le suprême régal pour Leïla, c'était de prendre un verre de lait frais et d'aller cueillir sur l'arjoune, suspendu sous la tonnelle en cannisse, des dattes aussi renflées que son envie.

---

1. *Arjoune* : grappe.

CHAPITRE VIII

Tout au long de l'année scolaire écoulée, Khellil avait traîné un cœur épris dans le sillage d'une écolière. Un jour, au comble du bonheur, oublieux du devoir de réserve en usage, il confia à Zohra et Leïla qu'il était aimé en retour. « Quelle astuce a-t-il trouvée pour communiquer avec sa dulcinée ? », se demanda Leïla. Car l'adolescente en question avait pour père un cerbère. Nul dans le village ne l'ignorait. Constamment maintenue sous sa férule, c'est à peine si la pauvre fille osait un sourire pour les écolières rencontrées sur son chemin. Elle n'avait même pas le droit de tourner la tête. Et ses pas ne s'écartaient guère de la droite ligne qui les sous-tendait, du seuil de l'école à la gandoura du père, piquet d'arrivée. Aussi, les vacances d'été n'étaient-elles pas interminables seulement pour Leïla. Durant ces quatre mois, Khellil n'avait pu apercevoir l'ombre de son aimée. Il avait erré comme un bourdon sans fleur et sans jardin. Le soir, pour tromper une attente délétère, il lisait à Leïla les *Fables* de La Fontaine et déclamait avec emphase les poèmes de Lamartine et de Musset.

La rentrée tant attendue ne fut qu'un coup de glaive

dans sa patience. Son aimée restait cloîtrée chez elle. A douze ans, sa poitrine tendait sa robe et son père avait dû trouver indécent de continuer à l'exposer aux regards masculins. Khellil dépêcha sa mère demander sa main avant qu'un intrus ne la lui volât. Pour la circonstance, Zohra mit des bijoux en argent sur le vert sombre de ses tatouages. Choisit d'autres têtes chenues pour composer sa délégation et s'en alla *fi Amen Allah*, à la grâce de Dieu. Hélas ! l'horrible père avait sans doute eu vent de l'idylle qui avait tenu en échec sa vigilance. Zohra devina que c'était là, de toute évidence, le véritable motif de l'interruption de la scolarité de sa fille et de son refus de satisfaire sa requête.

Khellil en perdit l'appétit et se mit à maigrir de façon spectaculaire. Quand il ne travaillait pas, il se réfugiait, lui aussi, dans la lecture ou promenait sans les voir un regard désenchanté sur ses proches. Il était le premier homme amoureux et malheureux à cause de l'amour que Leïla voyait. Elle l'aima davantage encore pour cet inestimable présent.

Le thème du mariage était devenu un sujet fréquent des discussions entre Zohra, Yamina et Khellil. Un jour, sous la tonnelle, à l'heure du thé, Khellil amer conclut une longue diatribe contre le hadj teigneux qui persistait à lui refuser sa fille en disant à l'adresse de Leïla assise à ses côtés :

— Toi, je veillerai à ce que tu te maries avec qui tu veux !

La fillette se sentit devenir écarlate quand la réponse de sa mère vint lui retourner le sang :

— Leïla épousera son cousin Yacine. C'est une promesse faite depuis sa naissance. Comme Bahia est promise à Madjid.

— Elles épouseront qui elles voudront ! J'en ai marre de ces archaïsmes !

Pour une fois, Khellil avait haussé le ton et martelé ses mots. Mais sa réplique ne suffit pas à Leïla qui s'était forgé des réponses appropriées :

— Je n'épouserai jamais ce morveux de Yacine ! Non mais tu l'as vu, ce crétin ? Le mariage, le mariage vous n'avez que ce mot à la bouche ! Si c'est pour être, comme toi, infectée par une grossesse neuf mois par an, ça non ! D'ailleurs, je ne me marierai jamais !

Une lueur démoniaque dans les yeux, Yamina bondit. Mais Leïla était déjà loin, galopant vers la dune. Dehors, devant l'atelier, des ouvriers travaillaient. Et Yamina ne pouvait se montrer aux hommes. Elle ne se montrait à personne, Yamina. Elle était prisonnière de sa maison. La maison prisonnière de la dune. La dune prisonnière d'un ciel immuable. Le ciel prisonnier d'un soleil démentiel. Du reste, il n'était même pas nécessaire de quitter la maison pour échapper à Yamina. Il suffisait à la fillette de se cacher derrière le magroune de Zohra et ses malédictions.

L'affection de Leïla pour Khellil se doublant maintenant d'inquiétude, elle ne le lâchait plus. Elle ne rentrait pas de l'école avant de lui rendre visite sur son lieu de travail. Il faut dire qu'elle aimait tant le regarder s'affairer au milieu de ses machines tantôt bourdonnantes, tantôt crissantes. Khellil était ajusteur-fraiseur à l'« atelier de précision » de la mine. Il portait un soin gourmé à la fabrication de pièces qu'il n'était pas peu fier de faire admirer à Leïla. Tout à coup rengorgé, un sourire de guingois dans la tristesse de son visage, il exhibait comme un trophée la pièce usinée et le morceau de métal dont ses doigts avaient triomphé. Cet oncle qui pouvait à la fois dompter le fer, tomber amoureux et lire des poèmes, émerveillait Leïla.

Chez les Pères Blancs, Khellil avait aussi étudié la comptabilité. Depuis quelques mois, la compagnie des

Houillères du Sud Oranais, HSO, le poussait à occuper un poste de comptable qui restait vacant. Mais Khellil n'en voulait pas. Leïla mise à part, personne dans son entourage ne comprenait pourquoi il s'entêtait à refuser un prestigieux travail de « stilo » généralement apanage des roumis.

— J'aime trop ce que je fais. Tu comprends, le contact avec la matière me procure une jubilation que je n'aurai jamais avec des chiffres.

Vers la mi-décembre, Khellil eut un terrible accident. Une de ses belles machines qu'il affectionnait tant lui sectionna trois doigts de la main gauche, laissant indemnes le pouce et l'auriculaire. Une nouvelle blessure pour un moral déjà au supplice. C'en était fini de son beau métier. Le temps ne l'avait façonné que pour le priver finalement de son habileté au travail. Khellil fut réduit à accepter la compagnie besogneuse des chiffres.

Des cernes bruns creusèrent son visage. A sa détresse se mêla une grande lassitude. Il s'alita. Leïla passa de longues heures à son chevet, le couvant des yeux avec angoisse. Un jour, on le trouva raide, violacé et les yeux convulsés. Il avait avalé un tube de gardénal.

— C'est une erreur... j'avais si mal. Je voulais seulement que ça s'arrête.

Les autres répétèrent : c'est une erreur, une erreur... Etaient-ils aveugles ? Ou bien n'acceptaient-ils pas cette évidence ? Il est vrai que les hommes n'avaient droit qu'aux manifestations de machisme et de virilité. Aux yeux des femmes, surtout à leurs yeux, toute manifestation de souffrance de leur part était taxée de sensiblerie. Leïla, elle, était persuadée qu'il avait voulu en finir. C'est à compter de ce jour qu'elle s'est mise à l'appeler « H'bibi », imitée en cela par tous les autres enfants de la famille. H'bibi ou H'bibti, Chéri(e) était parfois

employé pour désigner les plus choyés des oncles ou
des tantes. C'est, du reste, les seules occasions où l'on
pouvait prononcer ces mots. Car l'amour est ici toujours traqué jusque dans les mots et ceux-ci sont
détournés de leur sens pour mieux l'annihiler.

Un beau matin, Khellil quitta enfin l'hôpital pour la
maison.

31 janvier 1960. Un enfer d'hélicoptères dans un ciel
d'un bleu de guerre. Allaient-ils le casser, le broyer, ce
bleu ? La terre en fumait de poussière et les Arbis[1],
apeurés, s'étaient terrés chez eux. Ce ballet assourdis-
sant avait arraché le village au cours habituel de la
matinée. Parfois, l'un des hélicoptères se posait et redé-
collait aussitôt. Au pas de charge, les hommes « ta-
chés » de Bigeard avaient investi places et rues.

A l'école, les quelques Algériennes de la classe de
Leïla pressentant quelque grave « événement » se faisaient fébrilement la courte échelle pour essayer d'atteindre les hautes fenêtres et découvrir ce qui se passait
à l'extérieur. L'institutrice de cette année-là, une Bre-
tonne carrée au visage plat et aux yeux globuleux derrière ses épaisses lunettes de myope, nommée Le
Cloarech, ne fut pas longue à réaliser qu'elle ne parvien-
drait jamais à maîtriser les petites Algériennes prises
de panique. Du reste, le vacarme ne permettait plus de
s'entendre. Les dix coups de l'horloge de l'église
n'avaient pas tinté que toutes les élèves étaient dehors.

L'immense cour de la gendarmerie, entourée par un
grillage, était pleine à craquer. Une foule de gandouras
s'y massait. Plusieurs centaines d'hommes silencieux et
tendus. Il continuait d'en arriver de partout, escortés
par des militaires, mitraillette au poing. Tout autour du

---

1. *Arbi(a)* : Arabe.

grillage, des chars braquaient sur eux leurs canons. Les hélicoptères se posaient, déversaient des hommes menottes aux poignets, puis s'envolaient. D'autres continuaient leurs rondes sinistres dans le ciel. Leïla essaya vainement d'apercevoir son père et son oncle dans la foule. Le cœur battant, elle se mit à courir. La rue principale était encombrée d'hommes et de militaires se dirigeant vers la gendarmerie. A trois cents mètres de là, elle rencontra Khellil avec tous ses collègues algériens. Elle lui prit sa main valide et ne voulut plus le lâcher. Un militaire lui conseilla :

— Rentre chez toi, petite !

Elle darda sur lui un regard furieux et haussa les épaules avec dépit. Cela ne manqua pas de faire sourire Khellil qui essaya de la rassurer :

— Ecoute, je ne sais pas ce qu'ils nous veulent. Je ne sais pas combien de temps ils vont nous garder. N'aie pas peur. Je compte sur toi pour essayer de rassurer les autres à la maison. Ton père doit être déjà là.

Il vida ses poches de l'argent qu'il avait et le lui donna.

— En notre absence, c'est à toi de faire les courses. Va voir si ta mère a besoin de quelque chose. Je doute fort que ton père ait eu le temps d'aller au marché.

Elle resta accrochée à lui. Son père, lui, avait l'habitude des interrogatoires, Khellil non. Elle avait peur pour lui. Il était encore si faible.

— Sois raisonnable. Ils ne peuvent tout de même pas emprisonner ou fusiller tous les Algériens du village ! Fais-moi plaisir, va à la maison. Ta mère et ta grand-mère doivent être très inquiètes. Si vous avez un problème quelconque, appelle Portalès.

Il se baissa et l'embrassa. Désespérée, elle lâcha sa main et regarda la troupe s'éloigner. Quelques larmes coulèrent sur ses joues. Un militaire très jeune, à peine sorti de l'adolescence, s'arrêta à sa hauteur. Il retira un mouchoir de sa poche et lui essuya les yeux et les joues. Celui-là, se dit-elle, c'est un appelé, pas un militaire de carrière. Elle avait appris, elle aussi, à les reconnaître à leur regard, à leur façon d'être, avant même de savoir différencier leurs uniformes. C'était plus facile encore à leur arrivée de métropole, avant que la guerre, le sang et la promiscuité avec le militaire de carrière n'en pourrissent quelques-uns, plongeant les autres dans une morne indifférence. Le militaire l'observa longuement avant de partir sans desserrer les dents. Elle en fit autant et se dirigea vers la dune. En passant devant les ateliers, elle vit Portalès assis sur les marches de l'escalier :

— Ils ont raflé tous mes hommes. Ton père, ils l'ont emmené sur un GMC, les autres sont allés à pied.

Portalès prit la main de Leïla et l'accompagna à la maison. Il avait déjà tenté de réconforter les deux femmes. Ils les trouvèrent assises au soleil, dans la cour. Une inquiétude intense se lisait sur leur visage. Portalès s'assit à côté de Zohra. Elle le fixa d'un air las :

— Tu vois, aujourd'hui, même ce soleil, pourtant chaud, n'arrive pas à dégeler l'effroi qui grippe mon être et mon âme. Les nouvelles à la radio ne sont guère rassurantes !

Portalès lui entoura les épaules d'un bras.

— Dis, hanna, ils ne vont pas les fusiller ? Il y a tellement de tanks, de GMC, de paras et d'hélicoptères ! demanda malgré elle Leïla d'une voix tremblante.

— Ma fille, les pieds sont bien plus gros et plus forts que l'œil. Ils sont un savant assemblage d'os, de muscles et de tendons. L'œil, lui, n'est qu'une petite gorgée d'eau ! Eh bien, les pieds ont beau courir, le regard ira toujours plus loin qu'eux, quoi qu'ils fassent... Ils ne peuvent emprisonner ni la volonté de liberté, ni l'espoir d'y parvenir.

Leïla, pourtant habituée aux métaphores de l'aïeule, ne comprit pas complètement celle-ci. Mais Zohra s'était exprimée avec conviction. Cela rasséréna quelque peu la fillette.

Yamina avait besoin de lait pour son dernier-né. Du lait ? Parler des choses de la vie paraissait prosaïque, presque grotesque. La mère eut un regard navré et haussa les épaules :

— Il faut bien que je nourrisse les petits, malgré tout.

Portalès se proposa pour aller acheter les denrées manquant à la maison. Des aiguillons au corps, Leïla décida de l'accompagner au village. Du reste, elle aimait monter en voiture avec lui car Portalès s'évertuait toujours à la faire rire. L'hiver, quand le froid était mordant, il mettait ses mains dans ses poches et conduisait avec le ventre. Le ventre de Portalès était gros, tout rond et bien ferme.

— Toi, tu as la grossesse, la maladie de ma mère. Sauf que toi tu n'accouches pas. Ça doit être moins grave, lui disait-elle en lui tapotant affectueusement le ventre.

— C'est moins grave, mais il faut tout de même soigner ça. Je crois que le couscous de Yamina est le meilleur remède à mon mal.

— Tu mangeras avec nous ? lui demanda Yamina avant qu'il ne s'en aille.

C'était plus une prière qu'une invitation.

— D'accord, à tout à l'heure.

Il monta avec Leïla dans la vieille jeep.

— On va passer devant la gendarmerie, dit-il au moment de démarrer.

Même foule sombre derrière le grillage. Même

déploiement d'armes et de forces. Le long du mur de l'hôpital, juste en face, s'agglutinaient haïks et enfants venus aux nouvelles. Soudain, Leïla prit conscience de l'équivoque de sa situation. Parader en un tel jour dans une jeep de roumi ! N'allait-on pas la prendre pour une vendue ? Aussitôt, il lui sembla que des regards pesaient sur elle comme une sentence irrévocable. Elle s'enfonça tant qu'elle put dans son siège. Se cacher dans une jeep découverte ? Surprenant son manège, Portalès perça le cheminement de ses pensées. Son visage, où se lisait quelques secondes auparavant une violente colère, faisant contracter ses mâchoires, ne put réprimer une expression douloureuse. Il la regarda et dit d'un ton las :

— Tu préfères que je te dépose, peut-être ? Tu fais comme tu veux. Tu sais, je comprends.

Une vague de chaleur envahit son corps et enlumina son visage jusqu'aux lobes des oreilles. Elle se sentit plus coupable encore. Quel martyre que d'être partagée entre deux hontes ! Mais très vite son affection pour l'homme l'emporta sur le sentiment d'une hypothétique faute. Courageusement, elle se redressa sur son siège, se racla la gorge et répondit d'un ton ferme :

— Non, non, ça ira.

— Tu es sûre ?

— Oui, oui, sûre !

Ils firent les quelques courses nécessaires. Il n'y avait guère que l'épicerie roumi qui était ouverte. Portalès devait passer ensuite à la librairie.

— Je vais prendre le journal. J'avais aussi commandé quelque chose à la libraire, il y a trois ou quatre jours. Elle doit l'avoir reçu maintenant.

Il pénétra dans la boutique et en ressortit avec le journal sous le bras et un petit paquet à la main.

— Tiens, c'était pour toi !

— Qu'est-ce que c'est ?

— Ouvre-le, tu verras.

Elle l'ouvrit. C'était un livre, *Le Petit Prince* de Saint-Exupéry. Sur le chemin du retour, ils croisèrent un groupe de militaires. L'un d'eux, la lippe méprisante, poussait devant lui, de la pointe de son fusil, un jeune Arabe. Portalès, les poings martelant son volant, laissa exploser sa colère :

— Bon Dieu de bordel de merde ! Tu sais ce qu'ils sont en train de faire ces imbéciles ? Ils sont en train de brûler nos dernières chances à nous, civils européens, de pouvoir vivre en paix sur cette terre d'Algérie. Comment peut-on avoir encore quelque espoir quand on assiste à cela ! Quel gâchis !

L'après-midi, les hélicoptères posés au sol, vides, ressemblaient à de gros cafards immobiles. Tous les hommes étaient dans la gendarmerie. Une marée de haïks, blanche écume pétrifiée, l'entourait. Le silence aussi était là, effrayant, chargé de menaces. Il pesait comme une chape sur le village. Les pieds-noirs étaient restés chez eux, un peu inquiets, certains un peu honteux sans doute.

— Les enfants, ça suffit. Ce qui se passe dehors, même si on peut le déplorer, ne nous concerne pas. Nous, nous sommes là pour étudier ! dit Mlle Le Cloarech aux rares enfants venus en classe, l'après-midi.

— Mademoiselle, ce sont nos pères qui sont enfermés là, comme des moutons, sans manger ni boire depuis ce matin, rétorqua une fillette d'habitude toujours muette.

L'étonnement rendit encore plus flous les yeux de l'institutrice. Elle hocha la tête d'un air grave et se contenta de dire :

— Je sais, mon enfant, je sais.

A la sortie des classes, à cinq heures, il y eut une grande bousculade devant le portail. Avant que les institutrices aient pu réaliser ce qui se passait, une véritable bataille rangée avait explosé. Elle opposait les Algériennes et les Françaises, dressées elles aussi en deux camps. L'épidémie de la guerre n'épargnait même plus les enfants des écoles.

Mohamed, l'aîné de Drif le spahi et de Meryeme, fut libéré parmi les premiers. Il vint raconter aux deux femmes isolées ce qui se passait dans la gendarmerie : les hommes défilaient un par un devant trois hommes au visage recouvert d'une cagoule et portant de longues gandouras. Lorsque aucun des trois ne levait un doigt accusateur, l'homme était libéré. Si l'un des délateurs le désignait, il était emmené par les militaires.

— Ils doivent chercher du gros gibier, en déduisit Zohra.

Les femmes attendirent Tayeb et Khellil tard dans la nuit. Aucun des deux ne revint. Un vent glacial, le redoutable vent des nuits des hivers désertiques, soufflait. Il hurlait, sanglotait et gémissait aux fenêtres. Zohra ne ferma pas l'œil. Assise dans son lit, emmitouflée dans ses couvertures, elle ne bougeait pas, gardait le silence. Seuls ses soupirs permettaient à Leïla de la savoir toujours éveillée. La fillette lut *Le Petit Prince* dans son lit. C'était la première lecture qui lui parlait de son désert. Une révélation qui apaisa le tumulte de ses pensées.

Khellil revint tôt le lendemain matin. On ne l'avait interrogé que fort tard dans la nuit. « Ils » avaient essayé surtout de lui soutirer des renseignements sur les activités de son frère. Apparemment aucun soupçon ne pesait sur lui-même. Au petit jour, las et exaspéré, il s'était rebiffé. L'homme qui l'interrogeait lui avait donné un grand coup de pied dans sa main gauche accidentée.

— La douleur a été si violente que j'ai perdu connaissance. J'ai repris mes esprits à l'hôpital. On avait refait mon pansement. Le toubib était furieux. Il m'a interdit de travailler aujourd'hui. J'ai bien peur que mon frère ne soit emprisonné cette fois-ci !

Portalès vint aux nouvelles :

— Labess[1] Khellil ? J'ai une bonne nouvelle à t'annoncer ! Lagaillarde et ses sbires viennent de se rendre.

— Ces activistes voudraient l'Algérie mais sans les Algériens. Ils ne nous tolèrent qu'à l'état d'esclaves. Puisque nous nous révoltons et que nous ne sommes plus « leurs bons Arabes », ils aimeraient nous voir tous fusillés. De Gaulle aura du fil à retordre avec eux.

Quel était le but de cette rafle ? Tayeb, lui, ne fut pas relâché le lendemain. Portalès partit se renseigner sur les charges retenues contre lui. A son retour, il essaya de se montrer rassurant.

— Ils n'ont que des présomptions, aucune preuve tangible. Ils ne pourront le garder longtemps.

« Ils » le gardèrent pourtant un bon mois, un long mois.

— Les hommes de Bigeard ont tendu d'immenses fils de fer, même à travers le désert. Des fils tout en dards, leurs barbelés, dans lesquels circulent la foudre et l'éclair et qu'ils ont truffés de mines. Ils mettent les hommes dans des prisons et piègent les villages avec ces griffes d'acier qui tuent. Ils sont eux-mêmes de fer, les hommes de Bigeard. Ils mettent la mort en boîte et l'essaiment sur l'immobilité des terres d'éternité. Une mort perverse qui, non contente de se saisir de la vie

---

1. *Labess* ? : Ça va ?

dans sa pleine force, déchiquette aussi le corps dans un éclat de lumière. La mort, une lumière ? Ils sont partout, dans l'air et même sur la mer des sables. Ils entravent la marche des caravanes. Marchent-elles encore ? Ils n'ont eux-mêmes aucune liberté, ils ne sont que des instruments de torture. Ils sèment la misère et la terreur et reçoivent la haine comme une eau de jouvence !

— Hanna, supplie Leïla à l'adresse de sa grand-mère, chante-moi la complainte du S'baâ.

— Non, non, plus tard, kebdi. Sais-tu que Bellal disait : « Cherche la lumière même dans les plus impénétrables ténèbres. Si tu nc la vois nulle part, c'est qu'elle est dans tes yeux. » Essayons ensemble de trouver la lumière. La vraie, pas celle qui tue. La lumière pour éloigner tous ces spectres hideux. Ecoute, écoute, connais-tu les légendes de Jaha[1] ?

— Tu m'en as raconté quelques-unes, hanna.

— Je vais t'en dire d'autres. Je l'aime tant ce farfadet qui concilie la ruse et la naïveté ! Ce follet qui fait rire les enfants depuis la nuit des temps. Ecoute...

Zohra, la femme aux tatouages sombres, avait le verbe qui chavirait et ses contes se travestissaient parfois en tragédies. Il lui fallait souvent se reprendre pour ne pas se laisser aller à raconter des drames en présence de sa petite-fille.

Leïla, elle, rêvait de maquis. Un jour viendrait où, dans la nuit et en silence, elle quitterait sa maison endormie. Au réveil, ses parents apprendraient par une missive laissée sur son lit qu'elle était montée au djebel comme Nefissa Hamoud et toutes celles dont on parlait à voix basse, les yeux pleins d'admiration. C'était son secret. Un jour pourtant, elle mit Khellil dans la confidence. Il eut un doux sourire et lui répondit :

---

1. *Jaha* : personnage de légende doué d'une grande malice.

— J'espère, vois-tu, que la guerre sera finie bien avant que tu ne sois en âge de pouvoir y participer.

Ce mois de février 1960, à Reggane, plus au sud, dans le grand Touat, explosa la première bombe atomique française. Une inquiétude supplémentaire pour la population car le nom d'Hiroshima obsédait encore les esprits. « On veut nous exterminer, disait-on. » Dans les mosquées, les hommes prièrent longuement. Tous scrutèrent le ciel avec angoisse, et avec méfiance, humèrent le sirocco. Mais le ciel demeura limpide et le souffle chaud du vent du sud, fidèle à ses amours, ne transportait que le sable des dunes qu'il soulevait parfois en petites tornades opaques, vrillant l'atmosphère.

Les vacances de Pâques, l'été était là depuis un mois déjà. Ici, il n'y a ni printemps ni automne. On passe sans transition de l'hiver à l'été et vice versa. L'hiver dure trois mois, l'été neuf. Zohra partit avec Leïla passer quelques jours chez Saâdia. Estelle, l'amie de celle-ci, vint les inviter à dîner.

Estelle était une femme splendide. Peut-être bien la plus belle des femmes que Leïla connaissait. La peau mate de son visage était rehaussée par de grands yeux verts que le soleil irisait d'une poudre d'or. Splendide, son corps l'était aussi. Mais il fallait l'avoir admiré au hammam pour le savoir. Car chaque matin, au réveil, Estelle s'appliquait à en dissimuler les attraits. Ses cheveux tirés en arrière se ramassaient en un chignon strict. Ses robes toujours sombres et un peu amples ne s'égayaient d'aucune ceinture ni fantaisie. Tant de rigueur confinait à la mortification. Parfois, ses traits prenaient soudain une expression torturée. Sa respiration se hachait et sa locution devenait saccadée. Estelle s'en rendait compte et s'arrêtait de parler. L'expression

Les hommes qui marchent181

que prenait alors son regard donnait le vertige. Saâdia baissait les paupières. Pendant quelques secondes, Estelle semblait lutter contre une vague de terreur et de désespoir. Puis, elle se calmait et reprenait la discussion. Seule l'eau de son regard, où des souvenirs venaient d'être remués, restait pour un moment brouillée.

Jeune fille, Estelle vivait dans le Nord de la France. Mariée avec un Juif allemand, elle en avait eu deux garçons. Son mari et ses fils furent gazés à Auschwitz. Par miracle, elle échappa au même sort. Après la guerre, elle n'alla pas se réfugier en Israël. Elle préféra « sortir du troupeau pour ne pas ruminer ». Elle ne voulut pas non plus, aller « s'asseoir de nouveau sur un volcan prêt à exploser à tout moment ». Elle avait cherché le calme et l'oubli dans les lointains.

— Je voulais aller au bout du monde. Là où j'avais une chance de trouver encore des hommes non pervertis.

Une partie de sa famille vivait dans l'Ouest algérien, à Tlemcen et Béchar. Leurs ancêtres, fuyant elle ne savait quel massacre et dans quelle autre partie du monde, s'y étaient établis, il y avait de cela plusieurs siècles. Laissant l'Europe xénophobe et meurtrière derrière elle, Estelle avait débarqué en Algérie. Un vieil oncle vivant à Béchar lui avait légué deux maisons et un hammam. Elle était arrivée dans ce Sud à peu près à la même date que Saâdia qu'elle avait connue dans son hammam. Saâdia était encore en maison close quand les deux femmes s'étaient liées d'amitié :

— Elle m'a encouragée. Elle a été ma première et seule amie à l'extérieur pendant longtemps, disait souvent Saâdia.

Ce soir-là, chez Estelle, elles mangèrent sur la terrasse. Sous leurs yeux s'étendaient l'oued et la palme-

raie. Sur l'autre rive : Debdaba, un quartier arabe. La
nuit débordait sourdement des dunes et montait vers
elles, poussée par un vent tiède. Son souffle opaque
comblait peu à peu le ciel et le semait secrètement
d'une limaille d'étoiles. Ce décor apaisant, qui incitait
plutôt à la rêverie qu'au tourment, n'apportait pas à
Estelle la quiétude attendue. Les événements n'étaient
guère rassurants :

— En venant ici, je pensais fuir toutes les zones agi-
tées du monde. Je n'ai fait qu'accourir sur les lieux du
drame suivant le plus proche. Est-ce que la tragédie est
attachée à mes pas ?

— Pourquoi t'inquiéter de la guerre, toi ? Quelle
qu'en soit l'issue, tu peux toujours rester là ! hasarda
Zohra.

— Après ce que j'ai vécu, je ne puis me moquer de
la guerre. Même si c'est toujours une minorité qui la
déclenche, elle nous concerne tous. Et je ne pourrais
pas bien vivre ici si tous les Juifs s'en allaient. J'ai déjà
perdu ma famille. Je perdrais mon âme avec ma
communauté. Je n'aurais pas non plus le courage de
partir une nouvelle fois. Tout recommencer ailleurs, ce
serait au-dessus de mes forces.

Les mauvaises nouvelles continuaient à se succéder.
A El-Bayad, Zobri, le seul frère de Zohra, avait perdu
deux de ses trois fils à quelques jours d'intervalle. L'un
au maquis, l'autre sous la torture. El-Bayad, les « Aurès
de l'Ouest ». Il y régnait un climat très rude. C'était,
pendant la guerre, l'endroit le plus meurtrier de la
région.

Malgré tout cela, 1960 ne fut pas une année comme
les autres. D'abord il y eut la pluie. Elle était tombée
pendant quatre jours en averses. Le ciel devenait une
gouache. Du marine, de l'ocre, du violet, du blanc et

toutes les teintes du gris. Le soleil disparaissait en plein jour, quel bonheur ! Et toutes ces couleurs, là-haut, quel bonheur ! Aimantés par ce ciel inhabituel, les yeux se levaient, s'en emplissaient, le sachant rare et fugace. Le tonnerre le flagella. Les éclairs le déchirèrent. Il fondit en déluge, quel bonheur !

La pluie surprit Leïla chez sa tante Meryeme, la sœur de Bellal, le S'baâ. Meryeme habitait ce quartier de misère nommé Hassi-El-Frid. Des maisons en boue séchée, mitées par la famine, gangrenées par de grands amoncellements d'ordures qui pourrissaient à leurs seuils. Des termitières où les enfants avaient des ventres et des yeux dilatés par la faim.

Dans ce quartier, sous cette pluie torrentielle, la boue séchée recouvrant les palmes du toit s'effritait puis s'écoulait. Elle ruisselait sur les murs comme de grosses larmes de sable. Il pleuvait presque autant dedans que dehors. La pluie était un don providentiel. Les enfants sortaient, couraient, riaient, criaient et l'ovationnaient. Par essaims tourbillonnants, ils couvraient le sourd tambourin de la pluie des résilles de leurs cris cristallins. La terre savourait son plaisir et exhalait une haleine inconnue. Puis les nasses sombres du ciel éclatèrent, libérant une multitude de petits nuages. Comme des oisillons blancs qui, poussés par le vent vers les lointains, migraient en tourbillons affolés. Le ciel lavé était maintenant pervenche, large et profond. Son bleu se versait sur la terre. Il caressait son corps trempé de ses lumières d'une pureté régénérée. Et cette lumière n'était plus une brûlure au fond des yeux. Dans ceux-ci, on sentait aussi la soie de la douceur.

Les hommes s'appelaient et sortaient examiner les maisons de l'extérieur. Ils claquaient leurs mains contre celles des voisins en s'esclaffant. Ils se tapaient les cuisses en pouffant encore. Ils n'avaient plus de toit. Et ils en riaient. Qu'avaient-ils perdu ? Quelques palmes sèches et un peu de boue. Il ne fallait pas s'en faire. Les toits servaient contre le soleil, pas contre la pluie. Si la pluie les détruisait, elle mouillait la terre pour les aider à les renouveler. La pluie était partout la bienvenue. Dans les maisons, sur les yeux et sur la peau tannée, sur les gerçures du cœur. Il ne fallait pas s'en faire. La pluie était de bon augure.

A peine le dernier petit nuage avait-il disparu à l'horizon que, sur les brindilles les plus calcinées, celles qu'on aurait crues sur le point de se fondre dans la poussière du reg, se mettaient à percer des germes de verdure. Et, sitôt emperlés sur les rameaux secs, ils s'auréolaient de fleurs minuscules. Quintessence florale en modèles réduits qui se hâtait de naître et de vivre avant le retour de la brûlure du soleil. Même petites et même éphémères, ces fleurs avaient des teintes si vives qu'elles jaillissaient à la vue comme des étincelles. Et leur parfum était si fort qu'il happait la narine et la gorge avec l'impression soudaine qu'il allait déverser dans la poitrine la démesure des espaces.

Un été de plus sans pouvoir aller au Maroc. Une année de plus sans vacances. Mais un été pas tout à fait comme les autres. Tout était en train de changer, même Zohra. Maintenant, l'aïeule comptait les ans qui la séparaient de ses enfants du Maroc. Elle comptait aussi l'argent qu'économisaient Tayeb et Khellil pour pouvoir un jour marier ce dernier. Et quel ne fut l'effarement de la femme aux tatouages sombres lorsqu'elle dut en concéder à ses fils une grosse somme :

— Que voulez-vous faire avec autant d'argent ? Il ne faut rien acheter avant el Houria.

Khellil répondit :

— Puisqu'on ne peut jamais partir, on va s'offrir un peu de plaisir ici même.

Face aux regards ahuris provoqués par cette réplique, les deux frères se coulaient des œillades complices sans rien dévoiler de leur secret. Puis ils partirent en complotant. Deux heures plus tard, ils étaient de retour avec un énorme réfrigérateur, tout en émail blanc, étincelant.

— On dirait un bloc de neige, fanfaronna Leïla.

Mais l'autre paquet, de plus petites dimensions, que contenait-il ? Un climatiseur. Climatiseur ? Magie ou mirage ? Ils allaient bientôt le savoir.

Pouvoir, en plein juillet, boire de l'eau fraîche et céder à une sieste sans sombrer dans la léthargie... Comment imaginer que ce rêve pût soudain se mettre à leur portée ? La chambre où dormaient Zohra, Khellil et Leïla étant la plus grande de toutes, ce fut à sa fenêtre que Tayeb et Khellil installèrent le climatiseur. Et, mirage ou magie, la chambre se transforma en une île de fraîcheur dans la maison suffocante. Une farce aux feux de l'été !

Toutes les activités de la famille s'y cantonnèrent. Leur sommeil aussi. L'heure venue, de légers matelas — ou simplement des oreillers — jetés sur la natte en alfa et tous s'allongeaient là, à dix, côte à côte. Mais si leur périmètre de vie se trouvait ainsi rétréci, la fraîcheur libérait le souffle de l'étau des mois incandescents.

Au début, magroune rejeté sur les épaules, Zohra tournait autour des deux appareils, les auscultait, les palpait. Sa perplexité se mâtinait déjà d'admiration.

— Oummi, le réfrigérateur est presque aussi bien que la guerba[1]. Mais le climatiseur, ils auront beau sil-

---

1. *Guerba* : outre en peau de chèvre.

lonner tous les regs et hamadas, tes nomades, ils ne trouveront jamais d'oasis aussi fraîche. C'est quand même une belle invention, non ? la taquinait Khellil.

— Après la bombe atomique, tes citadins ont dû avoir si chaud de peur ! Si peur d'eux-mêmes... ils doivent avoir besoin d'inventer des gadgets pour endormir les crédules.

Khellil souriait tandis qu'elle le toisait avec morgue.

— Explique-moi comment ça fonctionne.

— C'est d'une simplicité époustouflante. Tu vois, l'eau qui arrive dans la caisse est aspirée par cette pompe. Elle va arroser la paille des trois côtés du cube. Ça, c'est un flotteur. Il maintient constant le niveau d'eau nécessaire dans la cuve. En circulant, l'eau va se rafraîchir. Il en est de même pour l'air aspiré. C'est si facile que je vais en fabriquer pour les autres pièces. Portalès m'aidera. Il me soudera des caisses en aluminium. J'achèterai des ventilateurs, des flotteurs, des pompes à eau et le tour sera joué. De facture artisanale, ils seront, sûrement, un peu moins puissants que celui-ci, mais tout de même...

Zohra quitta la pièce, sans répondre. Elle fit un tour dans les autres chambres puis sous la tonnelle. La température ambiante y avoisinait les cinquante degrés. Puis, elle revint. Debout, les mains dans le dos, elle hocha la tête et concéda :

— Mes enfants, celui qui a inventé cette machine est vraiment un homme béni. Il a trouvé le moyen de faire descendre sur nous *rih el genna*.

« *Rih el genna*, l'air du paradis ! » Khellil et Leïla réprimèrent leur rire. Qu'importait la métaphore empreinte de religiosité, c'était si joli *rih el genna*. D'ailleurs, Zohra ne désignait jamais autrement le climatiseur. Elle demandait toujours à Leïla de faire souffler ou de couper *rih el genna*. Quant au réfrigérateur, elle

bouda très vite ses services et ne toléra sa masse étince-
lante que comme un objet d'ornement, sans plus.
Dédaignant son eau « trop froide qui mettait du feu
dans le gosier », elle se remit à boire l'eau des guerbas.
Outre que celle-ci coulait avec douceur dans la gorge,
elle avait la saveur du gatrane, une essence végétale servant de tanin et qui teintait légèrement l'eau, lui donnant un arrière-goût assez particulier, celui-là même
qui avait accompagné toute la vie de Zohra.

— A boire cette eau si glacée, vous allez vous geler le
sang ! leur prédisait-elle.

Si leur sang ne se figea point, l'arrivée des deux appareils leur causa bien des maux. Les différences de température entre la pièce climatisée et l'extérieur étaient
telles que, lorsqu'il s'y ajoutait l'effet d'une boisson trop
glacée, toutes les conditions étaient réunies pour provoquer une angine, un rhume... L'expérience leur apprit à
adapter leur comportement aux nouvelles conditions
de vie et à user avec tempérance des deux merveilles.

Bientôt, les climatiseurs se multiplièrent dans le village. La plupart étaient de fabrication locale. Quelle
qu'en fût leur provenance, ils transformèrent radicale-
ment les étés. Un véritable souffle du paradis.

Il y avait plus d'un an que Khellil n'avait revu sa belle,
la fille du furieux qui persistait à entraver ses desseins.
Le trajet qui le menait à son bureau passait devant la
porte de son aimée. C'est dire sa torture quotidienne.

Zohra, elle, malgré l'affliction dans laquelle la plongeait l'état de son fils, avait accepté la brutale réalité :

— Cet abruti ne changera pas d'avis. Nous traîner à
ses pieds ne servirait à rien.

Tayeb décida une dernière tentative. Peine perdue.
« Par Allah, jamais cet impudent n'aura ma fille ! » fut
tout ce qu'il obtint.

Deux années d'attente. Deux années en butte à une coutume sclérosée, Khellil n'en pouvait plus. Il ne céda pas aux instances de Zohra qui pensait le sauver en lui choisissant une autre épouse. Il n'en était pas question. Il n'avait plus qu'une envie : partir, fuir ce chemin qui tous les jours entretenait la douleur, fuir aussi tout ce qui dans son environnement lui était insupportable... Aller loin, encore plus au sud. Il trouverait du travail vers Timimoun, Tindouf ou Tamanrasset. Il allait s'en occuper.

Khellil trouva rapidement un poste de comptable aux mines de fer de Gara-Djebilet, entre Tindouf et la frontière sahraoui, à plus de mille kilomètres au sud. Sans hésiter, il démissionna des HSO. Il chargea son frère de lui trouver un remplaçant dans ses fonctions pour le FLN et de payer ses cotisations. Puis il partit.

Après son départ, la maison parut bien vide à Leïla. Mais Khellil écrivait régulièrement. Elle lui répondait, donnant des nouvelles de tous et de tout. Chaque fin de mois, il envoyait aussi de l'argent que Zohra gardait précieusement caché. Un jour, elle lui célébrerait un beau mariage qui effacerait l'amertume de sa déception.

Enfin l'été fut beaucoup moins pénible que les précédents surtout parce que l'espoir de paix se concrétisait. Des émissaires de De Gaulle et du gouvernement provisoire algérien s'étaient rencontrés en juin.

CHAPITRE IX

Puis les dattes mûrirent, et vint la rentrée. Ce premier jour de classe, une surprise de taille attendait Leïla devant le portail de l'école : un tiers des élèves algériennes, celles qui avaient atteint dix années ou un peu plus, manquaient à l'appel. Finies les vétilles de petites filles. L'heure était venue d'un apprentissage plus sérieux qui les préparerait aux rôles d'épouses et de mères qu'elles deviendraient bientôt. Et puis, en ces temps tourmentés où des hordes de militaires quadrillaient les rues, il était imprudent d'exhiber des adolescentes dont les seins commençaient à pointer. Zohra, la deuxième fille de Meryeme et Drif, le spahi aux médailles, était de celles-ci, au grand chagrin de Leïla. L'affection que Leïla portait à cette cousine ne devait rien à son prénom, hommage rendu par Meryeme à sa tante bien-aimée. Zohra et Leïla étaient venues au monde à quelques jours d'intervalle. Et Meryeme ayant, elle, à l'inverse de Yamina, des montées de lait importantes, avait pris l'habitude d'allaiter Leïla de temps en temps.

— Mon Dieu, je dois absolument relayer la chèvre. A ne boire que ce lait-là, cette pauvre petite va bientôt bêler au lieu de parler, plaisantait-elle.

On disait Zohra et Leïla « sœurs de lait ». Il leur plaisait qu'il en fût ainsi. Et très tôt, elles en avaient conçu une émouvante tendresse l'une pour l'autre même si, avec les années, elles se révélaient très différentes.

Au retour de l'école, ce jour de rentrée, Leïla trouva presque amères les dattes de son goûter. Et la belle lumière d'octobre lui parut une tromperie, un mirage qui couvrait de sourdes menaces. Elle pensa à H'bibi Khellil. Son absence en cet instant critique prenait soudain des relents d'abandon. « L'école, ta seule planche de salut », les mises en garde de la chère institutrice resurgissaient des limbes de l'insouciance et se mettaient à cogner dans sa tête. Pourquoi était-elle en proie à cette angoisse ? Pourquoi n'était-elle pas comme les autres filles de son âge qui, elles, se moquaient bien de l'interruption de leur scolarité ? Elles allaient travailler à leur trousseau, s'appliquer à devenir femmes ! Zohra et quelques autres, auxquelles Leïla rendit visite au sortir de l'école, semblaient même plutôt soulagées de n'avoir plus à subir une contrainte qu'elles trouvaient fastidieuse, voire inutile.

— Une année de plus ou de moins, qu'est-ce que ça peut faire ? Il faut que tu te mettes dans la tête que, pour toi aussi, ce sera bientôt fini. Tu pourras peut-être encore aller à l'école l'an prochain. Mais après, ce sera terminé. Tu ne penses tout de même pas que ton père va accepter de te laisser aller en sixième à Béchar ? Une Algérienne passant ses journées seule à des kilomètres de chez elle, ça ne s'est jamais vu ! pontifia l'ingénue Zohra.

Forte de ses nombreux appuis, Leïla avait occulté tout cela. Elle s'était toujours dit que, le moment venu, Khellil trouverait de savants arguments. Sa grand-mère brandirait la malédiction. Saâdia darderait sur Tayeb son invincible regard. Et sa mère... s'unirait-elle aux autres pour faire fléchir Tayeb ? Maintenant, les certitudes de Leïla vacillaient et la livraient aux assauts du doute. La peur la creusait et l'aspirait dans une sensation de chute sans fin.

Elle se hasarda à annoncer à sa mère et sa grand-mère le retrait de Zohra de l'école mais tut, par précaution, l'ampleur du phénomène dont elle faisait partie. Yamina qui lavait du linge dans la cour suspendit ses gestes et, s'appuyant sur sa grande lessiveuse :

— Remarque, pour Zohra ça n'a aucune importance. Elle ne se soucie guère de l'école. Ce n'est pas ton cas !

Il y avait une note de fierté dans son ton. Pour le coup, Leïla en resta sans voix. Elle jeta un regard furtif vers sa grand-mère. La vieille dame opinait du chef. La voilà rassurée pour le moment. Pour quelques mois. Mais qu'en serait-il lorsque, à la prochaine rentrée, il lui faudrait quitter son village pour le collège de la ville voisine ? Qu'adviendrait-il d'elle quand ses seins, à présent à peine plus renflés qu'une datte, soulèveraient davantage son corsage ? Elle ne le savait pas. Et si... Non, jamais elle ne se laisserait atteindre par l'épidémie de la boursouflure qui s'emparait des ventres. Jamais elle ne se plierait aux ménagères qui enfermaient les filles au sortir de l'enfance pour ne les lâcher qu'au seuil de la mort, lorsqu'elles n'avaient plus rien à tirer de leurs corps défaits et avachis. Non ! Elle, elle se sauverait. Elle marcherait droit devant elle comme Bouhaloufa. Elle dépasserait les palmeraies et les dunes. Elle irait jusqu'au bout de ses forces, loin de tout et de tous. La lassitude la coucherait sur la terre nue que sa volonté serait encore de fer. Et le désert aurait beau allumer le leurre de ses couchants, elle n'y verrait qu'un désastre. Son désastre. Et les nuits pourraient bien se parer de leurs myriades d'étoiles, elle n'y percevrait qu'un fourmillement de libertés inaccessibles. Cependant, avant de sombrer dans un dernier sommeil, dans une dernière peur, elle aurait tout de même une satisfaction : chacals et hyènes allaient la dévorer mais elle n'aurait pas abdiqué ! Et peut-être que sa volonté, son esprit, cette rage qui la cabrait pourraient rejoindre cette intensité qui, dans la lumière, est comme une quintessence des regards de nomades. Un peu de dignité arrachée à tout ce qui entravait la vie dans l'enfer du désert. Mais était-il vraiment nécessaire de mourir pour se libérer ? Leïla en frissonnait.

A l'école, un autre événement était survenu. C'était l'année de tous les événements : il y avait une nouvelle directrice. La première, celle que Leïla avait toujours connue, était partie à la retraite. Une femme tranquille et nonchalante qui avait acquis au pays l'habitude du geste lent et de la parole réfléchie. Celle qui la remplaçait était une étonnante femme répondant au nom de Chalier. La cinquantaine, petite, potelée, les cheveux toujours en bataille et une main nerveuse remontant sans cesse sur son nez une paire de lunettes rebelles, elle voulait tout changer. Chaussée d'espadrilles, elle sillonnait l'établissement au pas de course. Elle innovait, bouleversait, inspectait, conseillait, inquiétait, intriguait et dérangeait la communauté française du village.

— On dit qu'elle a bourlingué à travers toute l'Afrique.

— Savez-vous qu'elle est « rouge », elle a une carte du PC.

— Et celle qu'elle nomme « sa fille », c'est une moukère marocaine qu'elle a adoptée.

— Moukère ou pas, elle fréquente le lycée de Béchar, rien que ça !

— Moi, je vous le dis, les airs de brave femme qu'elle

veut se donner, c'est pour cacher un passé pas très propre.

Les activités à l'école se diversifièrent et se multiplièrent, excursions, projections de films, création d'une bibliothèque... Mme Chalier était de tous les combats, de tous les débats, au cœur de toutes les controverses.

Hiver 1961. Rude hiver. La guerre s'éternisait et le désarroi. Les militaires sévissaient. Cantonnés dans leur territoire respectif, les civils s'épiaient. Approuvée par référendum, la politique de De Gaulle ne changeait rien au quotidien des bougnouls affamés et traqués. Si ceux-ci avaient récupéré pour leur compte son célèbre « Je vous ai compris », ils ignoraient comment « le grand homme » pourrait avoir le dessus sur la poignée de gros colons qui dictaient la politique de la France en Algérie. Ces derniers, se sentant « trahis » par de Gaulle, ruminaient leurs aigreurs : « Il ne nous reste plus que la valise ou le cercueil. » Là-haut, dans le Nord, des « ultras » menaçaient de mettre l'Algérie à feu et à sang.

Leïla avait onze ans. Un grand plat de m'semen [1] dans les mains, elle rendit visite à la Bernard le jour de leur anniversaire commun. Rituel réglé depuis des années et qu'elles célébraient avec cérémonie : thé accompagné des feuilletés que Yamina ne manquait jamais de leur préparer. Mais cette fois-ci, la sage-femme ne montrait rien de sa morgue et de sa pétulance habituelles. Elle qui laissait éclater son fou rire communicatif à chaque psychodrame était ce jour-là lasse et amère.

— A ta santé, ma grande, à tes prochains anniversaires. J'ai bien peur que ce soit le dernier que nous

---

1. *M'semen* : carré de pâte feuilletée frit à l'huile.

fêtions ensemble. Et ça me démoralise. Mais à chacun
de mes anniversaires, en métropole ou ailleurs dans le
monde, j'aurai une pensée pour toi. Je me dirai que là-
bas, dans le désert algérien, là où j'ai vécu vingt belles
années de ma vie, se trouve une petite fille que j'aimais
beaucoup. Un petit bout de femme au cerveau de guingois sur deux mondes en affrontement, et qui picore
dans l'un et l'autre avec la même avidité suave. Je t'ima-
ginerai en train de fêter ton anniversaire en dégustant
du m'semen, comme aujourd'hui. Je crois que j'aurai
une terrible envie d'en manger aussi et que mon cœur
se serrera.

Installée dans ce village depuis vingt ans, il n'y avait
que peu d'accouchements qui ne soient passés par ses
mains. Elle, les Algériens l'aimaient. Et ceux des pieds-
noirs qui se répandaient en médisances dans son dos
n'étaient que sourires et révérences face à son regard
désarmant. Alors, pourquoi devait-elle partir ? Leïla ne
comprenait pas. Luttant contre l'émotion qui l'étrei-
gnait, elle le lui demanda.

— Certains pieds-noirs sont tellement butés. Ils ne
veulent pas comprendre. Ils n'ont jamais voulu
comprendre. On est dans une impasse. J'en ai assez de
ces mentalités, de ces gâchis, de ces massacres. Je préfère partir. Et puis, mes idées et mon soutien à la cause
algérienne sont connus. Cela m'a toujours valu des
ennemis. Jusqu'à présent, je n'en faisais aucun cas.
Mais maintenant, je ne peux plus continuer à les ignorer. Je n'ai pas envie de recevoir une rafale. Je ne dirai
au revoir à personne. Je ne supporterais pas les larmes
et les adieux. Mais quand je serai partie, tu raconteras
ce que je te dis aujourd'hui à tes parents et à Meryeme.
Dis-leur que je les emporte, avec tous ceux que j'aime,
dans mon cœur et que jamais je ne les oublierai. Mais
promets de ne rien dire avant mon départ !

Leïla promit. La Bernard quitta le village et l'Algérie peu de temps après. Le chagrin de Leïla avait à présent deux visages aimés, celui de Mme Bensoussan, l'institutrice, et celui de la Bernard dont les youyous et les rires avaient été son cadeau de naissance. Des larmes embuaient ses yeux. Mais cette douleur était un trésor d'affection et de reconnaissance. Toutes les deux avaient participé à lui inculquer ce germe de liberté qui avait pris racine en elle. Cette sensation d'étrangeté, de dissidence, qui donnait à sa solitude un goût à la fois capiteux et acidulé. Des années et des années plus tard, même sans m'semen et loin du désert elle aussi, elle aurait toujours une pensée nostalgique et chaleureuse pour ces deux féministes précoces qui étaient venues se perdre sur le côté cœur de sa dune.

Tous les soirs, les militaires montaient la garde sur le toit de la maison. Le jour, ils patrouillaient dans les environs du château d'eau. Tayeb était à bout de nerfs. Cette traque avait réduit à zéro ses activités.

— Je n'en peux plus. Puisque je ne puis plus être d'aucune utilité ici, ceux du front sont d'accord pour que je gagne le maquis moi aussi. Mais avant, je veux vous savoir en lieu sûr, à l'abri des représailles. Un passeur vous prendra en charge. Il vous emmènera à Oujda.

Leur maison, comme toutes les demeures arabes, possédait une cour centrale autour de laquelle se disposaient les pièces. Pour aller de l'une à l'autre, ils avaient à traverser cet espace. Si, dans la nuit, l'envie leur prenait d'aller aux toilettes ou de boire un verre d'eau, le seuil à peine franchi, une torche s'allumait et se braquait sur eux pour suivre leurs déplacements. Les rumeurs de viols resserrant l'étau de l'inquiétude, les adultes interdisaient aux enfants de quitter la pièce où ils dormaient. Des boîtes de conserve leur servaient de pots de chambre. Avec un si grand nombre d'enfants alignés côte à côte par le sommeil, leur réveil avait une forte odeur d'urine.

Avril 1961, le putsch des généraux salué par les « casserolades » des quartiers pieds-noirs, conspué par les chants de femmes et maudit dans le recueillement des prières, portait à son apogée l'effervescence des esprits. De quelque camp que l'on fût, on s'accrochait à la radio pour suivre le cours des événements. Le troisième jour, on apprit avec soulagement que le « quarteron de généraux en retraite » se disloquait. Le putsch avortait. Challe se rendait à la justice française. Salan passait à la clandestinité. Il prendrait bientôt la tête de l'Organisation Armée Secrète, l'OAS qui allait ensanglanter le pays.

Les choses semblaient se précipiter. Enfin, une très bonne nouvelle leur parvenait un mois plus tard, succédant à ces quelques jours d'angoisse intense. Fin mai de la même année, s'ouvrait la conférence d'Evian. Elle s'accompagnait d'une trêve militaire française et de la libération de nombreux prisonniers.

Les soldats quittèrent le toit des Ajalli, emportant avec eux l'épée de Damoclès qu'ils avaient, jusqu'alors, maintenue au-dessus de la tête de Tayeb. Le projet d'exil tombait dans l'oubli. Tayeb put reprendre discrètement ses activités.

Un autre projet heureux se profilait à l'horizon : l'ouverture de la frontière marocaine aux femmes et aux enfants justifiant d'un certificat d'hébergement de parents proches. Tayeb se trouva acculé à accepter le départ de sa femme et de ses enfants. Cinq années séparaient Yamina de son vieux père, et trois s'étaient écoulées sans que Zohra ait pu embrasser ses deux autres enfants.

Pendant plus de trois mois, chaque jour, un train bondé de femmes et d'enfants partait vers le Maroc. Un autre en revenait avec un chargement identique. Aucun homme ne put franchir la frontière cet été-là, ni dans un sens, ni dans l'autre. Du jamais vu. Pendant les premiers jours, une terreur indescriptible avait plané sur ces départs. Des esprits surchauffés avaient fait courir des bruits terrifiants : « Ces trains n'arriveront jamais au Maroc. Ils emmènent femmes et enfants dans des camps de concentration construits dans le désert pour y subir le même sort que les Juifs en Allemagne. Ce sera pareil de l'autre côté, à l'est, entre l'Algérie et la Tunisie. Ils veulent nous exterminer. Pour y parvenir, ils commencent par les femmes et les enfants. » Ces rumeurs furent rapidement démenties par les premières voyageuses qui téléphonèrent ou télégraphièrent à leur arrivée. On poussa des soupirs de soulagement et les départs s'accélérèrent. Les ksars se vidaient de leurs femmes. Les hommes, soudain seuls et désœuvrés, erraient dans les rues.

A l'arrêt, un train d'un noir poussiéreux frémissait et soufflait comme un dinosaure. Une marée humaine envahissait le quai. La multitude des enfants, que le bouleversement des habitudes mettait au comble de l'excitation, essaimait de taches bigarrées le moutonnement des haïks. Puis, dans un brouhaha et une bousculade inénarrables, la vague humaine déborda le quai à l'assaut du train. Les porte-bagages ne suffirent pas aux valises, couffins et bardas divers qui s'amoncelèrent aussi entre les banquettes et dans les couloirs. Les hommes redescendirent. Visages tendus, seuls sur le quai, ils parurent soudain fragiles et perdus. Les femmes les observèrent avec consternation. Elles qui ne quittaient jamais leur maison sans eux que pour le hammam tout proche partaient vers un autre pays, un pays libre, en les laissant là, désemparés. Le silence tomba pendant quelques secondes sur ce panorama insolite. Quelques toux, raclements de gorges et crachats, les hommes s'ébrouèrent de leur embarras. Et pour se défendre de cette mise à l'écart et de la sensation de dépossession, ils donnèrent des ordres à leurs petits garçons, firent à voix forte des recommandations.

Assises tout contre les vitres baissées, la mine inquiète et taraudée de remords, les femmes les écoutèrent en acquiesçant. Un coup de sifflet, un long mugissement du train mirent fin aux rodomontades masculines. Doucement, le convoi s'ébranla. Les hommes s'écartèrent. Les femmes se levèrent précipitamment. S'agrippant aux fenêtres, elles les regardèrent, effarées. Vol de mouchoirs, brume dans les regards. Les yeux des hommes qui se voulaient rassurants, ne réussirent à paraître que frustrés, et leurs sourires contrits. Les femmes fixèrent ceux que le quai emportait dans sa dérive jusqu'à ce que les sables les eussent tous engloutis. Ensuite, les têtes agglutinées aux fenêtres s'observèrent. Libérées de l'anxiété du départ, leurs sourires furent soudain si radieux, qu'en dépit des visages voilés, elles en savourèrent les éclats dans le noir des yeux qui les examinaient. Ensuite, elles regagnèrent sagement leurs sièges.

Zohra resta un moment pensive puis marmonna :

— Kebdi, c'est terrible, la guerre. Que ne nous a-t-elle pas imposé ? Comment va faire mon fils pour manger ?

— Ne t'inquiète pas, hanna, il mangera souvent chez tante Meryeme. Et puis il apprendra à se débrouiller un peu seul. Il mangera des œufs, par exemple. « Crois-tu qu'il saura les faire cuire ? » ironisa Leïla.

Les odeurs poussiéreuses du train furent vite évincées par les arômes des gâteaux qu'exhalaient les couffins. Pendant plusieurs jours, avant leur départ, les femmes avaient préparé autant de pâtisseries que s'il s'était agi de la célébration de l'Aïd el Seghir[1]. Biscuits secs pour le thé pouvant se conserver plusieurs dizaines de jours. Makrouts faits de semoule, dattes, amandes et miel. Griouèches friables recouverts de grains de sésame. Cigares roulés à la pâte d'amande... Les effluves, l'exaltation des cœurs saturaient les wagons. Dans les couloirs, les enfants se bousculaient. Leurs cris aigus semblaient cisailler le bruit sourd et continu des roues sur le rail. Les vieilles femmes furent les premières à se déplacer. Elles rendirent visite aux familles dans les autres compartiments, colportant leur surenchère de récits de combats et de résistances qui magnifiaient toutes les émotions. Bientôt, chaque famille sut tout sur les héros des voisines du voyage.

Pendant que la vie dans les wagons s'adonnait à toutes les palpitations, le petit train avalait le rail en ahanant dans une chaleur suffocante. Il lui fallait plus de quatre heures pour franchir les cent kilomètres jusqu'à la frontière. Il s'y immobilisa et fut aussitôt envahi par les militaires français. La vérification des passeports et des laissez-passer s'éternisait. On était en juillet et l'arrêt du convoi augmentait de quelques degrés la température. Enfin le train s'ébranla de nouveau. Ejectant les derniers hommes en kaki, il reprit son allure laborieuse.

---

1. *Aïd* : fête religieuse. *Aïd el Seghir* : petit aïd, fête clôturant le ramadan.

Quelques kilomètres plus loin, c'était le Maroc ! Sitôt la frontière franchie, une voix de femme, de vieille femme, une voix rocailleuse et chevrotante entonna l'hymne national algérien. Les souffles se suspendirent pendant quelques secondes. Seule cette voix étonnante que lézardait la passion s'élevait, accompagnée par le roulement de tambour du train. L'atmosphère s'électrisa et soudain *Kassaman* explosa dans tous les wagons. Des centaines de femmes et d'enfants chantèrent, pour la première fois avec force, cet hymne que jusque-là, ils n'avaient fait que balbutier. Et même si c'était un miracle attendu, l'apparition du drapeau algérien n'en hypnotisa pas moins les regards. Salué par une salve de youyous en délire, il vint flotter à l'une des fenêtres d'un wagon. Un autre se montra quelques voitures plus loin, puis, un autre et d'autres encore. Visages dévoilés, frissons au corps et regards flamboyants, celles qui n'en avaient pas brandirent leurs haïks. Tenus à bout de bras, ils frappaient l'air torride. Chants patriotiques, youyous et appels fusaient, se faisaient écho. Ce fut un train claquant de toutes ses voiles et drapeaux, un train de femmes ivres qui entra en gare de Figuig, la première ville marocaine. Du quai s'éleva la même joie, les mêmes ovations. Marocains et réfugiés algériens venus attendre les leurs ou simplement manifester leur soutien et se réjouir du spectacle, reprenaient chants, slogans et youyous et saluaient l'Algérie en ses ambassadrices magnifiques. On se criait des nouvelles. On hurlait des mots arrachés aux interdits. Les femmes étaient nu-tête et, pour toute remontrance, leurs belles-mères leur plantaient des youyous vertigineux dans les oreilles. Et les youyous n'étaient plus fêlés par la douleur. Ils s'élançaient purs, aigus, comme des flèches de lumière à la conquête du ciel.

Plus loin, plus tard, on sortit des Thermos de thé à la menthe. Dans un compartiment, on alluma un réchaud à pétrole pour réchauffer un tajine. Dans un wagon sans compartiment, une vieille femme debout sur une banquette, le corps rigide de solennité, disait à l'assemblée le discours qu'elle avait préparé pour glorifier les premiers combattants attendus en gare d'Oujda. A l'écouter, on devinait que c'était là l'ultime répétition d'un texte travaillé et maîtrisé jusqu'à la perfection des intonations, de la ponctuation et des silences. Attentives, les autres femmes saluaient ses paroles en soulevant leur verre de thé.

Quelques années plus tard, Leïla connaîtra le petit train de la ligne Béchar-Oran. Il mettait plus de vingt-six heures pour franchir les sept cent cinquante kilomètres séparant les deux villes. Mais jamais elle ne reverra de convoi aussi chargé d'émotion et de burlesque, aussi insolite. Ayant pleinement conscience de vivre un moment exceptionnel, elle ne voulait rien en manquer. Son regard fouillait les wagons, les visages et les yeux. Il enregistrait l'émoi, la couleur, le bruit et l'odeur. Toutes ces choses qui firent de ce voyage dans un banal petit train du désert, un moment extraordinaire, un des joyaux de la mémoire.

Vers une heure du matin, aphones mais au comble du bonheur, les Algériennes entrèrent en gare d'Oujda. Il y avait là le grand-père Hamza, Nacer, sa femme Zina et leurs grands enfants. Il y avait là toutes les tantes et tous les cousins. Il y avait des pleurs et des rires, rires et pleurs mêlés. On s'embrassait. On se regardait en se tenant à bout de bras. On s'admirait, puis on s'embrassait encore.

Les familles algériennes au Maroc recevaient régulièrement des combattants en convalescence. Quelle ne fut pas la déception de Leïla de ne pas en trouver à la ferme, dès son arrivée. Mais pour pouvoir héberger les arrivants, leur famille, comme beaucoup d'autres, n'en avait pas pris ce mois-ci.

— Tu les verras demain. Ils sont à la caserne toute proche et on en invitera pour les repas.

Hamza leur apprit que son fils aîné venait de se marier, au djebel avec une djoundia, infirmière au front :

— Ils se sont mariés, sans taleb ni cadi[1] et sans leurs parents, juste devant une assemblée de combattants. Nous ne connaissons notre belle-fille que par photo. J'espère qu'ils pourront bientôt avoir une permission.

Le lendemain, Leïla fut réveillée par des youyous. Elle sortit dans la cour. Le soleil était déjà presque au zénith. Côté sud, l'ombre bleutée d'un figuier remuait dans la brise. C'est là, sous son parasol, que se tenait habituellement la maisonnée pendant la belle saison. La cour était déserte. Une autre vague de youyous provenant de l'extérieur guida les pas de Leïla. Toutes les femmes de la famille étaient devant la porte, agglutinées autour d'un groupe d'hommes en uniforme. A leur tête, Zohra et Yamina se pâmaient d'admiration. Des djounouds, enfin ! Intimidée, Leïla resta à l'arrière. Sa grand-mère se retourna et l'aperçut. Elle lui saisit la main et l'attira au centre du groupe.

— Alors, ne mourais-tu pas d'envie de les rencontrer, toi aussi ?

Les hommes l'embrassèrent, caressèrent ses cheveux.

— Elle rêve d'aller au maquis, leur dit sa grand-mère.

— Ton maquis à toi, c'est l'école ! Le nôtre va se terminer, inch Allah'.

---

1. *Cadi* : juge musulman dont la compétence s'étend aux questions en rapport avec la religion.

Roulant son magroune, dame Zohra se rengorgea :
— Elle travaille très bien. Elle est toujours première.
— Alors, tu seras peut-être un jour institutrice ou infirmière, dit l'un d'eux en souriant. On va en avoir grand besoin.

Tous entrèrent dans la cour se régaler de thé et de gâteaux. Zohra leur raconta leur vie, le harcèlement, les fouilles, les prisons, à l'autre bout du petit train qu'elle avait déjà surnommé « El-Horre, le Libre ». Ils leur narrèrent leur vie dans le djebel, les accrochages, la faim, la soif, la fatigue, le découragement, parfois profond, les efforts de la volonté, les espoirs. Subjuguées et le cœur battant au rythme de leurs récits, les femmes écoutaient avec un bonheur muet.

Sur la demande de sa belle-sœur, Saâdia devait venir prendre les deux derniers fils de son frère Ali : Madjid et Zouhair. Elle arriva avec un visage fermé qui détonnait dans l'euphorie ambiante. Vergne allait partir pour la France. Que n'avait-on raconté sur leurs relations ! Les médisants s'en étaient donné à cœur joie et avaient imaginé, par exemple, que ces « prétendus neveux », qu'elle allait chercher au Maroc, n'étaient autres que ses propres fils. « Les enfants du roumi » qu'elle avait gardés cachés. Saâdia avait le corps et l'esprit caparaçonnés. Et ces rumeurs, quelque venimeuses qu'elles fussent, ne lui arrachaient qu'un sourire désabusé. Mais maintenant, ce départ fissurait sa carapace et l'écartelait. Vergne lui proposait de l'accompagner avec ses neveux. Partir avec un militaire français au moment où l'espoir de l'indépendance commençait à prendre réalité ? Anéantir d'un coup toute la reconnaissance sociale qu'elle avait patiemment conquise ? Risquer de se voir reniée une seconde fois par cette famille dont elle était maintenant l'un des piliers ? Se retrouver de nouveau sans famille, sans patrie, seule ? Partir ou rester était un deuil. Un deuil qui accablait son cœur au moment où les fêtes commençaient.

La veuve d'Ali, le défunt frère de Saâdia, devait se remarier. Ses trois enfants auraient représenté une entrave à ce dessein. Du reste, le conseil de famille n'aurait jamais permis que ceux-ci soient placés sous la tutelle d'un étranger. Du vivant de Bouhaloufa et d'un commun accord, on avait décidé de les confier à la prodigue Saâdia. Ces enfants auraient ainsi l'instruction, l'aisance matérielle et une affection qui ne demandait qu'à s'offrir.

Saâdia repartit très vite. Comblerait-elle ce vide en s'entourant d'enfants ? Elle en avait trois à présent.

De la ferme des Bouhaloufa, il ne restait plus que les corps de bâtiment. Toutes les terres avaient été vendues. De grandes bâtisses aux hautes murailles en pierre et aux portes massives se côtoyaient occupant l'espace des champs de blé. Presque toutes appartenaient à des notables algériens. La ville repoussait les paysages campagnards et s'étendait. Un deuil pour Leïla aussi, celui des seuls souvenirs agrestes de son enfance.

Depuis 1957, l'émigration était massive. Les familles dont les hommes avaient gagné le maquis ou qui fuyaient la répression, la prison et la torture, s'étaient repliées, par vagues successives, vers le Maroc. Dans certaines villes, Oujda surtout, l'afflux d'émigrants était tel que cela n'allait pas sans frictions avec la population locale. Cependant, quelque problème que posât ce surpeuplement, il contribua de façon indéniable à l'essor de la ville. Des organisations internationales, telle la Croix-Rouge, et l'aide financière de nombreux pays y avaient une portée considérable. Beaucoup de méde-

cins, commerçants et notables venus de tout l'Ouest
algérien s'étaient établis là. Dans le reste du Maroc, on
surnommait Oujda « la deuxième Algérie ».

Deux jours après leur arrivée, deux femmes noires et
massives, anciennes esclaves de la ferme, vinrent rendre visite à Yamina. Elles se prosternèrent à ses pieds
et tentèrent de les baiser en murmurant :

— Oh maîtresse, que nous sommes contentes de te
revoir !

Sous le regard d'airain qu'à l'instant Zohra darda sur
elle, Yamina se recula et aida les femmes à se relever.
Mais, si ses traits trahissaient un léger dépit à l'encontre de sa sentinelle de belle-mère, l'attitude de soumission des deux visiteuses ne lui causait en revanche
aucune gêne. Tout au contraire. L'expression ironique
mâtinée de morgue qui allumait son regard et ses
minauderies donnaient à penser qu'elle était fière de
cet hommage.

Exaspérée, Zohra se leva, tendit la main à Leïla et
dit :

— Viens, allons-nous-en. J'ai besoin de respirer un
peu d'air pur. Il y a ici une pestilence, des remugles qui
me soulèvent le cœur.

Hélas, ces remugles empuantissaient toute l'Afrique
du Nord. En plus d'un antisémitisme latent à peine
policé par un très long voisinage, un inébranlable
racisme à l'encontre des Noirs subsistait dans toute
l'Afrique du Nord. Les mots « abd », signifiant esclave,
étaient et sont encore l'appellation usitée pour désigner
un Noir. Sous l'influence de Zohra et aux prises avec
des manifestations de racisme des différentes communautés, Leïla avait acquis une sensibilité exacerbée à ce
phénomène.

Un jour, en rentrant de l'école, elle avait trouvé sa
mère se parant devant une grande glace. Elle savait que

celle-ci avait un long collier fait de louis d'or, des napoléons de vingt francs, que séparaient quelques perles de corail noir, à la mode maroco-algérienne. Leïla avait demandé à Yamina pourquoi elle ne portait plus ce collier. Yamina avait pris un air hautain avant de répondre :

— Les louis d'or, maintenant, même les abdates[1] en portent ! Comment veux-tu que je le mette ?

Cette réplique avait suffoqué la fillette. Ah ! la délicieuse formule de Zohra : « Si tu n'aimes pas le noir, tu n'as qu'à l'enlever de tes yeux ! » Leïla la trouvait belle et, hélas ! toujours d'actualité. Sa propre peau brune avait toujours chagriné sa mère comme une profanation léguée par ce lointain aïeul dont on ne prononçait jamais le nom. C'était là un reste du pigment de « l'esclave » qu'il avait engrossée. C'était là un don empoisonné du côté de Zohra... Leïla aimait ça. Souvent, elle se prenait à penser à cette femme noire, à ce qu'avait été sa vie. Alors maintenant, elle exhibait ses cheveux et sa peau, cette filiation maudite, comme sa mère son gros ventre goguenard. A chacune ses emblèmes et ses fanions. Elle, plus sa peau fonçait, plus ses cheveux bouclaient, plus elle se réjouissait. Pour accentuer cet effet, elle paressait longuement au soleil. Fière revendication de ce trait de négritude qui, même dilué dans les générations successives de nomades, ressortait çà et là. Comme si le fantôme de la lointaine aïeule mortifiée guettait tous les gros ventres de la famille y déposant de temps à autre une goutte de son sang. Une goutte d'ébène qui épanouissait là une lippe nègre au milieu d'un visage aux traits de « pur » maure, coiffait ici une tête d'une crinière crépue au milieu d'autres aux cheveux souples. Leïla aimait ça !

---

1. *Abdates* : féminin pluriel de *abd*, esclave.

Ces retrouvailles regroupaient les Ajalli et Bouhaloufa. Même si le site avait changé, toute la descendance était là. Enfin presque. Une dizaine de femmes.
Une bonne trentaine d'enfants. Et, perdus au milieu,
seulement deux hommes : un vieillard, le grand-père
Hamza, et un alcoolique au regard éteint, Nacer, le
mari de Zina, le frère aîné de Tayeb et Khellil. Les
autres hommes étaient, les uns couchés au cimetière,
le restant au maquis et à Kénadsa.

CHAPITRE X

Sur les murs, le sigle de l'OAS était devenu omniprésent. Les attentats commis par les membres de l'organisation ensanglantaient Oran et Alger. Les négociations d'Evian avaient été interrompues. Les doutes disputaient de nouveau l'avenir aux certitudes de paix. « La France veut garder le Sahara », s'inquiétait-on au cœur du désert. « Le Sahara n'a jamais été et ne sera jamais qu'aux Sahariens ! », ressassait Zohra.

Octobre 1961, encore un petit frère. Et à la rentrée de nouvelles écolières algériennes avaient quitté l'école. Encore d'autres enfances usurpées, terrées dans les ksars pour être façonnées à la besogne et aux privations. Quelques pieds-noirs manquaient aussi. Absorbées, elles, par d'autres horizons aussi incertains. Peur et prudence conjuguées hâtaient déjà les départs vers la France et l'Espagne. L'école se vidait. Cette année-là représentait pour Leïla un enjeu capital. « L'école, c'est ta seule planche de salut ! » Irait-elle en sixième à Béchar ? Parfois, elle cherchait désespérément un réconfort dans la lumière dont parlaient ses aïeux. Mais elle ne ressentait que le picotement de ses propres yeux blessés par la réverbération. Les cieux où s'égaraient leur quête et le désert restaient indifférents.

— Ma fille, ta grand-mère et moi, nous avons essayé de convaincre ton père de te laisser aller en sixième. Il ne veut rien savoir. Tu comprends, tous les hommes autour de lui ont déjà retiré leurs filles de l'école. Ils se montent la tête les uns les autres. Et ton père a peur de leur jugement, et peur pour toi. Tu as déjà reçu des demandes en mariage... Au lieu de la sixième, ton père pense que tu devrais passer ton certificat d'études. C'est un beau diplôme...

— On m'a demandée en mariage ? Mais qui ? Qu'avez-vous dit ?

— Oh ça, on peut refuser sans offenser. Nous avons un excellent rempart, tu es promise à ton cousin. De toute façon, ni ta grand-mère ni moi ne voulons te marier si jeune. Nous attendrons que tu aies dix-huit ou dix-neuf ans. Pour ma part, j'aimerais bien te voir poursuivre tes études et devenir institutrice. Oui, cela me plairait beaucoup. Mais ton père...

Yamina se rendit compte que le visage de Leïla avait viré au gris. Elle se composa une voix et une mine encourageantes :

— Ne t'en fais pas, travaille bien et, le moment venu, il faudra que Khellil vienne à la rescousse.

En octobre, de Gaulle s'était prononcé pour l'autodétermination par la voie d'un référendum. Cela n'empêcha pas le 1er novembre suivant, date anniversaire du déclenchement de la révolution algérienne, d'être particulièrement meurtrier. Les pourparlers avaient repris, inspirant des attentats au plastic et à la bombe. A l'école, les fillettes des deux communautés se jetaient des regards rosses et s'assénaient des propos vindicatifs que n'osaient tenir leurs parents. Certains gestes faisaient figures de symboles. Ainsi, une main ouverte, dressée à la face d'une camarade, n'était plus une khemsa, une main de Fatma, mais un empan. La coudée et l'empan étaient encore des unités de mesure couramment utilisées par les commerçants juifs et arabes. Enhardies, les petites Algériennes s'emparaient du verbe et des gestes de leurs parents pour signifier à « l'ennemie » qu'elles ne lui abandonneraient pas un millimètre de leur terre.

Un cahier de composition. Encore un. Tayeb fit un gribouillis en guise de signature à l'endroit que lui indiqua Leïla. Celle-ci s'efforça de cacher sa déception. Khellil, lui, était si fier de feuilleter ses cahiers que c'en était une récompense. Que le regard du père demeurât sans étincelle aucune pour ses notes parut soudain à la fillette la ruine de son meilleur atout. Oubliant les judicieux conseils de sa mère et dans un sursaut de révolte, Leïla l'avertit qu'elle passerait bientôt l'examen d'entrée en sixième. Rouge de colère, son père rétorqua :

— C'est hors de question. Si le lycée avait été à Kénadsa, je ne dis pas. Mais là, ne te fais aucune illusion !

Le soir même, elle écrivit à H'bibi Khellil, l'appelant au secours. Et compta avec angoisse les jours en guettant ses nouvelles. Elle n'en avait pas encore quand Mme Chalier, la directrice, vint distribuer dans sa classe des formulaires :

— Ce sont vos dossiers de sixième. Il faut les remplir et les faire signer par vos parents. L'examen est fixé au 10 avril.

Le sanglot que Leïla portait en elle depuis plusieurs jours la secoua brusquement. Mme Chalier essaya d'en connaître la raison mais ne put rien tirer de l'enfant qui hoqueta de plus belle. Alors elle la prit par la main et l'entraîna vers son bureau. Quand elle sut enfin où était le problème, elle martela ces mots :

— S'il ne doit y avoir qu'une fille de Kénadsa en sixième, ce sera toi, Leïla. Je te promets que je ferai tout pour ça. N'aie crainte, j'irai voir ton père chez toi dès ce soir. Je garde ton dossier. Je le lui porterai moi-même. N'en dis rien en rentrant.

Elle arriva dans sa vieille 2 Chevaux vers six heures du soir. Etonné par cette visite aussi inhabituelle qu'impromptue, Tayeb la fit entrer. Pendant que Yamina s'affairait à préparer du thé, Mme Chalier attaqua dans un arabe parfait et avec un léger accent marocain qui fit se retourner et sourire Yamina :

— Monsieur Ajalli, j'ai apporté moi-même le dossier de sixième de Leïla. Il me tient à cœur, aussi je voulais m'assurer de votre accord.

Tayeb essaya de protester. Elle ne lui en laissa pas le temps et continua avec passion :

— Monsieur Ajalli, vous avez scolarisé vos deux filles aînées. C'est pour moi un acte de courage et de résistance. Car la scolarisation des enfants est l'une des priorités du combat pour la liberté. Il ne fait aucun doute que vous êtes de cette lutte-là.

Saisi de stupéfaction, Tayeb écarquilla les yeux. La femme se tut quelques secondes pour laisser à ses paroles le temps de produire tout l'effet escompté. Tayeb ne songea même pas à répliquer. Elle reprit :

— Je le crois, vraiment. Militer ou prendre les armes pour libérer son pays est un devoir pour chacun de nous. Comme il est de notre devoir aussi de dénoncer l'injustice et de soutenir le combat des opprimés où que ce soit dans le monde. Cette guerre qui, depuis huit ans, dresse deux communautés l'une contre l'autre dans un pays dont l'étendue et les ressources pouvaient leur permettre de vivre aisément ensemble, cette guerre devra cesser. Demain, dans quelques mois, un an, deux au maximum, l'Algérie sera un pays libre. Alors commencera une autre lutte tout aussi longue et ardue pour l'indépendance économique, technique, culturelle... Il faudra assumer cette liberté, et vous verrez, ce ne sera pas une mince affaire. Pour y parvenir, l'Algérie aura besoin de tous ses enfants, filles et garçons, hommes et femmes. Mon souhait le plus grand serait de vivre quelques années dans cette Algérie-là, de contribuer dans la mesure de mes moyens et à mon niveau à l'édification de ce pays neuf. Mais, qui prendra ma place ou celles, nombreuses, de tel ou telle quand nous serons partis ? Qui assurera la relève ? Il faudrait tellement de Leïla ! La vôtre a toutes les chances pour elle. Ne vous privez pas de la fierté de la voir occuper, un jour, un poste de responsabilité. Ne sabrez pas ses espoirs la veille de l'indépendance du pays, je vous en conjure ! Militer, c'est aussi donner cet exemple-là. C'est essayer de combattre l'obscurantisme, de vaincre son cortège d'absurdités et de faire évoluer les mentalités. C'est aussi ça ! Dans l'Algérie de demain, ce sera surtout ça ! Je ne vous apprendrai rien en vous disant que c'est un combat très rude, peut-être même plus difficile que celui qui consiste à diriger ses armes contre un ennemi tout désigné.

Les mâchoires serrées et le visage grave, Tayeb acquiesçait. Leïla sentit confusément que la partie était gagnée. Elle n'aurait pu espérer meilleur plaidoyer. La roumia avait trouvé les mots et le ton qu'il fallait. Avec son flair, elle avait visé juste et bouleversé Tayeb, dans tous les sens du terme. Son verre de thé tremblant dans sa main, Leïla luttait contre les larmes. Elle comptait sur quelques proches et voilà que c'était du côté de cette étrangère que lui était venu le plus grand secours. Une

aide qu'elle n'avait même pas sollicitée. L'argumentation de la roumia avait foudroyé toute résistance et
conquis la famille. Ses paroles resplendiront dans la
mémoire de Leïla comme une voie lactée au milieu des
sombres années.

A présent, la femme sirotait son verre de thé tranquillement. Tayeb aspira bruyamment une longue gorgée
pour se donner contenance. Il s'éclaircit la voix et se
mit à parler avec liberté. Il évoqua la guerre, les injustices et les humiliations, les négociations en cours, l'espoir d'un cessez-le-feu. Enfin, il lui dit en désignant son
aînée :

— Son oncle m'a appelé au téléphone à l'atelier il y a
deux jours. La coquine l'avait déjà alerté. Celle-là, vous
savez, elle tient de l'autre lignée de notre tribu, elle a le
grain des Bouhaloufa... Je n'ai aucun don pour dire les
histoires. Et celle-ci est bien longue à conter... Mon
frère pense exactement comme vous. Je crois que c'est
vous deux qui avez raison. Si cette guerre durait
encore, j'aurais très peur pour Leïla. Mais si notre pays
acquiert son indépendance... Quoi qu'il en soit, je vous
promets que Leïla ira en sixième et même en Russie si
c'est nécessaire.

Le cœur de la fillette bondit dans sa poitrine. C'était
gagné ! L'envie de s'élancer vers sa directrice et de l'embrasser avec fougue la traversa, fulgurante et fugace.
Mais au-delà de son émotion, le sentiment de reconnaissance éperdue qu'elle lui inspirait la clouait au sol.
Ce fut Mme Chalier qui, tout sourire, manifesta sa joie
la première en lui donnant une tape dans le dos. Leïla
dit avec feu : « Merci madame Chalier » tout en trouvant ça si pauvre au regard de ce qu'elle venait d'obtenir, de ce qu'elle éprouvait. Et pour la première fois,
peut-être, elle réalisa qu'elle était plus douée pour la

crânerie, le défi et la bagarre que pour les effusions. Et pour la première fois, sans doute, elle le regretta.

Le futur immédiat donna raison à Mme Chalier. Le 7 mars 1962 s'ouvraient, officiellement cette fois, les négociations à Evian. Douze jours plus tard, le 19 mars à midi, la radio annonça la proclamation d'un cessez-le-feu et la libération de Ben Bella. Hébétés, sous le choc, les Ajalli tournèrent fébrilement le bouton de la radio, cherchant la confirmation par une voix étrangère et neutre. Mais toutes les ondes, arabes et européennes, diffusaient la même nouvelle. Ils avaient beau s'être préparés à l'immensité de ce bonheur, son ampleur les laissa sans voix. D'abord les sauts du cœur, les bonds du sang et les yeux pulvérisés de lumière. Yamina fut la première à se ressaisir et courut sortir le bendir préparé pour cet événement. La peau translucide qui le formait avait été teintée au henné et agrémentée de colliers. Un autre rythme pour un autre temps. Dans les mains de Yamina, le bendir se mit à tinter de toutes ses perles, de toutes les joies. Tayeb se prit à danser pour la première fois. Il bondissait, lançait haut son chapeau rifain et le rattrapait. Puis, dans une éblouissante démonstration d'allaoui [1], il dirigea un baroud imaginaire tantôt vers le sol, tantôt vers le ciel. Zohra en perdit son chèche, le ramassa, le fit tournoyer comme un lasso et, d'un geste théâtral, en ceintura son fils et dansa avec lui. Etourdissant moment qui délivrait les bendirs des incantations et dont les youyous diapraient les nues. Cela changeait la dune des détonations lugubres des champs de tir et autres stridences de la mort.

---

1. *Allaoui* : danse exécutée par les hommes qui accompagnent leurs pas de tirs de cartouches.

Le lendemain, un télégramme arriva de Tindouf. Les événements précipitaient Khellil vers les siens. Tayeb l'entreprit dès son retour :

— Maintenant, il faut que tu restes vivre ici, et sans attendre ! On va avoir besoin de toi, il y a tant à faire !

Ce jour-là comme les suivants, les deux hommes ne furent guère à la maison. De multiples réunions les absorbaient. Un matin, en leur absence, Zohra annonça :

— Je crois que j'ai trouvé une fille qui conviendra à Khellil. Il me reste à le convaincre de me laisser le marier.

Depuis quelque temps déjà, Leïla se doutait bien de ce que, dans le plus grand secret, son aïeule tramait. Elle qui l'accompagnait toujours au hammam avait remarqué de quelle façon ses yeux fouillaient l'atmosphère brumeuse, détaillant les corps affairés à leur toilette. Etaient-ce les vapeurs de cette pièce surchauffée qui gommaient les contours exsangues de la réalité ? Elles conféraient tout à coup aux femmes cette totale et candide impudeur, avec laquelle elles exhibaient leur nudité devant les garçonnets. Toutes les rigidités et pudibonderies, qui dehors cachaient et bridaient les corps, restaient au vestiaire. Là, sexes, fesses monumentales et adipeuses, corps à la peau satinée de nymphettes, à la peau ravagée par des grossesses multiples, seins aux dimensions suffocantes, pareils à des oreillers, se côtoyaient durant une trêve surprenante de désinvolture... Le regard de Zohra survolait tout cela, se saisissait des nubiles, les jugeait, jaugeait.

« Par Allah, avec quelle rapidité se métamorphosent les filles à la puberté ! On ne les reconnaît plus. Qui est donc celle-là ? », marmonnait-elle. Elle tendait le cou, observait la longue chevelure, le galbe de la hanche, le sein prometteur et, se drapant d'une fouta, se précipi-

tait vers « moulette el hammam », la propriétaire du
bain. Mais le plus beau des corps, le plus pur des
visages étaient instantanément balayés de sa mémoire
si la moindre ombre éclaboussait la conduite de la
jeune fille convoitée. La mine docte et le triple menton
épanoui en jabot, moulette el hammam savait tout sur
tout le monde. Personne ne pouvait se passer de ses
conseils. Dans son hammam, les femmes se débarrassaient de leur crasse dans la pièce chaude puis allaient
verser leurs médisances et secrets dans son oreille
complaisante avant de s'en retourner vers leur
demeure.

Zohra avait fini par jeter son dévolu sur une adolescente, originaire comme elle des hauts plateaux, ce qui
n'était pas peu dire !

— Le seul reproche que pourraient lui faire certaines, c'est qu'elle est très mince, presque maigre. Note
bien que, chez nous, les femmes n'ont jamais été
blanches et grasses mais fines et... bien brunes.
Comment prendre de l'embonpoint et perdre ses couleurs quand on marche au soleil toute sa vie ? Nous ne
sommes pas des femmes d'ombre ! dit-elle en jetant un
regard en biais vers Yamina. Comme celle-ci ne relevait
pas l'allusion, elle continua :

— Elle s'élargira avec les grossesses. D'ailleurs, il
paraît que les jeunes hommes les préfèrent minces
maintenant. Quoi qu'il en soit, elle a une conduite irré-
prochable. On dit qu'elle ne sort jamais sans voile et
sans la compagnie de ses frères. Et qu'elle tient la maison de ses parents dans une propreté à faire pâlir de
jalousie les mères.

— Fais comme tu veux, oummi, je m'en remets à toi,
finit par dire Khellil, cédant aux instances de sa mère.

Ce bonheur s'ajouta à celui qui baignait déjà tous les
cœurs. Zohra en était ivre, Yamina aussi. La seule à

être un peu déçue par cette réponse fut Leïla. Non pas qu'elle eût quelque grief que ce soit contre l'élue qu'elle ne connaissait que pour l'avoir aperçue au hammam. A ses yeux, la réponse de H'bibi signait sa résignation. Le carcan de la tradition avait fini par avoir raison de sa rébellion. Il redescendait des nues pour rejoindre le commun des hommes. Khellil dut lire ses pensées. Il la regarda et haussa les épaules d'un air blasé, semblant dire : celle-là ou une autre, quelle importance à présent ! Deux jours après, il repartit pour Djebilet. Il donna sa démission, effectua son mois de préavis puis revint.

A l'école, dans la classe de Leïla, la moitié des filles, trop âgées pour la sixième, passaient le certificat pour clore le chapitre des études. Parmi les sept autres, seules Claire Rixio et Leïla devaient se présenter à l'examen d'entrée en sixième. Les autres redoublaient. Leïla attendit les résultats avec une impatience grandissante. Un après-midi, alors qu'elle était à la maison, elle entendit une voiture arriver au loin. Elle reconnut le moteur d'une 2 Chevaux. Mme Chalier arrivait en klaxonnant. Leïla était reçue. Tandis que Tayeb accueillait la messagère, Leïla, tétanisée de plaisir, observait les visages radieux. Elle avait l'impression que Le Regard de lumière qui avait déserté les cieux était maintenant dans tous les yeux. Avec une intensité insoutenable.

On but le thé. On parla du cessez-le-feu, de l'OAS qui saccageait le pays, de la grande déroute pied-noir. Ils partaient tous, meurtris et amers. L'esprit obscurci par une immense douleur, ils ne comprenaient pas pourquoi ils en étaient arrivés là. Pourquoi seulement cette terrible alternative : « la valise ou le cercueil ». Ils quittaient leur pays et leurs âmes avec des valises lourdes de peines. Combien de décennies faudra-t-il attendre pour qu'ils puissent se faire un jugement objectif, et enfin admettre que c'était l'absence d'équité qui les avait jetés hors de leurs frontières ? Pour l'instant, ils étaient dans le chaos et le désespoir.

Tayeb dit à Mme Chalier qu'il voudrait bien garder Leïla à la maison durant le mois de mai :

— J'aurai grand besoin d'elle. Il faudra qu'elle m'établisse des listes. Nous préparons le retour des émigrés du Maroc. Ils vont arriver en foule. Toute la population est décidée à les aider. Les dons sont importants et de toute nature. Il va falloir comptabiliser tout ça.

Permission lui fut accordée.

Ces mois d'avril, mai et juin 1962 furent très contrastés car l'allégresse cédait encore parfois le pas à la douleur. L'imminence de l'indépendance sonnant l'heure des bilans, on communiquait aux familles les noms des martyrs. Chacune ou presque en comptait... Beaucoup n'apprirent la perte des leurs qu'à la fin des combats. Terribles nouvelles venant brutalement balayer une quiétude toute neuve. Aussi, quelquefois, entendait-on s'élever d'une maison un hurlement lugubre. Un cri surgi des soubresauts de ce monde de souffrances et de déchirures qui s'accrochait au plaisir. Puis des voix imploraient : « *Zeghertou, Zeghertou!* » Mais les youyous mettaient du temps à venir et plus encore à se raffermir. La joie avait désarmé les femmes et ce regain de mal les cueillait avec traîtrise.

A la maison, au pied de la dune, régnait la fébrilité des préparatifs. Yamina passait de longs moments attelée à sa machine à coudre. Elle confectionnait des drapeaux algériens de toutes dimensions, des tenues aux mêmes couleurs pour les enfants, en prévision du

grand jour. Elle préparait aussi le trousseau de H'bibi.
Des moutons engraissaient depuis quelques mois en
vue des fêtes à venir. Tayeb prit un peu de l'argent
caché par Zohra et alla en acheter d'autres.

— Le prix de la viande risque de flamber cet été avec
tous les méchouis qui seront organisés. Il vaut mieux
s'y prendre à l'avance. Nous ferons un méchoui pour
Nacer, Zina et leurs enfants, un pour l'arrivée de l'oncle
Hamza, un pour celui de ma sœur Fatna. Les autres
seront pour le mariage de Khellil et pour nourrir notre
monde.

Tayeb utilisait un hangar de l'atelier pour entreposer
les dons destinés aux émigrés et aux familles des vic-
times de la guerre, les chouhadas. Un camion débor-
dant d'offrandes diverses arrivait chaque jour au pied
de la dune. Quatre militantes étaient chargées de réper-
torier et de regrouper les objets de même utilité. Toutes
étaient analphabètes mais, œil goguenard et chèche
encanaillé, elles paraphaient d'un geste magistral les
listes qu'avec scrupule Leïla leur rédigeait. Tout ce
barda hétéroclite était ensuite rechargé sur des
camions et repartait vers les lieux de distribution.
Pauvres oboles de l'urgence, seront-elles gages d'une vie
plus clémente pour de nombreuses familles totalement
démunies ? Les chants et discussions des femmes
s'étaient délestés du drame pour goûter au rire et à la
drôlerie. L'arrivée des émigrés s'accompagnait de tant
d'histoires truculentes. Aussi, même si décharger, trier,
compter, lister puis recharger, tous les jours, sept jours
sur sept, représentait un travail fastidieux car répétitif,
les femmes l'accomplissaient-elles dans l'exaltation et
l'euphorie. Quelques pas de danse venaient toujours,
impromptus, ciseler leur joie dans les moments les plus
laborieux. Trilles des youyous. Beignets au chaud moel-

leux sous une croûte craquante, zlabias et m'semen qui
dégoulinaient leur miel sur les doigts. L'heure du thé
devenait un moment savoureux.

Cela faisait un mois que l'adolescente n'avait pas mis
les pieds en classe. Un mois vécu comme un rêve. Portée par le sentiment d'importance que lui conférait son
travail au sein du groupe de femmes et enivrée par les
sons et les odeurs qui perpétuaient la fête, Leïla n'avait
pas vu mai passer. Atteints par la même fièvre, les jours
s'étaient mis à se bousculer dans une lumière transfor-
mée. En fin d'année scolaire, Leïla abandonna les
quatre femmes à Khellil et alla faire ses adieux à l'école.
Alors elle découvrit un autre spectacle, l'autre versant
du cessez-le-feu, la débâcle pied-noir. Les quartiers
français sentaient l'abandon. Un grand nombre de villas étaient fermées, cernées par le silence. Quelques
retardataires erraient encore, derniers fantômes d'un
monde emporté par les dévastations de l'histoire. Leurs
visages disaient leurs cauchemars. Leurs yeux paraissaient vouloir la mort comme une délivrance. La mort
pour eux ou pour les autres, ceux sur le visage desquels
ricanait la revanche. La mort pour tout ce qui leur était
arraché de leur passé.

La même désaffection, la même désolation attendaient Leïla à l'école. Mme Chalier était là, seule avec
quelques rares élèves, sans institutrice. Même elle, qui
pourtant avait senti venir cet instant, s'en trouvait
décontenancée. Elle tourbillonnait dans la cour, prodi-
guant quelques paroles d'encouragement pour celles
qui partaient, des mots d'espoir pour les autres. Dans
ce lieu habituellement bourdonnant, le choc de la joie
et de la douleur pesait d'une étrange façon sur les fillettes des deux camps. Elles en étaient muettes.
Mme Chalier demanda à Leïla de venir dans son
bureau. Elle avait des cadeaux pour elle. Plusieurs

livres dont *La Case de l'oncle Tom*, *Exodus*, *Nedjma* et un magnifique chapeau rouge garni de marguerites qu'elle lui mit sur la tête en disant :

— Ça, c'est pour protéger ton cerveau, qui bout déjà, du soleil des longs défilés et des manifestations qui se préparent.

Leïla ne traversait pas le quartier juif pour aller à l'école. Il était de l'autre côté du village, accolé au vieux ksar. Mais Sarah était là, elle aussi.

— Je croyais que j'allais partir sans te revoir ! Tu n'as même pas pensé à ma mère !

Prise par l'effervescence des jours, Leïla n'avait pas imaginé un instant que le drame pied-noir pouvait emporter les Juifs aussi. Et tout à coup, c'est par la détresse de son amie qu'elle découvrait l'importance de l'onde de choc. Pourquoi, comment ? Elle ne le savait pas. Mais le danger était là, imminent et sans appel. Que le bonheur des siens eût pour corollaire le déses-poir des « autres » lui fut soudain insupportable.

— Nous partons d'abord pour la France, où nous ne resterons que quelques jours, ensuite, pour Israël.

Leïla la fixait avec consternation :

— Mais pourquoi ?

— Mes parents disent qu'on ne peut pas rester puisque tous les autres s'en vont.

Leïla ne trouvait pas de paroles pour atténuer la peine de son amie. Son propre chagrin était au-delà des mots.

— J'irai avec toi tout à l'heure embrasser Emna, finit-elle par murmurer.

Elles luttaient contre les larmes, toutes deux. « Gisèle et Claire ? » Sarah ne les avait pas vues depuis quelques jours.

— Elles sont peut-être déjà parties. Moi, je suis venue tous les jours pour fuir la maison et ma mère...

Elles quittèrent précipitamment l'école.

Le quartier juif était encore plus silencieux et désolé que le quartier français. Les rares personnes rencontrées avaient ce même visage fermé, cette même fixité du regard. La stupeur ambiante avait gagné les yeux de Leïla. Et dans sa tête le marteau d'une question : « Pourquoi les Juifs partaient-ils ? Pourquoi eux ? Au hammam, leurs femmes ne se distinguaient pas des autres. Mêmes postures, mêmes attitudes, mêmes habitudes, même henné. Même accent propre à Kénadsa dans leur parler arabe. Certaines de leurs maisons étaient peut-être un peu plus cossues, certes, mais de même conception que celles, voisines, du ksar arabe. Pourquoi partaient-ils ?

Parmi les commerçants les Juifs avaient la préférence de Leïla. Non pas tant à cause des denrées de leurs échoppes que de leur amabilité alors que les commerçants arabes se croyaient obligés d'adopter un ton bourru avec les enfants. Quand Tayeb était retenu par quelque occupation et qu'on dépêchait Leïla aux courses, elle se rendait chez Ben Yetto, le père de Sarah. Un petit homme replet et jovial qui l'accueillait avec chaleur : « Comment va benti ? Tu es chaque jour plus belle. » En prime, elle avait souvent droit à une petite bouteille de limonade. Parfois, elle faisait mine de refuser juste pour le rite. Juste pour le voir jouer à s'offusquer. Il prenait alors un air bougon avec lequel jurait son œil rieur. Et quand, avec des mimiques simiesques, il tapait sur sa chéchia, l'enfonçant jusqu'au ras des sourcils, et s'engonçait dans son épais tablier bleu, il était tout à fait irrésistible.

— Prends-la, tu es chez les Juifs, dans la civilisation ! disait-il en tendant la boisson à Leïla gagnée par le fou rire.

— Monsieur Ben Yetto, pourquoi vous partez tous, vous aussi ?

Elle avait hurlé cette question qui mettait un tumulte dans son esprit. Ce quartier qu'elle aimait tant était pour elle le poumon du ksar. Comment imaginer la vie de ce dernier sans les femmes de cette communauté ? Habit noir, foulard rutilant et visages empreints de mansuétude, elles s'asseyaient devant leur maison et formaient un rempart de tendresse contre l'aridité des cœurs. Sans elles, à coup sûr, l'âme du ksar en serait appauvrie.

L'homme la regarda tristement, puis détourna les yeux pour chuchoter :

— Nous partons, ma fille, parce que c'est la chcoumoune[1]. Une situation bien compliquée. La peur de l'inconnu, la peur tout court. Il y a des gens qui ne savent même pas pourquoi ils partent, mais ils s'en vont ! Il est plus facile de suivre le lit de l'oued que d'essayer d'en sortir. La peur est tellement enracinée dans notre mémoire...

Ensemble, ils pénétrèrent dans la maison. Le regard vide, Emna Ben Yetto était assise dans la cour, au milieu de malles, caisses et cartons ficelés. De tous, elle semblait la plus affectée. Lorsqu'elle aperçut Leïla, elle ferma les yeux sur sa douleur et balança doucement son buste d'avant en arrière. Elle ne pleurait pas. Elle gémissait, faiblement. Et seul ce gémissement perçait le silence alentour. Cœur et gorge serrés, Leïla s'approcha d'elle. Ses senteurs de musc, de clous de girofle et d'huile d'olive l'envahirent comme un sanglot. Leïla y enfouit sa peine. D'un geste lent, la femme la serra

---

1. *Chcoumoune* : terme pied-noir désignant poisse, guigne, malchance.

contre sa poitrine et mit un moment avant de parvenir à articuler :

— Kahloucha, ma noiraude, comment vais-je pouvoir vivre loin d'ici ?

Kahloucha, elle était la seule qui l'appelait ainsi. Elle l'avait toujours appelée de cette façon. Leïla prit conscience que ce qualificatif était pour elle attaché à cette femme, à son odeur, à sa voix. Et il lui parut plus sublime que jamais.

Après un dernier baiser, Leïla s'arracha douloureusement des bras d'Emna et sortit. Dehors, Sarah et elle s'embrassèrent et s'étreignirent très vite. Elles se doutaient bien qu'elles n'allaient plus jamais se revoir ni manger ensemble, le samedi, des boulettes de sardines, assises au soleil. Dans leur poitrine, une sensation de déchirure à couper le souffle. Leïla mit le chapeau rouge sur la tête de son amie et se sauva. Elle fuyait les pleurs communs. Elle fuyait cette monstruosité qui menaçait de faire éclater son thorax.

Elle courait seule dans les quartiers déserts. Elle avait l'impression qu'un vent de sable brûlait ses yeux. Le quartier français. La maison de Gisèle ! Leïla s'arrêta. La porte était ouverte. Un instant, elle fut tentée d'appeler son amie. Mais l'appréhension de se retrouver face à sa mère lui en ôta le courage. Elle reprit sa course, persuadée que Gisèle ne partirait pas sans venir la voir. Plus loin, la maison de Claire elle, était fermée. Le jardin, d'habitude coquet et fleuri, était desséché. Quelques plantations, dévorées par les flammes du ciel, étaient déjà rabougries. Elle était donc partie, elle aussi. Depuis janvier, toutes deux s'étaient soigneusement évitées, tant aux récréations qu'en dehors de l'école. Chacune était restée enfermée dans un monde différent. Chacune essayait, peut-être, d'occulter son souci de l'autre, insoluble, trop lourd à porter. Leïla resta un long moment interdite devant la maison, en proie au chagrin et aux remords.

Claire avait toujours passé toutes ses vacances à Biarritz chez ses grands-parents. Elle partait souvent dès le lendemain du dernier jour de classe. Parfois même avant. Elle trépignait d'impatience et comptait les jours qui la séparaient du départ. Durant l'année scolaire, elle parlait souvent à Leïla de cette ville avec amour et lui montrait des quantités de photos qu'elle admirait en suçant son pouce. Sur ces clichés, l'herbe avait le vert de l'imaginaire de Leïla et l'océan s'enroulait en écume argentée qui montait à l'assaut de sombres rochers. Claire était sûrement partie vivre à Biarritz. Elle en avait certainement été très heureuse. Leïla préférait le penser : qu'il y en ait au moins une contente de partir...

Elle reprit sa course, fuyant ces lieux désertés par la vie. Une souffrance silencieuse lui semblait sourdre de ces maisons. Il y avait dans ce vide quelque chose d'oppressant. Une obscure menace. Aller là-bas, loin du village, dans la demeure blanche qui abritait sa joie au pied de sa dune. Elle y arriva hors d'haleine.

Ici, on s'était inquiété pour elle. Khellil était parti à sa recherche. Une enfant arabe, seule, à travers ces quartiers où l'amertume et la douleur... Par Allah, quelle imprudence ! En l'apercevant, les femmes poussèrent un soupir de soulagement. Mais l'adolescente ne supporta pas la liesse qui, sitôt la crainte disparue, s'emparait à nouveau des femmes. Posant ses livres, Leïla sortit pour aller se réfugier sur la dune. Elle se laissa aller dans le sable comme on entre dans la mer. Elle s'enroula en boule comme dans le giron d'une mère. Là, tout s'éteignait, les peines des hommes comme les dévastations de leur histoire. Tout était immobile, et le chagrin qui tout à l'heure paraissait insurmontable, lentement se dissipait, écarté par le souffle tiède de la dune. Les battements de sa tête coulaient dans le sable qui les transformait peu à peu en tambour sourd et lointain dans l'erg. Le bendir des dunes la berçait. Elle s'endormit. Et dans ses rêves, elle quitta le monde agité et mutilé des hommes immobiles. Elle partit avec ceux qui marchaient, dans la lumière et dans le vent, au large du désert. Ceux qui ne laissaient rien derrière eux, ni maisons aveugles, ni souvenirs blessés, ni amours arrachés, seulement un regard libre dans la lumière.

Khellil qui l'avait cherchée partout revint hors d'haleine à la maison. Rassuré de la savoir là, il repartit vers le village sans troubler sa solitude. Elle dormait encore sur sa couche de sable, à l'ombre d'une grotte, quand l'écho d'une voix emplit les rochers de la Barga. Réveillée en sursaut, elle reconnut H'bibi au pied de la dune. Quelque chose bougeait à ses pieds. Elle se leva, lui fit signe et se laissa retomber sur le sable. Il se mit à grimper dans sa direction. Il faisait chaud et le long sommeil dans lequel elle avait sombré embrumait encore la tête de Leïla. Au bout d'un instant, quand Khellil eut grimpé de quelques mètres, elle distingua deux petits chiots à ses côtés. L'un était couleur sable, l'autre tout noir. Depuis que les militaires avaient tué Tobi, en 1958, ils n'avaient plus eu de chien.

— H'bibi ! cria-t-elle tout à coup tonifiée.

Dévalant la dune, elle courut à sa rencontre.

— Portalès les a récupérés chez un pied-noir. Comment vas-tu les appeler ?

Leïla tourna autour d'eux en sautillant.

— Le noir, Kahlouch et l'autre Tobi, comme celui d'avant.

Elle les prit à tour de rôle dans ses bras et les caressa.

Ils avaient le poil long et soyeux et leurs yeux étaient de velours.

— Ça, ajouta Khellil en lui montrant le paquet auquel, polarisée par la présence des animaux, elle n'avait pas prêté attention, c'est un autre cadeau. Ma récompense pour ton succès à l'examen.

— Qu'est-ce que c'est ? Ça a l'air lourd.

— Tu verras. Grimpons d'abord, je te le donnerai là-haut.

Heureuse, elle ne quittait pas des yeux les deux petits chiens. Il lui semblait qu'elle n'aurait pu recevoir plus beau cadeau. Pourtant, celui qu'elle découvrit quelques minutes plus tard en ouvrant le paquet l'inonda d'un plaisir au moins équivalent. C'était un transistor.

« France-Inter » et la voix d'Edith Piaf s'éleva du sommet de la dune : « Non, rien de rien. Non, je ne regrette rien... » A l'ouest, le soleil avait disparu et la nuit se refermait doucement en longues coulées brunes sur son sillage flamboyant, telle une poussière de cendre sur les restes d'un beau brasier.

CHAPITRE XI

Le 1er juillet 1962, jour du référendum pour l'autodétermination. Même les femmes quittèrent leurs dechras pour aller voter. Les haïks, gonflés par l'importance du moment, papillonnaient autour des maisons. Puis, se détachaient et partaient fondre leur écume dans la blancheur des bureaux de vote. Les cœurs battaient fort. Voter pour l'indépendance ? Mais les militaires, les paras étaient toujours là ! Hors de ses quartiers, la joie rapetissait. La traversée du centre, devenu encore plus inquiétant maintenant qu'il était vide, hâtait la foulée, regroupait les déplacements.

Les Algériens votèrent massivement pour l'indépendance : 99,72 % des suffrages exprimés. Deux jours plus tard, le 3 juillet, le gouvernement provisoire de la République algérienne, conduit par Ben Khedda, s'installait à Alger. L'indépendance était proclamée.

Depuis mars, on s'était préparé à l'événement. Moutons à sacrifier, drapeaux, tenues pour les enfants... On avait même reblanchi les maisons à la chaux. Et l'on s'était levé avec le soleil, ce jour-là ! Mais à huit heures, celui-ci dardait déjà sur ce monde enfiévré des rayons d'enfer. Bahia et Leïla pavoisaient dans de splendides jupes vertes aux jupons amidonnés et gonflants, des chemisiers blancs et des ceintures rouges. Des rubans de mêmes teintes parachevaient leur toilette.

La levée du drapeau devait avoir lieu simultanément sur la grande place du vieux ksar et celle du quartier français. Sur cette dernière, s'ouvraient les bureaux de l'administration des mines, le mess des officiers et une entrée de caserne encore pleine de militaires français. Ceux-ci avaient, paraît-il, reçu l'ordre de ne pas se montrer de la journée. La foule qui s'amassait depuis plusieurs heures observait ces grandes portes fermées avec défiance. Le bonheur était, de toute évidence, porté à son paroxysme par la proximité du danger.

Le drapeau commença à s'élever doucement au rythme de l'hymne national. Des milliers de regards hypnotisés accompagnèrent son ascension. La foule se raidit comme un seul corps. Une seule émotion compacte. Lorsque les couleurs arrivèrent enfin en haut du poteau, un silence de pierre tomba dans les têtes. Puis, il y eut un mouvement dans la foule et aussitôt des youyous fusèrent. Beaucoup de visages étaient baignés de larmes. Une minute de silence encore, hantée par ceux qui manquaient à ce jour. Quelqu'un cria : « Paix à nos martyrs, vive la liberté ! » Un gigantesque chœur lui fit écho. Ensuite, ce fut le délire. On acclamait la victoire, on ovationnait el Houria. Les youyous des femmes fendaient les âmes. Des youyous en nuées qui allaient comme de fleurs en chardons, du sommet du rire, du cri de joie au plus caverneux des pleurs. Youyous qui tournoyaient et s'élançaient vers les transes immobiles d'un ciel en ignition.

La foule en folie contournait les casernes, nœuds de la peur ajournée. Les chants tourbillonnaient dans les flammes du jour et brûlaient les gosiers. Les youyous des femmes trillaient encore et encore et entraînaient les heures vers les plus hautes altitudes du bonheur. Dans l'oreille, à jamais, leur béatitude allait séjourner. Salves de baroud, mitrailles d'allaoui, envolées des fantasias, danses diverses, clameurs à verse, sueurs essaimées au fil d'une journée ivre.

Aphone, la tête et les pieds en feu, un groupe d'enfants et d'adolescents dans lequel se trouvait Leïla s'attarda un moment à l'arrière des longues files humaines. Dans la cour d'une caserne, Leïla aperçut un militaire qui lui fit signe d'approcher. Intriguée, elle s'avança de quelques pas dans sa direction puis s'arrêta, pleine d'appréhension. L'homme vint vers elle.

— N'aie pas peur, je veux juste parler un peu. Je suis si content, moi aussi, que la guerre soit finie. Nous sommes tous enfermés là-dedans. J'ai une telle envie de venir chanter et danser avec vous. Veux-tu boire quelque chose ?

Leïla ne put s'empêcher d'acquiescer de la tête. Le militaire rentra dans le bâtiment et en ressortit avec une grande bassine pleine de bouteilles de Coca-Cola fraîches. D'autres enfants, alléchés, s'arrêtèrent. Il leur en donna aussi. Ensuite, il tira du fond de la cour un tuyau branché à un robinet qu'il ouvrit. A tour de rôle, les enfants se passèrent le jet sur la tête. Cette douche improvisée lava les vêtements et les corps de leur sueur et atténua l'ébullition des esprits.

— Je suis très heureux que la guerre soit finie, répéta l'homme en uniforme. Tu sais, pour nous aussi c'était abominable. J'ai vu tant d'horreurs. J'ai vu des camarades mourir dans d'atroces agonies. Je m'en suis tiré... Je vais pouvoir rentrer chez moi en Normandie ! La majorité des Français n'a jamais vraiment voulu cette guerre...

Leïla le savait. D'autres bribes de conversation lui revinrent à l'esprit. Elle garda le silence. Le militaire lui souriait. Elle lui rendit son sourire et, se détournant, continua son chemin. Au bout de quelques pas, elle se retourna. Debout au même endroit, le jet du tuyau qu'il tenait encore à la main lui arrosant copieusement les jambes, l'homme la regardait. Elle lui trouvait un visage pathétique. Mais le kaki de son short la ramena à la réalité. Elle n'aimait pas cette couleur. Même sous l'apparence d'une tenue décontractée, elle la heurtait. L'homme agita l'une de ses mains. Leïla se hâta de disparaître.

Quand, au bord de l'évanouissement, Leïla suivie de Bahia regagna enfin la maison, il devait bien être cinq heures de l'après-midi. La carcasse d'un mouton séchait déjà sous la tonnelle. Tayeb allumait un brasier. Portalès, une longue broche métallique posée à côté de lui, préparait le mélange d'huile et d'épices dont il arroserait le méchoui. Grimpé sur une échelle, Khellil tirait des fils électriques entre la maison, deux poteaux situés à proximité et un palmier pour illuminer la nuit. Trônant au milieu de sa nichée, Saâdia arriva dans un taxi klaxonnant et empanaché de drapeaux.

— Pourquoi n'as-tu pas invité Estelle à venir avec toi ? Tu n'aurais pas dû la laisser seule. Il ne faut pas qu'elle se sente abandonnée en un jour pareil ! reprocha la femme aux tatouages sombres.

— Elle n'est pas là ! Elle a accompagné sa famille à Tlemcen. Ils s'en vont tous. Estelle m'a promis, m'a juré, qu'elle ne céderait pas à cette panique. Mais j'ai bien peur que le départ de sa famille et de la communauté juive ne lui porte un coup décisif. J'ai beaucoup réfléchi et pensé à elle ces jours-ci. A son retour, je vais lui proposer d'associer nos solitudes au travail comme elles le sont déjà dans notre amitié. Le hammam et la blanchisserie seront une même affaire et, nous deux avec les enfants, une même famille. J'espère qu'ainsi Estelle se sentira moins seule, elle qui adore les enfants...

Tayeb, toujours occupé à son feu, dit :

— Leïla, tu devrais aller inviter ta directrice pour le méchoui.

Puis s'adressant à Khellil, il ajouta :

— Ya sidi, cette femme est la justice même. Ses paroles ont de quoi te faire oublier tes rancœurs envers certains roumis.

— Eh là, s'il n'y avait qu'elle ! N'oublie pas que tu as un autre roumi avec toi ! Tu ne vas pas commencer à nous jeter tous avec l'eau sale ! lança Portalès.

Ils rirent ensemble. Portalès reprit :

— Je ne crois pas que Leïla soit en état d'aller où que ce soit. Regarde-la.

Allongée sur le dos à même la terre, les deux mains soutenant sa nuque, Leïla, qui un instant auparavant les regardait d'un œil brumeux de lassitude, avait soudain sombré dans le plus profond des sommeils, suivant de peu Bahia, terrassée dès son arrivée.

Festivités et liesse... Jamais juillet n'avait trouvé autant de vigueur dans les corps. Jamais les regards n'avaient ainsi brillé. Toute la famille d'Oujda arrivait pour assister au mariage de Khellil et prendre part à l'allégresse du pays. Ils racontaient leur ville et le Maroc qui se vidait des Algériens à la même vitesse que l'Algérie de ses pieds-noirs. Seule comparaison possible entre les deux mouvements de population que par ailleurs tout opposait.

*
* *

Zina et ses enfants, Hamza, le dernier vieillard des Bouhaloufa, toutes les autres tantes et leur progéniture, ils étaient plus d'une trentaine à la maison. Heureusement que toutes les pièces étaient maintenant climatisées. Ceux d'Oujda découvraient le désert. Dans la journée, la maison ressemblait à une ruche. Parfois, ils sortaient et, pendant quelques secondes, jetaient des regards inquiets vers le large des dunes. Ecrasées par une lumière de fournaise, celles-ci étaient comme lissées. Une toile éblouissante. Les lueurs ambrées du couchant y creusaient une longue houle, tapissant les creux d'ombres, coiffant de lumière fauve les crêtes des sables. Elles découpaient les toisons des palmiers, ébouriffaient leur phosphorescence et les tendaient vers des cieux sans fond. Répondant à l'appel du soir, tous sortaient devant la maison. Pendant un moment, cette heure de beauté offerte en sérénade à la Barga réduisait au silence leur brouhaha. Un moment magique qui happait le souffle et dont le mutisme incendiait l'imagination. Mais au sortir de cette contemplation, la rectitude des terres, à l'opposé, dévidait le regard jusqu'à l'égarement. Elle mettait comme un cri éperdu dans l'oreille. Sensation dont ils ne se débarrassaient qu'en détournant la tête à nouveau vers l'erg, qu'en reposant les yeux sur le galbe harmonieux des sables. Puis, doucement, tombait l'obscurité.

Mais quand, les nuits de pleine lune, la dune prenait l'opaline d'un bras de saline, ils se taisaient tous et admiraient. Le ciel réfractait le jour sur la nuit. Un jour de nuit attendrie qui réinventait un monde tout en rondeur et en épaisseur. Les horizontalités se confondaient en songes et les lumières en mirages. Les Bouhaloufa admiraient encore et encore. Ils disaient qu'il y avait toute la sorcellerie du monde dans les couleurs du désert. Les yeux de dame Zohra se mettaient alors à brasiller et son verbe les emportait toujours plus loin. Leïla écoutait avec volupté.

Un soir, Saâdia éclata en sanglots dès qu'elle descendit de voiture. Elle avait déjà pleuré auparavant, comme en témoignaient son nez et ses yeux irrités. C'était bien la première fois qu'ils la voyaient sangloter ainsi. Femmes et enfants l'entourèrent, essayant de savoir ce qui se passait :

— Estelle s'est suicidée. Elle s'est pendue à Tlemcen.

Dans son désarroi, la mort avait sans doute paru à Estelle l'unique alternative à la fatalité du départ de ses proches.

— J'aurais dû l'accompagner ou l'empêcher d'aller à Tlemcen. Je me sentais impuissante face à cette ambiance infernale de fuite collective. Mais pas un instant, l'idée qu'elle pouvait mettre fin à ses jours ne m'a effleurée, se lamentait Saâdia en sanglotant de plus belle. Je suis allée voir ses voisins. Je leur ai demandé de veiller sur le hammam et sa maison. Ils étaient tous consternés. Ils n'ont pas tari d'éloges à son égard.

— Confrontés à la plus grande de nos angoisses, nous nous répandons tous en louanges. Ceux qui viennent de rendre l'âme n'ont cure de nos flatteries. Nous ferions mieux de prêter un peu plus d'attention aux vivants. Nos morts ont toujours les jambes qui allongent. C'est dire combien nos vies sont étriquées, soupira Zohra d'un air désabusé.

Saâdia pleurait. Plus qu'une amie, Estelle était la « sœur du cœur ». La première sœur qu'elle ait eue. Celle qui lui avait offert son affection alors qu'elle était encore pensionnaire d'un lieu maudit ; alors que les femmes de « sa race » la rejetaient, refusant de se rendre au hammam aux mêmes heures, par crainte d'être souillées. Mais ce soir-là, les larmes de Saâdia exprimaient sans doute une autre douleur, celle d'un amour perdu. Cette souffrance qui était en elle comme un cri muet depuis déjà un an. Elle voilait son regard et griffait son sourire. Tous ici le savaient. Ils se turent. C'était bien qu'elle pleurât enfin.

Pendant que Saâdia sanglotait, Zohra inventa une complainte : celle de la juive Estelle, qu'elle surnomma « Nedjma », l'étoile. Une étoile du Nord venue vers le sud, poussée par l'une des pires invasions de sauterelles subies par l'humanité. Les mots de la dame aux tatouages sombres racontaient la lumière de cet astre dans les ténèbres des cieux. Comme des larmes, ils coulaient. Puis, pour guérir Saâdia, elle chanta encore une autre complainte : celle de son neveu Bellal, le S'baâ, ce « lion » dont les révoltes habitaient maintenant sa mémoire. Ensuite, les paroles de Zohra dirent encore d'autres blessures qui saignent jusque dans les mots. Les peurs qui cisaillent le souffle et d'où tombe le temps comme une aile amputée. L'extrême des solitudes, pareil au désert et à son calme calciné. Puis, les mots de la cheikha s'arrachèrent aux peines, retrouvèrent la tendresse d'une berceuse. Saâdia s'endormit, le corps encore frémissant de larmes. Sur le sommeil agité de Saâdia, Zohra chanta l'espoir, « la fin des drames qui rendent nos joies de cendre ». L'angoisse des autres s'éteignit aussi. Il restait seulement une grande lassitude dans le corps lourd de la nuit. Et dans les yeux, une ardente prière de paix.

*
* *

Un halo de poussière à l'horizon... comme un songe visite le sommeil. Les hommes bleus revenaient. Les enfants se précipitèrent pour porter la nouvelle à Zohra. Elle avait tant attendu tant espéré ces fantômes

qui, traversant les néants, faisaient resurgir son passé
au présent. Elle accourut. D'une chiquenaude, elle
repoussa son chèche haut sur son front. La lèvre infé-
rieure tremblante, la main droite en visière, elle se figea
devant la maison, rivée par cette vision.

Ils dirent qu'ils avaient fui les fouilles et les barbelés
vers le Mali et le Niger. Maintenant, ils retrouvaient
leurs chemins. Ils avaient fait ce détour de cent kilomètres pour revoir la cheikha Zohra et lui dire *El ham-
doulillah*, Dieu soit loué, pour el Houria. Zohra
retrouva ses gestes d'autrefois et son corps un peu de
sa jeunesse. Elle les aida à dresser les kheïmas, à
décharger les bâts des chameaux, à laver les enfants...
Elle leur donna les sacs de dattes sèches que, depuis si
longtemps, elle gardait pour eux. La plupart étaient à
présent véreuses, certes, mais n'était-ce pas là un témoignage de sa fidélité ? Elle avait préféré laisser le temps
les gâter plutôt que de les offrir à d'autres et enterrer
l'espoir de les voir, un jour, revenir.

Les femmes roulèrent du couscous. Et, le soir venu,
ils mangèrent tous dehors, par groupes de six à sept personnes, assis en rond autour des guessaâs. Les hommes
bleus restèrent quelques jours. Zohra les invita au
mariage de son fils. Avec ces kheïmas qui avaient
essaimé autour d'elle, la maison avait un petit air de
marabout que des nomades seraient venus célébrer. La
foule, qui le jour se pressait autour des climatiseurs et à
l'ombre de la tonnelle, se répandait, la nuit venue,
autour du puits. Portalès était de la partie. Leïla observait ce rassemblement qui réunissait trois mondes :
celui des humanistes roumis incarné par Portalès. Celui
des citadins, les Bouhaloufa et ses parents. Celui enfin
des hommes bleus et de Zohra. A quel groupe apparte-
nait-elle réellement ? Elle prenait conscience, avec une
excitation un peu inquiète, qu'elle portait en elle une

part de chacun et pouvait se réclamer de tous. Mais, pétrie de pâtes si différentes ne deviendrait-elle pas une métisse qui serait, un jour peut-être, reniée par tous ? Cette ambiguïté la fit frissonner. Elle l'évacua de son esprit et préféra se demander à quel groupe allaient ses plus fortes admirations. Si l'univers de Zohra continuait à l'envoûter, l'emprise grandissante des livres l'emportait irrésistiblement vers un autre monde. Un instant perplexe, elle comprit soudain que l'attrait des lointains et de l'inconnu était l'essence même de la vie des nomades. Leïla sourit à cette idée. Et, levant les yeux vers le ciel, la lumière lui sembla en cet instant cette quintessence de regards nomades qui veillait sur les horizons ouverts qu'évoquait si souvent Zohra.

*
* *

Les mariages à l'algérienne. Les femmes chuchotaient parfois entre elles le souvenir de cette terrible nuit. Si elle n'ignorait rien du cérémonial et des enjeux qui y liaient deux familles, Leïla n'avait encore jamais assisté à des noces. Son père s'y était toujours opposé.

Fin août 1962, les Ajalli s'apprêtaient à fêter le mariage de H'bibi de la façon la plus traditionnelle qui soit. Un samedi en fin d'après-midi, on emmena la mariée vers la demeure de sa belle-famille à grands renforts de youyous et de klaxons. On finit par la déposer dans un coin de la chambre nuptiale. C'est alors seulement que Leïla découvrit son accoutrement. Elle était engoncée dans un caftan en velours brodé, trop grand pour elle, et si peu approprié à la canicule de la saison. Et comme si le poids de l'habit ne suffisait pas, on l'avait outrageusement harnachée, des pieds à la tête, avec tout ce que sa proche famille comptait d'or. Plusieurs kholkhales aux chevilles. Enfilades de bracelets des poignets aux coudes. Ceinture au-dessus de laquelle des colliers s'étageaient en rangs serrés jusque sous le menton. Des boucles d'oreilles qui retombaient sur ses clavicules. Diadème... Caftan et ors en armure pour emprisonner une adolescente. La pauvre fille avait l'air au bord de la défaillance.

Quand toutes les femmes conviées l'eurent admirée, jugée et jaugée, avec des mines conspiratrices, les plus âgées repoussèrent tout le monde hors de la pièce. Aussitôt, on y précipita le mari. Les voix des femmes se firent plus stridentes. Chantant un répertoire consacré, elles dirent l'angoisse des mères pendant cet instant des noces de leur fille. Rude épreuve pour toutes. Avaient-elles été assez vigilantes ? Avaient-elles été les dignes dépositaires de leur tradition ? Elles allaient enfin le savoir. Dieu fasse qu'elles aient sauvegardé l'honneur de leur famille. Que la fête ne vire pas au cauchemar.

Les amis du marié trépignaient devant sa porte qu'ils grattaient sans discrétion pour hâter son devoir d'époux. Les rires, qu'ils voulaient légers, sonnaient faux comme toute cette joie tout à coup électrique, hystérique. Tous n'avaient plus qu'une seule obsession : l'apparition du jupon maculé de sang. Que cette violence soit en train de transformer l'enfant de tout à l'heure en une femme frigide à jamais n'était pas un mal. Le plaisir était réservé aux hommes. La sexualité était pour eux source de tant de terreurs occultées, qu'ils n'en auguraient que dépravation et luxure si le démon féminin venait à y goûter.

Dans la maison, bendirs et youyous sonnaient l'hallali d'une enfance piégée. Youyous pervers et retors, après les vertiges de la liberté, vous replongiez, sans remords, vers des geôles et des archaïsmes. Youyous sans mémoire, youyous de tous les déboires, hier au moins vers l'espoir vous vous envoliez. Youyous masochistes, de vos propres douleurs vous nous repaissiez. Youyous maudits, voilà qu'à nouveau des sentences vous brandissiez. Youyous traîtres, combien d'enfances avaient trompées vos trilles célestes.

A la vue du jupon ensanglanté, les visages se détendirent et sourirent. Déjà des mains se le disputaient, en exhibaient les taches de sang. Terrifiée, Leïla recula au fond de la cour. Debout contre le mur, elle observait la bestialité qui s'était emparée des femmes. Leurs youyous vampires volaient bas, l'aile poisseuse et le son rouillé.

La coutume voulait qu'on revêtît les adolescentes de ce jupon, symbole de pureté, et qu'on les fît danser dans le cercle de femmes en délire. Cela leur porterait bonheur. Au soir de leurs noces, elles seraient vierges elles aussi. Yamina vint vers Leïla, bras tendus. D'un bond, celle-ci se sauva. Rien ne lui aurait davantage répugné que de se prêter à ce rituel. Hors de portée, elle se retourna et vit blêmir sa mère. Les femmes présentes pourraient garder en mémoire son attitude revêche. Mais d'autres filles étaient là qui s'adonnèrent avec fierté à la coutume.

Quelques jours après ces longues réjouissances — le mariage se fêtait pendant sept jours et chaque jour avait sa cérémonie spécifique —, une fin de matinée, Meryeme, la sœur de Bellal, vint avec ses filles Aïcha et Zohra à la maison. Meryeme héla les garçons : « Allez jouer dehors ! Qu'avez-vous à rester agglutinés au milieu des femmes comme des morveux ! » Quand, sous la contrainte, le dernier d'entre eux eut vidé les lieux, Yamina ferma la porte et retira la clef de la serrure. Cette porte toujours ouverte sur le néant... Leïla se demanda ce qui se tramait. Elle n'eut pas le temps d'essayer d'imaginer ce que les femmes concoctaient, sa mère lui intimait :

— Viens avec moi voir ta tante Meryeme. Elle a quelque chose d'important à te communiquer.

Plus intriguée qu'inquiète, Leïla la précéda dans la pièce où se tenait Meryeme. Elle n'avait pas plus tôt franchi le seuil que Yamina donnait un tour de clef dans son dos.

— Ma fille, attaqua Meryeme, il faut que je vérifie que tu es bien vierge et que je te noue. C'est dans ton intérêt.

— Que tu me noues ?

— Oui, comme ça, personne ne pourra te prendre ta vertu. Nous ne te délierons que pour ton mariage.

Leïla protesta. Braqués sur elle, deux paires d'yeux suspicieux la vrillaient tandis que deux paires de mains se saisissaient d'elle. Leïla se débattit. Vaine résistance. Déjà on lui arrachait ses vêtements et écartait ses cuisses. Vérification faite, Yamina la redressa et la tint dans sa poigne pendant que Meryeme exécutait mille simagrées destinées à lui conserver « sa vertu ». Dans son entrejambe, elle verrouilla un petit cadenas, noua plusieurs fois une ceinture en laine en marmonnant des paroles de conjuration.

— Rappelle-toi, que pour toi c'est le rouge. Le vert ce sera pour ta sœur, Bahia. Que je ne me trompe pas de couleur, le moment venu, lui dit sa mère en la libérant.

Yamina n'aura pas à vérifier les prouesses ou les failles de sa mémoire puisqu'elle n'aura jamais à « délier » son aînée. Leïla sortit en tremblant de rage. En cet instant, la haine que lui inspiraient les deux femmes était plus forte que tout autre sentiment, même l'humiliation. Après elle, étaient passées les autres filles présentes dans la maison. Y croyaient-elles vraiment, les femmes, ou était-ce un moyen destiné à dissuader leurs filles d'avoir des envies interdites ? Les deux sans doute. Pourtant dans leur désir de ne plus enfanter, elles s'étaient maintes fois prêtées, sans succès aucun, à de telles parodies. Cadenas et autres gris-gris n'avaient pas empêché Yamina d'avoir douze grossesses et treize enfants. Et le score un peu moindre de Meryeme n'était dû qu'au grand âge de son époux.

Lorsque, leur tâche achevée, les femmes se montrèrent enfin, Leïla dit à l'adresse de sa mère :

— Ne me touche plus jamais ! Ne me fais plus jamais ça, tu m'entends ?

— Sinon ?

— Sinon, je te promets que je me donnerai au premier venu rien que pour te prouver l'inutilité et l'absurdité de vos pratiques. J'en ai par-dessus la tête de vos histoires.

Yamina se laissa choir au sol et se lamenta :

— Tu veux me tuer ? Tu veux que ton père te tue ?

— Je veux seulement qu'on me laisse tranquille.

Quant à sa tante Meryeme, Leïla ne lui adressa pas la parole plusieurs mois durant.

*
* *

Octobre 1962, Leïla était au collège. Combien restait-il d'enfants pieds-noirs dans l'établissement ? Une cinquantaine, guère plus. Enfants de hauts fonctionnaires et de militaires contraints par la continuité du travail ou par la passation progressive des responsabilités. Ou de ceux qui retardaient encore le moment douloureux où ils devraient quitter le pays, espérant peut-être conjurer cette fatalité en se répétant qu'en plus de leur amour pour cette terre, ils avaient leur conscience pour eux.

Au collège, aucune animosité ne régnait plus entre les élèves issus des deux communautés. Tout au contraire. Ils se témoignaient soudain une mutuelle attention. Le heurt final du drame des uns avec le bonheur des autres semblait avoir emporté violence, indifférence et rejet. Il les avait ouverts. Ils en étaient les premiers étonnés et masquaient leur malaise en se lamentant, de concert, sur l'accueil que la France réservait aux rapatriés, oubliant volontiers qu'eux-mêmes n'avaient pas su vivre ensemble sur le sol où ils étaient tous nés.

L'établissement ne comptait auparavant que trois ou quatre garçons arabes. La brusque arrivée, cette année-là, d'une centaine d'Algériens produisit un effet d'autant plus spectaculaire qu'elle coïncidait avec la désertion de ses occupants habituels. La classe de Leïla, celle des trois sixièmes où l'arabe devenait la seconde langue, comportait trois autres filles pour un effectif d'une trentaine d'élèves.

Les HSO, Houillères du Sud Oranais, affectaient un autobus au transport des collégiens. Il quittait Kénadsa à sept heures et Béchar à dix-huit heures trente. Le midi, Leïla allait manger chez sa tante Saâdia et se réjouissait de ces heures quotidiennes passées avec elle. Leïla partait donc de chez elle le matin. Elle n'y revenait que le soir. Et ces allers-retours, seule, c'était déjà une petite liberté. Déjà une volupté qui grandissait dans sa tête. Parfois, elle comptait le nombre de biberons et de soupes contre lesquels elle n'avait même plus à lutter. Un rire silencieux précipitait les battements de son cœur. Pas un rire méchant, non, ni même triomphant. Juste un brin farceur. Un brin d'interdit savouré. Une facétie lancée à ce gros ventre maternel, cette pieuvre aux marmots-ventouses dont elle était parvenue à se délivrer. Et la nuit, elle était devenue intouchable. Face à sa femme et à Yamina réunies, Khellil avait décrété :

— Le soir comme les fins de semaine, Leïla doit faire ses devoirs. Alors laissez-la en paix.

Les yeux de Leïla avaient flambé de plaisir. Elle eut la paix. Tayeb relatait parfois avec émotion la plaidoirie de Mme Chalier en faveur de sa fille. Un frisson rappelait à l'adolescente le gouffre qu'elle venait d'enjamber. Et la lumière se mettait à vaciller devant ses yeux. Maintenant, le père était content. Il était même fier. Un jour, sa fille serait institutrice, peut-être même directrice de l'école ! Sa fille à lui le gardien, le jardinier, l'analphabète.

Les trajets en autobus étaient une fête ! Et les tempêtes de vent de sable à travers les grandes vitres du bus aussi. Chez elle, il n'y avait aucune vitre, seulement des volets mal joints. Aussi, quand le vent de sable se levait, les Ajalli fermaient tout, mais ne parvenaient qu'à cacher le spectacle de la furie du vent. Car le sable entrait partout et saupoudrait jusqu'aux plus intimes parties du corps. Leïla ne supportait pas les volets fermés. Alors, le vent de sable à travers l'écran des vitres, c'était un peu comme un cinéma. A l'intérieur du bus, Leïla se sentait comme au cœur du vent et l'admirait du dedans, ce vent quinteux, violent et âcre. Il y avait le vent et dans le vent, les griffes du sable. Et c'était comme une joute oratoire entre le sable et le vent. Un souffle cosmique râlait, broyait le sable en poussière, cinglait les dunes, raclait regs et hamadas. Le sable crissait, crépitait, dévorait toutes les surfaces, éteignait les infinis, les cieux et les yeux. Ils explosaient leur tumulte dans l'oreille hallucinée. Terrible colère ou joie démente ? Sublime !

Et le coucher du soleil pendant le retour sur Kénadsa ! Le dévidement rectiligne de la route y portait sans détour. Splendeur rutilante qui allumait les nostalgies. La Bernard, Sarah, Gisèle et Claire ? Sarah, Emna, Estelle... Depuis le drame d'Estelle et le départ d'Emna et de Sarah, Leïla se jetait sur tous les livres qui parlaient des Juifs. La révélation de l'holocauste la terrifia. Au lieu de répondre à ses questions, ses lectures posaient d'autres interrogations, d'autres hurlements muets.

*
* *

Pour aller prendre son bus, Leïla empruntait le même chemin que celui qui la menait à la blanche école. Et chaque jour, elle constatait la progression des ravages de la métamorphose qui s'était emparée des quartiers. Dès la proclamation de l'indépendance, les Algériens avaient quitté les misérables dechras où l'occupation les avait, jusqu'alors, cantonnés pour prendre d'assaut des lieux qu'auparavant ils traversaient tels des fantômes, osant à peine effleurer des yeux un luxe inaccessible. Passer d'un gourbi à une maison en dur, carrelée, possédant eau et jardin, était une révolution. Mais toute révolution, aussi noble que fût son but, produit toujours des dégâts. Les miracles ne répondent pas aux urgences de l'histoire. Ils restent le fait des illusionnistes de l'occulte ou du religieux.

Les murets des villas ? Trop bas pour les Algériens. Trop grandes les fenêtres qui exposaient leurs femmes et leurs intérieurs aux regards des passants. Pour y remédier, les hommes se hâtèrent de hérisser ces murets de piquets de forme, de taille et de nature diverses, en laissant souvent les murs éventrés. Sur ces piquets, ils fixèrent pêle-mêle différents objets de récupération. Ici, des bidons d'huile ou des fûts en ferraille redressés voisinaient avec un morceau de bâche, une porte ou une fenêtre condamnée. Là, des morceaux d'étoffe vite brûlés par le soleil. Ailleurs, quelques carrés de caoutchouc côtoyaient de la tôle ondulée. Enfin quelques-uns, mus par le souci du long terme, mirent des cannisses ou construisirent des murs en tob. Le tout était d'un hétéroclite désastreux. Une véritable foire aux horreurs. Les Algériens avaient réussi un tour de force : transformer en un mois le plus beau des quartiers en bidonville !

Le vent s'emparant de ces épouvantails les animait d'un vacarme sinistre. Il nasillait dans la noirceur du caoutchouc. Gloussait avec hystérie dans la tôle. Couinait entre les planches. S'ulcérait sur les fils de fer rouillés : symphonie pour une mutilation.

Du sable envahissait les rues, y formait de petites dunes. Mais il n'y avait plus de brigades harcelées par des chefs roumis pour dégager les entrées. On n'allait pas les imiter et faire problème de trois dunettes au pays des ergs ! Puissent les dunes noyer complètement de leur ambre la laideur des cicatrices de la houria.

Au lendemain de l'indépendance, la première préoccupation des hommes était encore et toujours de cacher, de cloîtrer leurs femmes. Liberté oui, mais pas pour tout le monde. Il fallait vite remettre les choses en ordre, réaffirmer les traditions et ne pas laisser les femmes se griser et gloser plus longtemps. Cacher les femmes à tout prix, même derrière des tas d'ordures. Les maintenir, elles, dans l'ancienne condition. Dans la soumission.

L'obscurantisme était occulté par un idéal collectif, se délivrer de l'oppression de l'occupant. L'indépendance et l'accession au pouvoir lui restituaient soudain toute son horreur : la pire des misères humaines. Et de lui viendraient les plus grands dangers.

Leïla fixait ce carnage avec les yeux de l'enfance trompée :

— Ils ont barbouillé de noir les premières joies de l'indépendance. Ils ont déjà mis des chaînes à la jeune

houria comme ils emprisonnent les filles à la puberté.
Ils ont détruit mes souvenirs d'enfant et veulent brider
mes espoirs !

Déjà, elle le sentait.

CHAPITRE XII

Si l'activité de la blanchisserie de Saâdia avait souffert du départ de l'armée française, son plus gros fournisseur, la participation de la militante à la résistance lui valait quelques privilèges dont elle savait tirer profit. Aucune des plus instruites ou méritantes parmi les femmes de la résistance et celles des maquis ne se vit accorder une once de pouvoir. Avantages en nature et ouste, à la maison ! Tragique ironie, on proposa d'abord à Saâdia le hammam de son amie Estelle qu'elle refusa pour se rabattre sur une licence de taxi.

La vie de Saâdia était devenue plus laborieuse encore. Sans répit. Elle s'occupait de ses neveux, aidait d'autres gens, s'appliquait à s'oublier. A défaut d'épuiser ses tourments au travail, du moins y trouvait-elle une lassitude salvatrice qui la faisait sombrer dans le sommeil sitôt qu'elle s'arrêtait. Elle s'était aussi laissée aller à une frénésie dépensière, gâtant plus que de raison aussi bien ses garçons et les Ajalli que ses amies. Elle avait également acheté une voiture neuve, juste pour le plaisir de la voir garée devant sa maison et de la prêter aux mâles de la famille. Plaisirs factices qui ne parvenaient pas à tromper l'absence qui la minait ni son désespoir de vivre. Que lui prit-il tout à coup de vouloir se marier ? Jusqu'alors, elle avait repoussé de nombreux prétendants, persuadée qu'ils s'intéressaient plus à sa fortune qu'à elle-même. Autour d'elle, personne n'approuvait ce projet. Pas même Zohra. Mais Saâdia n'en fit qu'à sa tête. Un soir, elle arriva à Kénadsa avec un de ces zazous qui se faisaient arracher leurs dents saines pour les remplacer par des prothèses en or. Il avait ce sourire de faussaire qui s'inflige une douleur pour exhiber une prétendue richesse. Une vanité plantée au travers de la gueule. L'homme ne put dissimuler longtemps la nature cupide de ses sentiments. Et ses relations avec Saâdia se dégradèrent rapidement. Un matin, en l'absence de celle-ci, l'homme disparut avec la voiture et la part de bijoux que Saâdia avait omis de mettre en sûreté. Il ne donna plus aucun signe de vie. A Kénadsa, on exhorta Saâdia à porter plainte. Elle s'y refusa :

— Il ne pourra jamais s'acheter une âme avec ça ! Et moi, je paie ma sottise. Ça m'apprendra !

Zohra hasarda :

— Saâdia, si tu devais un jour te remarier...

— Sois tranquille, on ne m'y reprendra plus !

Zohra la fixa d'un air songeur avant d'ajouter :

— Tu ne retrouveras plus quelqu'un de la trempe de Vergne.

Interloquée, Saâdia l'observa un moment. C'était bien la première fois que Zohra prononçait ce nom-là Saâdia répondit simplement :

— Oui, il y a eu Vergne... Et maintenant, il y a ces trois enfants... Mais, tu ne peux savoir combien j'aurais aimé avoir une petite fille.

Yamina, enceinte pour la neuvième fois, était assise à côté d'elle et la regardait avec des yeux embués :

— Saâdia, ma sœur, lui dit-elle, moi, Allah m'a comblée. J'ai eu plus de filles et de garçons que je n'en aurais voulu. Que sa bonté me les garde tous en santé et en vie. Si tu le veux, et si le prochain bébé est une fille, elle sera à toi. Je n'ai jamais eu beaucoup de lait. Il se tarit toujours autour du troisième ou quatrième mois. Tu n'auras qu'à la prendre à cet âge-là. Tu l'élèveras. Elle sera ta fille. C'est de tout cœur. Je n'aurai fait que la porter pour toi.

Foudroyée par la surprise, Saâdia en resta bouche bée. Avait-elle bien entendu ? N'était-elle pas victime d'une hallucination auditive ? Le sourire affectueux de Yamina dissipa ses craintes. Saâdia avala avec peine sa salive et parvint à articuler :

— C'est vrai, tu ferais ça ? C'est vrai, dis ? !

— Oui, je te le promets.

— Mais Tayeb...

— Il sera d'accord, parce que c'est toi !

Saâdia se tourna vers Zohra. L'aïeule acquiesçait de la tête avec une mine complice. Les yeux de Saâdia s'étaient mis à pétiller. Un sourire éclairait son visage. Un sourire vrai, pas ce rictus, ce réflexe mécanique qui distendait douloureusement ses lèvres depuis deux ans. Tout était dit. Les trois femmes se turent.

Quelques mois plus tard, naissait Nacira, la justement nommée Victoire. Un beau bébé tout potelé, brun et, ce qui ne gâtait rien, calme. On avisa Saâdia dès les premières contractions de Yamina. Et ce fut elle qui accueillit l'enfant au sortir du ventre maternel.

Jamais bébé n'avait été autant choyé au pied de la dune. Saâdia se rendait à Kénadsa trois à quatre fois par semaine pour admirer sa fille et la cajoler. Et quand elle n'y allait pas, elle attendait Leïla au départ du car, le soir, un couffin chargé de vêtements, de lait, de choses diverses pour sa fille. De temps en temps, le doute s'emparait d'elle. Elle s'en ouvrait à Leïla :

— Tu crois qu'ils vont vraiment me la donner ? Parfois, je me dis que j'ai rêvé et qu'à mon réveil, cet espoir
va s'envoler en fumée !

— Bien sûr qu'ils te la donneront. Ils en parlent tout
le temps.

— Mais ta mère va en souffrir !

— Un peu, oui, au début. Mais ne t'inquiète pas pour
elle. Deux mois plus tard, son ventre se remettra à gros-
sir et elle oubliera.

— Oui, tu as raison.

Un samedi, Yamina lui annonça à son arrivée :

— Je n'ai plus de lait depuis bientôt quinze jours. Je
voulais te le dire la semaine dernière... Si tu veux, tu
peux prendre Nacira avec toi demain en partant.

Saâdia serra le bébé contre elle un peu plus fort :

— Alors je préfère partir maintenant.

— Mais tu arrives à peine !

— Ça ne fait rien. Il faut qu'on s'habitue l'une à
l'autre et toi à son absence. Le plus tôt sera le mieux.

A l'arrivée du taxi, les deux femmes se levèrent et, les
yeux mouillés, se figèrent. Cette immense preuve
d'amour se passait d'étreintes et de mots. L'émotion les
submergeait. Saâdia fut la première à se ressaisir. Elle
se retourna rapidement, franchit le seuil pour s'engouffrer dans le véhicule. Elle n'avait embrassé personne.
Une véritable fuite. Lorsque la voiture s'éloigna,
Yamina pleura enfin.

— Lundi, tu demanderas, discrètement, à ta tante si
elle compte venir samedi prochain, dit-elle à Leïla.

— Ne t'inquiète pas, elle se doute bien de ce que tu
ressens. Elle viendra.

Un mois après le départ de Nacira chez Saâdia, Mounia, l'épouse de Khellil, mit au monde Noureddine, du
prénom du petit de Yamina décédé à quelques mois et

dont tous chantaient la beauté : « Les morts ont toujours les jambes qui allongent. » Maintenant à la maison, il y avait donc deux ventres candidats à la
boursouflure. Cela signifiait une fournée de deux bébés
chaque année. Ou presque. A cette idée, Leïla était prise
d'une angoisse nauséeuse : « Jamais je ne ferai d'enfants ! » Ce leitmotiv dans sa bouche relevait plus de la
conjuration que de la conviction. Et de toute évidence,
il n'atténuait en rien l'oppression de sa gorge et de sa
poitrine.

Khellil et Mounia vivaient avec le restant de la
famille : treize personnes, dans une maison de quatre
pièces. Heureusement, ils pouvaient vivre dehors une
bonne partie de la journée et de l'année. Khellil avait
un poste de chef de service dans une société nationale.
A présent, il gagnait très bien sa vie et contribuait à
améliorer, comme toujours, le quotidien de tout le clan
familial.

Le boom pétrolier avait des conséquences néfastes
sur la région. L'« or liquide » dévaluait le charbon. Les
licenciements laissaient mines et terrils à l'abandon.
Saupoudrées de sable par les vents, les « dunes noires »
perdaient leur éclat et prenaient des teintes indéfinis-
sables et des allures fantomatiques dans la lumière
éclatée.

Tayeb, lui, garda son poste et devint membre per-
manent du bureau politique du village. Plus rien
d'autre ne comptait pour lui. Au grand désespoir de
sa famille, il abandonnait même son jardin qui représentait cependant un appoint non négligeable à son
maigre salaire. A l'inverse d'autres membres de ce
même bureau politique, qui profitaient de leurs responsabilités pour s'octroyer des avantages en nature,
Tayeb s'appauvrissait. De toute évidence, il était trop
naïf ou trop croyant pour agir autrement. A l'indépen-

dance comme durant la guerre, le militantisme se conjuguait pour lui avec la ferveur et le désintéressement.

— Si l'on veut avoir des herbes et quelques légumes, il faut prendre un métayer.

Cette déclaration consterna sa famille. Tayeb, lui, ne se départit pas de son air débonnaire. Il finit par trouver un vieil homme au jarret sec et au sourire édenté et qui se fit vite adopter par toute la tribu.

De petits seins pointaient sous la robe de Leïla. Et les demandes en mariage commençaient à affluer. Quelques-unes se faisaient insistantes. Ses parents tenaient ferme, répétant à volonté qu'elle était fiancée à son cousin. Ce cousin-là, Leïla le trouvait si benêt que la seule formulation de cette idée lui était une offense. Un après-midi, lors du mariage de Khellil, profitant de la bonne humeur générale, Leïla avait pris sa tante Zina en aparté :

— Khalti[1], je n'épouserai jamais ton fils. Il faut vous enlever cette idée de la tête, tous !

— Pourquoi ? Que lui reproches-tu ?

— Mais c'est mon frère ! Est-ce qu'on se marie entre frère et sœur ?

Zina éclata de rire :

— Ta mère dit que tu es une teigne, que tu as le « grain de folie » des Bouhaloufa. Que n'ai-je eu moi-même ce grain ! ma vie aurait été moins triste. Regarde Saâdia... Chez nous, seul ce qu'ils qualifient de folie peut délivrer une femme. Garde ta folie, elle te sauvera des autres. Tu n'as rien à craindre de mon côté, moi qui t'envie.

Aussi irritant qu'était pour elle l'argument des fian-

---

1. *Khalti* : ma tante.

çailles avec son cousin, Leïla reconnaissait que, pour
l'instant, il la tirait d'embarras. Les femmes étaient
toujours les premières à porter les demandes en
mariage. Elles arrivaient par groupes de deux, trois
ou quatre. De loin, on voyait le blanc des haïks perler
puis se détacher de la limite du village. Gagnées par
l'importance de leur mission, elles s'approchaient avec
un balancement cadencé. Averties par les enfants, les
femmes de Dar el Barga se préparaient à les recevoir
dignement. Ces visiteuses choisissaient souvent le
dimanche, afin de surprendre Leïla chez elle. L'adolescente frissonnait à la vue des yeux qui perçaient
les haïks franchissant le seuil de sa maison. Elle les
sentait dardés sur elle avec une acuité d'oiseaux de
proie partis en chasse.

— *Diaf Rabbi*, invités de Dieu, annonçaient-elles.

— *Marhaba, marhaba*, bienvenue.

Comment des « invitées de Dieu » ne pouvaient-elles
pas être bienvenues ? Aucune des deux parties ne se
posait cette question saugrenue. Chacune tenait son
rôle sans réserve ni contestation. Tandis que Zohra
écoutait les présentations et leur faisait la conversation,
Yamina et Mounia s'activaient à la préparation de
crêpes ou de beignets et du thé. Leïla, elle, ne leur laissait pas le loisir de la décortiquer des yeux plus longtemps, à présent qu'elles avaient ôté leur voile. La lippe
nouée, elle avait déjà tourné les talons pour aller se
réfugier au sommet de la dune.

L'étoupe du silence, la douceur du galbe des dunes,
la chaleur des teintes du sable finissaient toujours par
calmer le tumulte et la révolte que ces visites suscitaient
en elle. Du reste, il en était toujours ainsi. Quel que
fût le motif de son escapade, quand Leïla se retrouvait
perchée là, sa rêverie prenait immanquablement le pas
sur le reste. Car cette dune était le tremplin des seules

fugues possibles, en dehors de celles que lui permettait la lecture. Portée par l'onde immobile des sables, Leïla rêvait de la mer. Elle rêvait des hommes bleus. Elle rêvait des ailleurs dont les paysages couvraient l'or de son erg, dont les parfums enivraient ses regs et ses cieux. Elle rêvait verdure de printemps et paysage qui vire aux fauves de l'automne. Elle rêvait saison. Elle rêvait déraison dans l'ingénu silence des songes, à l'abri de la tromperie des mots.

Un samedi après-midi, des membres d'une famille riche, donc « importante », étaient venus demander sa main. Yamina avait supplié son aînée de lui porter la bouilloire pendant que, assise avec les « demandeuses », elle préparait le thé. Ce n'était là bien sûr qu'une façon de leur offrir l'occasion d'apercevoir sa fille, quoiqu'en général, les femmes ne se hasardaient à une telle démarche qu'après avoir longuement épié une adolescente et s'être renseignées à son sujet. L'enjeu était trop important pour être tranché à l'aveuglette. Leïla refusa. Sa mère insista :

— Cela ne t'engage à rien. C'est uniquement une question de politesse et de convenance. Nous leur répondrons ce que nous avons déjà dit à d'autres.

Pour une fois, Leïla se fit violence et céda aux instances de sa mère. Elle se devait d'aider ses parents afin qu'ils continuent à refuser « convenablement », pensat-elle. Mais au moment d'obtempérer, elle fut assaillie de craintes. Ne seraient-ils pas tentés d'accepter une alliance avec des gens « aussi importants » ? N'était-elle pas en train de leur servir d'appât dans un calcul d'intérêts qui ruinerait sa propre vie ? Elle s'empressa de chasser ces idées et prit le parti de garder foi en ses parents.

Elle qui aimait tant les marchés au bétail eut la désagréable sensation de le découvrir ce jour-là de l'autre côté, du côté de la bête. Les regards des femmes qui s'étaient emparés d'elle, dès son apparition, étaient si insistants que Leïla avait l'impression qu'ils la palpaient de façon obscène de la fesse aux mamelons. N'allaient-elles pas lui ouvrir toute grande la bouche pour vérifier son âge à sa dentition ? « Allez au diable, marieuses de malheur, briseuses d'adolescences, rapaces ! » eut-elle envie de hurler. Dangereuses ou pas, elle ne les laisserait pas l'humilier plus longtemps. Martelant le sol des pieds, Leïla alla redéposer la bouilloire et s'enfuit vers la dune.

Un jour, en semaine, ce devait être un jeudi puisqu'elle n'avait pas cours l'après-midi. C'était sans doute en mai car les journées étaient déjà torrides. L'air était en feu. On respirait ce feu et on se brûlait le nez, la gorge et jusqu'aux bronches. Un jour à s'affaler dans un coin d'ombre et n'en plus bouger. Même le sirocco, accablé, avait rendu l'âme. Le trajet de la place où la déposait le car à la maison parut interminable à Leïla dont le crâne bouillait sous la masse pourtant très épaisse de ses cheveux. Sa mère qui devait la guetter vint la cueillir sur le seuil. Elle lui prit la main et la força à s'arrêter. L'adolescente n'avait qu'une envie : s'engouffrer dans une pièce, retrouver le doux ronronnement des climatiseurs. Prenant une mine grave, Yamina lui asséna ces mots :

— Ma fille, cette fois, ton père, ta grand-mère et moi avons les poings liés. Nous ne pouvons rien faire. Ton grand-oncle Zobri t'a donnée à Kaddour, le fils des Lounis.

Le sol cimenté de la cour se mit à vaciller devant les yeux de Leïla. Ses hauts murs emprisonnaient la chaleur et les transformaient en fournaise. Leïla suffoquait.

« J'aurais dû me douter qu'elle allait m'annoncer un drame. Elle ne m'a jamais pris la main par affection.

Elle n'a jamais attendu mon retour pour le simple plaisir de me voir. »

— Zobri ? Ah oui, mais de quel droit ? De quoi se mêle-t-il celui-là ? !

Zobri était l'aîné et l'unique frère de Zohra, le patriarche de tout le clan. Il avait été le dernier à se sédentariser. L'emprisonnement et la mort d'un de ses fils sous la torture, d'un second au maquis, avait brisé la rébellion du nomade et l'avait fait s'échouer à El-Bayad depuis quelques années. Il leur avait rendu visite à deux ou trois reprises. Si elle se rappelait à peine le reste de ses traits, Leïla se souvenait très bien des yeux de Zobri. L'homme était très brun, presque noir. Par contraste, le blanc de ses yeux en paraissait éclatant. Son regard semblait toujours brasiller, attisé par d'étranges pensées, sous le couvert de son chèche. Une lettre de loin en loin, un voyageur ou un commerçant venant d'El-Bayad, les Ajalli n'avaient que rarement de ses nouvelles.

— Zobri a écrit à ton père, il y a une vingtaine de jours. C'est Portalès qui a lu la lettre. Et c'est aussi lui qui a rédigé une réponse sous la dictée de ton père. Tayeb y disait à son oncle son respect et sa soumission à sa volonté, mais il lui demandait aussi d'exhorter les Lounis à un peu de patience. Il voulait obtenir pour toi un répit de deux ou trois ans. Le temps que tu aies ton brevet et que tu mûrisses un peu. Ton père avait gardé cette lettre en secret, il ne voulait pas que Khellil en prenne connaissance. Il a peur de sa réaction, peur qu'il ait des propos blessants pour le vieillard. En dehors de ta grand-mère, Zobri est le seul chibani encore en vie du côté de ton père. Il faut le ménager.

A cette réponse, ce vieux despote de Zobri s'était mis en colère et avait déclaré aux Lounis venus aux nouvelles :

— Par Allah, Tayeb déraille. Pourquoi veut-il garder sa fille deux ou trois ans de plus ! Il n'y a que les filles laides ou qui ont quelque tare qui se marient vieilles. Cette petite est mignonne. Elle doit être en âge de se marier maintenant. Allez-y, je vous la donne dans sa robe (maintenant et sans que vous n'ayez rien à débourser). Je veux ce mariage avant de mourir, avant la fin de l'été.

Leur demande honorée, les Lounis avaient débarqué avec mouton et offrandes pour célébrer les fiançailles et fixer la date des noces. Effarée, Leïla parvint à articuler :

— Qu'en pense grand-mère ?

— Que veux-tu qu'elle dise... ta grand-mère ne va pas contrarier son frère. Nous sommes d'autant plus ligotés que les Lounis comptent beaucoup pour nous. Je t'en ai souvent parlé !

Leïla se rappelait que les Lounis avaient été voisins de ses parents au ksar El Djedid, ce quartier de la misère. Les deux familles étaient très proches. Leïla n'avait que quelques jours, quand la femme de Lounis, la prenant dans ses bras, disait déjà à Yamina :

— Celle-ci sera un jour ma belle-fille. Tu n'auras aucune inquiétude, Yamina. Je serai une seconde mère pour elle.

Puis, ils étaient repartis vers El-Bayad, au tout début des années cinquante. Et bien que ne les voyant plus, ses parents leur gardaient une grande affection. Mais le temps et les distances avaient effacé de leur mémoire cette vieille promesse. Leïla aussi l'avait complètement oubliée... A combien d'autres garçons l'avait-on promise, dès sa naissance, pour asseoir la certitude de lui trouver plus tard un parti ? En ayant mis à part son cousin, Leïla pensait être à l'abri de ce type de menaces. Voici qu'une autre surgissait des lointains. Elle se res-

saisit. Elle devait réfléchir très vite. Que faire ? D'abord
ne pas heurter sa mère. Elle risquait d'appeler le père à
la rescousse. On risquait de la séquestrer. Il fallait
gagner du temps.

— Viens, je vais te mettre un foulard sur la tête. Puis
tu iras les embrasser.

Un foulard ? ! C'était toujours ainsi que tout
commençait : fouta, foulard, puis le voile et la mort de
tous les rêves, de tous les espoirs sous une avalanche
de naissances. L'univers qui rétrécit, rétrécit jusqu'à ne
permettre plus que les anhélations de l'esclavage, que
les soupirs de la résignation. Plutôt la mort que la
strangulation du foulard, que la privation de tous les
choix d'une vie. Mais pour l'heure, toute au sentiment
de l'urgence, Leïla était à mille lieues des discours
qu'elle se tenait en temps de paix. Seule l'imminence
du danger tendait ses pensées alors qu'elle sentait son
corps disloqué.

— Attends, attends ! Laisse-moi souffler. Je vais
d'abord poser mon cartable et me laver le visage. Je suis
couverte de sueur. J'irai leur dire bonjour dans cinq
minutes, avança prudemment Leïla en essayant de se
libérer de la poigne de sa mère.

Méfiante, Yamina scruta longuement son visage, à la
recherche de signes de rébellion. Leïla essaya de se
composer un visage serein. Mise en confiance, Yamina
lâcha son bras et se dirigea vers la cuisine.

— Ne tarde pas trop et n'oublie pas de mettre un foulard !

Leïla pénétra dans la chambre qu'elle partageait avec
sa grand-mère et sa sœur Bahia. Elle posa son cartable.
Puis, doucement, elle ouvrit la fenêtre donnant sur l'extérieur. Grimpant sur une chaise, elle enjamba le
rebord, sauta prestement de l'autre côté et s'enfuit avec
l'énergie d'un animal traqué. Elle courait, courait. Le

village était désert. Elle ne sentait plus l'incendie du jour ni la lumière qui brûlait les yeux. « Garde ta folie, elle te sauvera des autres. » « L'école est ta seule planche de salut. » Ces avertissements cognaient dans sa tête et accéléraient sa fuite éperdue. « Jamais, jamais les foulards, les haïks, les geôles ancestrales »... Une voiture s'arrêta à sa hauteur. Ça y est, on l'avait rattrapée ! Ça y est, les foulards, les haïks. Les youyous lugubres des femmes. Son cœur s'immobilisa. Elle allait mourir, là, tout de suite.

— Où vas-tu, comme ça ? lui demanda une voix.

Il n'y avait pas de colère dans cette question. Aucune hostilité.

— Pourquoi cours-tu ?

Elle reconnut la voix du magasinier de l'atelier, cessa de courir et mentit dans un cri de délivrance :

— J'ai peur d'être en retard pour mon cours !

L'homme lui ouvrit la porte de sa voiture. Elle monta à côté de lui. Il l'accompagna au village. Par bonheur, un taxi passa juste à ce moment-là. L'homme lui fit un signe. Ouf ! Elle était hors de danger, du moins pour l'immédiat. Durant le trajet vers Béchar, elle essaya de se calmer. Il lui fallait réfléchir, trouver une solution. Il n'y avait que Khellil pour la tirer d'affaire. L'angoisse bousculait ses idées, brouillait tout dans sa tête. Maintenant Leïla doutait de ses plus solides alliés. Et si lui aussi se laissait prendre au piège des coutumes ? Après tout, il avait déjà abdiqué une fois. Il s'était lui-même laissé marier. Que ferait-elle ? Elle se sauverait ! Elle n'irait pas vers les hommes. Elle ne subirait jamais ce qu'ils ont fait endurer à Saâdia. Elle grimperait sur la Barga. Elle irait mourir dans l'erg. La mer de sable, berceau de ses rêves, serait aussi son tombeau. On ne l'aurait pas vivante. Avec le temps qui passait et toutes ces demandes en mariage refusées, avec le discours de

Mme Chalier encore vibrant dans la tête du père, avec cette volupté de liberté qu'elle savourait depuis le lycée, elle s'était crue hors de danger. Mais qui était-elle pour échapper au sort de toute femme ? Elle n'avait rien de plus que les autres, rien de moins non plus. Seulement peut-être un grain de sable dans la tête, le « grain de Bouhaloufa » qui la remplissait des espoirs les plus fous. Une douleur lui lacérait le ventre : « Comment m'en sortir ? »

Arrivée à Béchar, elle reprit sa course, fit irruption, hors d'haleine, dans le bureau de Khellil et hurla comme une furie :

— Ils veulent me marier ! Si tu ne les empêches pas, je me sauverai. Je me tuerai ! Ils ne m'auront jamais, jamais, tu m'entends ? !

— Qu'est-ce qui se passe ? Calme-toi, assieds-toi là et raconte-moi. Tu m'as fait peur. J'ai pensé au pire.

— Mais c'est le pire !

Leïla explosa en sanglots. Lorsqu'il connut enfin le détail de l'histoire, Khellil lui dit :

— Va chez ta tante Saâdia. Tu y passeras la nuit. Je t'apporterai demain matin tes affaires de classe. J'irai tout à l'heure leur dire ce que je pense de leurs pratiques. Ne t'inquiète pas. Moi vivant, personne ne t'obligera à te marier contre ton gré. Maintenant, va-t'en, j'ai du travail. Je te verrai demain matin, vers sept heures et demie. Je te raconterai la suite. Aie confiance.

Elle se rendit chez Saâdia et la mit au courant de sa mésaventure.

— Tu as bien fait de te sauver. Plus encore que l'intervention de Khellil, c'est ça, ta fuite, qui va t'épargner ce péril et celui qui pourrait venir d'autres prétendants. Crois-en ma triste expérience, une fille capable de braver ainsi l'autorité parentale et de bafouer les traditions fait peur. Elle peut recommencer ! D'ailleurs, je pense qu'avant même que Khellil n'arrive à la maison, ces prétendus « invités de Dieu » se seront déjà rétractés. Ils ne voudront pas prendre le risque d'une future inconduite qui puisse les déshonorer !

Le rire de Saâdia finit par rassurer tout à fait sa nièce. Le lendemain, Leïla put vérifier la justesse des déductions de sa tante.

Après avoir quitté sa fille, Yamina avait annoncé à ses « invités » que Leïla était rentrée du lycée. Qu'elle se rafraîchissait avant de venir les saluer. Comme sa fille tardait à se montrer, Yamina s'était empressée d'aller la quérir et découvrit la pièce vide et la fenêtre grande ouverte. Trahison ! Yamina avait fait appeler Tayeb pour l'informer discrètement de la situation. Le père avait vainement cherché Leïla autour de la maison et vers la Barga. Ne la trouvant nulle part et gagné par la panique, il avait téléphoné à Khellil.

— Leïla est chez Saâdia et elle ne rentrera pas ce soir.

— Que vais-je répondre aux Lounis ? se lamenta Tayeb.

— Je m'en charge, des Lounis. Je vais gentiment leur expliquer que le grand âge de Zobri ne lui octroie aucun droit sur la vie des gens.

— Oui, mais là, tout de suite, comment...

— Dis-leur simplement la vérité. Tu as toujours promis que ce serait moi qui déciderai pour tout ce qui concerne Leïla. Elle veut continuer ses études. Alors foutez-lui la paix. Les Lounis sont de braves gens. Ils comprendront.

— Ils comprendront que j'ai définitivement perdu la face, ça oui !

— Tu préférerais perdre ta fille, peut-être ?

Les Lounis avaient entendu le remue-ménage, perçu le désarroi des Ajalli et se demandaient ce qui se pas-

sait. Pourquoi leur future belle-fille ne venait-elle pas
les saluer ? La mine mortifiée, Yamina finit par leur
avouer sa honte, h'chouma ! h'chouma !, lisait-elle dans
les yeux consternés des femmes. H'chouma, de désa-
vouer un grand-oncle vénérable. H'chouma, cet affront
immérité aux Lounis. H'chouma, tout le monde allait
apprendre que sa fille était une dévergondée.

L'orgueil froissé, les Lounis repartirent vers El-Bayad
dès le lendemain. Une si vieille amitié cassée par l'arrogance d'une jeune écervelée ! Tayeb et Yamina ne s'en
consolaient pas. La rumination de leur rancœur donnait parfois à leur visage une expression de haine
furieuse qui faisait frissonner Leïla. Zohra, elle, ne fit
aucun commentaire, aucun reproche. Et ses yeux, lorsqu'ils se portaient sur sa petite-fille, semblaient dire :
« Je te reconnais bien là. » Leïla se persuada que sa
grand-mère était plutôt soulagée.

L'adolescente commençait à comprendre que sa vigilance et sa révolte viendraient à bout de toute cette dra-
matisation et son cortège de mots ronflants : honte,
déshonneur, péché... Cabrée par cette certitude, elle
adoptait une attitude définitivement défiante à l'égard
de ses parents.

Son père continuait à lui chercher querelle et tout
lui était prétexte à réprimande. Il se rendait souvent à
Béchar pour la suivre, en cachette. Le long du chemin,
du bus au lycée puis du lycée à la maison de Saâdia,
Leïla devait se dépêcher, garder la tête baissée et
n'adresser la parole à personne. Un après-midi, au
cours d'une récréation, elle discutait tranquillement
avec les autres filles et garçons dans la cour lorsqu'elle
vit son père debout devant la grille fermée de la porte,
qui l'observait fixement. A la sortie, il vint la chercher
avec sa vieille Peugeot 203. Il lui ouvrit la portière. Elle

s'installa et se pencha vers lui pour l'embrasser. Il la repoussa violemment.

— Qu'est-ce qu'il y a ? Qu'ai-je encore fait ?

— Attends qu'on arrive à la maison. On s'expliquera ! je vais t'apprendre, moi, à marcher droit !

Durant le trajet, le nez en guerre, les mains serrées au volant, il ne lui jeta pas un regard, ne desserra pas les dents. A l'arrivée, il pénétra en hurlant dans la cour et, en proie à une véritable crise d'hystérie, prit Yamina à parti.

— Tu peux être fière de ta fille ! Voilà l'éducation du collège : elle s'échappe par les fenêtres et discute, sans pudeur, avec les garçons, la demoiselle !

Exaspérée par cette atmosphère étouffante de suspicion et d'anathème qu'elle endurait depuis sa fugue, Leïla explosa à son tour :

— Et alors ? J'étais avec des camarades ! Ces garçons-là, en classe, je suis assise à côté d'eux, sur le même banc, toute la journée. Pourquoi ne leur adresserais-je pas la parole dehors ? C'est complètement ridicule ! Tu veux que je triche ? Que je sois fausse ? Ecoutez-moi bien, tous ! J'en ai plus qu'assez de toutes vos tragédies ! Si vous ne me laissez pas tranquille, si vous essayez encore une fois de me marier, je me sauverai de nouveau, quoi que vous fassiez ! Mais cette fois, ce sera pour aller me donner au premier homme venu sur un lieu public. Comme ça, vous l'aurez bel et bien, votre déshonneur !

Tayeb devint blême de rage. Comment une fille pouvait-elle tenir un tel langage à son père ? Comment osait-elle lui parler sur ce ton et le menacer ? Et quelles menaces ! C'en était trop. Leïla sentit qu'il allait se jeter sur elle. Elle ne baissa pas les yeux, ne battit pas en retraite. Jambes écartées, mâchoires et poings serrés, elle l'attendit. Tayeb avait l'habitude de donner des coups. Pour une futilité, il massacrait Yamina devant ses enfants. Mais Leïla n'était pas Yamina. Elle était prête à rendre des coups quitte à recevoir le ciel sur la tête. Tayeb le comprit. Pendant quelques secondes, il y eut dans ses yeux une lueur vraiment meurtrière qui la glaça d'effroi. Ils restèrent ainsi dressés face à face, et tremblants de fureur. Les paroles de sa fille lui étaient déjà une humiliation. S'exposer à ce qu'elle lui rendît ses coups n'aurait que la mort de l'un des deux pour issue. Ce fut Zohra qui désamorça la tension et sauva la situation :

— Tu n'as pas honte de répondre comme ça à ton père ? Viens ici, c'est moi qui vais te donner la correction que tu mérites !

Elle enleva sa savate et lui administra quelques tapes plus résonnantes que mordantes. Ensuite, elle l'attira dans leur chambre. Là, et de toutes ses forces, elle se mit à frapper un matelas posé au sol en disant :

— Tiens ! tiens ! tiens ! Cela t'apprendra à tenir tête à ton père.

Dans la cour, en réponse à la diatribe de sa fille, Yamina avait les mêmes pleurnicheries :

— Ya Allah, ya Allah, que t'ai-je fait pour que tu m'aies donné ce démon ? Ce n'est plus un grain de sable qu'elle a dans la tête, c'est une dune, qui va un jour l'enterrer.

L'année scolaire s'achevait en apothéose pour la jeune fille : nombre de premiers prix en diverses matières et prix d'excellence de sa classe. Merveilleuse revanche sur les tracasseries des derniers mois. Si le fait de s'affronter aux garçons l'avait au début quelque peu inquiétée, les premières compositions l'avaient vite rassurée. Quel plus cinglant démenti pouvait-elle opposer à la prétendue supériorité masculine ? Depuis sa naissance, sans autres youyous que ceux de roumia la Bernard, on n'avait cessé d'essayer de façonner aussi bien sa conscience que son inconscient à la condition d'être inférieur. L'école, le savoir lui ouvraient une échappée, jusqu'alors insoupçonnée dans l'impasse des fatalités féminines. Ils l'avaient arrachée à un destin moyenâgeux pour la précipiter, seule, en plein milieu du xxᵉ siècle. Leïla se doutait bien qu'elle allait vers une solitude de plus en plus grande. Sa liberté était à ce prix. Elle n'avait pas le choix. Les trois autres filles algériennes qui étaient avec elle en classe confirmèrent ses appréhensions en lui apprenant qu'elles devaient toutes se marier durant l'été.

Les derniers élèves pieds-noirs avaient définitivement quitté le pays pour la France dès la fin du mois du mai. Les trois ou quatre qui restaient devaient se rendre, à la prochaine rentrée, au lycée français d'Oran car dans tous les établissements algériens l'arabe devenait seconde langue obligatoire. A Kénadsa, dans la blanche école aux arcades ouvertes sur l'oued, la même directrice, Mme Chalier, bataillait toujours aussi âprement pour aider d'autres filles à franchir les limites du village, vers d'autres salles de classe. Elle réussira à en envoyer quelques-unes au lycée technique qui ouvrait ses portes.

Chaque année, l'approche des quatre mois de vacances estivales plongeait Leïla dans un état de détresse. Comment traverser l'infernal été saharien quand on est une fille et quand la pauvreté interdit toute évasion vers des lieux plus cléments ? Quand le despotisme des températures et une tradition misogyne conjuguent leurs effets pour exclure les filles de la rue et des rares distractions ? De la vie en somme ! Comment résister ? Comment survivre, seulement ?

Leïla était devenue anorexique mais elle dévorait des livres. Et, avant de franchir le seuil du maudit été, elle s'inquiétait de ses réserves et faisait provision de ses vivres à elle, les livres. Il lui en fallait beaucoup pour ne pas laisser un instant au temps de l'enfermement. Il lui en fallait assez pour supporter le siège de la solitude, pour lutter contre la « vacance » de sa vie, contre la nudité démoniaque de l'horizon, contre les assauts de sa mère et des tâches ménagères, contre les velléités de la folie et de la mort, seules à se disputer l'inanition des immensités.

La lecture, qui l'éclairait sur toutes les autres libertés, était un droit acquis presque sans bataille. Presque. Ses parents, analphabètes, ne pouvaient percer la secrète perfidie des livres. Ils pouvaient en évaluer toute la « dangerosité ». Ils les observaient avec une suspicion démunie et froissée. Cependant et malgré les sermons, ils finirent par se résigner à accepter leur omniprésence, leur mainmise grandissante sur Leïla. Du moins, ainsi, plongés dans l'envoûtement de l'écrit, ses yeux ne les défiaient-ils pas. Du moins, ainsi, sa bouche oubliait-elle sa constante rébellion. Du moins, ainsi, restait-elle captive, loin de la convoitise du regard masculin, hors des chemins de la tentation. S'ils avaient pu savoir ce qu'elle puisait là ! Elle, le corps rencogné dans le silence des livres, les mains agriffées à l'immobilité de leurs pages, les yeux portés par le flot de leurs mots, elle sillonnait furieusement le monde. Sur des pages à la fallacieuse innocence, la lecture, dupant toutes les censures, lui apportait tout ce qui lui était défendu : rêves et cauchemars, vertiges et abjections, vices et passions, tous les étonnements de la terre avec, en sus, la jubilation que donne le sentiment de transgression.

Le livre n'était pas seulement un moyen d'évasion. Il était le complice, le soutien, l'enseignant. Il la structurait, la construisait. Il tempérait, jugulait sa véhémence, la transformait en combativité, en ténacité, en résistance. Il était devenu le symbole de son refus du quotidien qu'on voulait lui imposer. Il la retirait de la vie familiale. Sa mère se lamentait, considérant qu'elle était atteinte d'une tare, d'une maladie à peine moins honteuse que la folie.

En permanence aux aguets du danger, Leïla ne parlait plus que pour se défendre. Elle ne parlait plus, elle criait pour imposer ses vues. Le reste du temps, elle se taisait. Elle lisait. Et que dire ? Avec qui converser quand ses idées ne pouvaient lui valoir qu'anathème et condamnation ? Vers qui se tourner quand les parents deviennent, sinon les premiers ennemis, du moins ceux qui peuvent, à bon droit, mettre en péril l'avenir d'une fille ? Les livres étaient les seuls intimes dans cette vie divergente, les seuls compagnons de cet éloignement, de cet exil « mental » blindé de silence durant des étés qui s'éternisaient, mortels d'ennui et de canicule.

*
* *

Hamza, le père de Yamina, avait rejoint à Oran ses fils rentrés du maquis. Zina, son mari et leurs enfants avaient suivi le mouvement. Cet exil, qu'il n'avait pas choisi, semblait précipiter la vieillesse de Hamza. Il parlait sans cesse d'Oujda et ressassait jusqu'à l'obsession les mêmes souvenirs.

Zina, son mari et ses enfants habitaient un immeuble des « biens vacants », abandonnés par les pieds-noirs. Nacer avait ouvert un autre boui-boui, encore plus misérable que le précédent. Si auparavant il gardait encore quelque argent pour son foyer, c'était maintenant de l'histoire ancienne. La déchéance physique, le délabrement de son esprit, faisaient qu'à présent il ne gagnait même plus de quoi étancher sa soif. Son faciès avait pris une couleur violine et son regard baignait dans un brouillard dont il n'émergeait plus. Zina devait faire front, seule, aux besoins de sa famille. Elle avait acheté une machine à coudre et pédalait vaillamment toute la journée et une partie de la nuit, confectionnant toutes sortes d'habits.

— Il me faudra trouver un moyen plus lucratif pour nourrir mes sept enfants. Coudre quinze à seize heures par jour m'abîme les yeux et me barbouille l'esprit de gris pour un revenu de misère... Mais j'ai la paix maintenant. Lorsque Nacer rentre à la maison, il est ivre mort. Désormais, il n'a même plus la force de me battre. Parfois, c'est moi qui ai envie de le rosser à mort.

CHAPITRE XIII

En ces années soixante, beaucoup d'enseignants français, mus par le désir de vivre et de travailler dans une Algérie enfin apaisée, foulaient son sol pour la première fois dans le cadre de la coopération. Ceux qui avaient une sensibilité de gauche, majoritaires, applaudissaient les réformes gouvernementales : l'enseignement obligatoire avec suppression des allocations familiales si les parents retiraient leurs enfants, filles ou garçons, de l'école avant l'âge de seize ans. Médecine gratuite pour tous... Cependant « la République démocratique et populaire » n'allait pas tarder à montrer ses impostures, ses tyrannies partisanes et militaires. Mais quelque appréhension qu'on pouvait déjà pressentir face aux dérives du système, l'accession nouvelle de milliers de petits Algériens au savoir et leur soif d'apprendre ouvraient d'immenses espoirs et soulevaient l'enthousiasme de tous.

Et puis à Béchar, « les magies du désert » suffisaient à elles seules à attirer et à fixer des enseignants de qualité. Une chance pour Leïla qu'ils découvraient au milieu des quarante-cinq garçons de sa classe. Très vite, ils se firent ses soutiens, ses parrains. Ils guidaient ses lectures et lui offraient des livres. Ils l'aidaient à faire front aux obstacles et aux interdits. La prenant sous leur coupe, ils l'entraînaient avec eux au CCF, le Centre Culturel Français. Leïla y goûtait la joie de fouiner dans la bibliothèque, d'assister à des projections de films, aux débats qu'ils suscitaient, à des conférences... Elle aimait cette ambiance où elle pouvait se détendre et oublier les sermons et les sentences. Aussi prit-elle l'habitude de s'y rendre en leur compagnie chaque fois que cela lui était possible. Mais ces attentions particulières du corps enseignant et son assiduité à la fréquentation du centre culturel allaient lui attirer nombre de problèmes. Le premier et le plus menaçant était que, la voyant souvent entrer ou sortir du CCF, des médisants trouvaient matière à fourbir leurs armes et leurs condamnations. A son insu, Leïla devenait « une fille à coopérants. Une Algérienne qui se vendait aux Français ». Les blessures et les affres de la guerre de libération étaient encore vifs dans les mémoires. Et l'indépendance n'avait pas doté les masses du don de discernement et de la nuance. Avec ou sans uniformes, les roumis restaient des ennemis. Une adolescente arabe dans un milieu si dépravé ? Perdition ! Que sa conduite heurtât les mœurs locales n'était pas pour Leïla une nouveauté. Trop contente de se trouver enfin avec un entourage propice à son caractère, elle n'avait aucune conscience de l'ampleur du danger auquel elle s'exposait.

Le personnel administratif du lycée constitué en grande partie d'hommes à l'esprit rétrograde, surtout lorsqu'il s'agissait de l'éducation des filles, ne cessait d'aboyer après elle et d'essayer de lui infliger un blâme « pour mauvaise conduite ». Ses professeurs s'y opposaient et la défendaient.

Qu'elle fût en permanence le point de mire de tout le monde dressait également contre elle des garçons du lycée. Réaction de jalousie chez les uns, de dépit ou de rejet chez d'autres, restés sous le joug de la tradition malgré l'instruction qu'ils engrangeaient. Si trois ou quatre élèves, parmi les meilleurs de sa classe, se montraient attentionnés à son endroit, leurs relations n'allaient jamais au-delà de la camaraderie. Leïla n'avait pas de véritables amis. Le reste des garçons l'épiait à distance, comme si elle avait été une bête dangereuse et lançait parfois dans son dos des propos infamants.

Une autre année scolaire s'était écoulée. Avec le relâchement qui prévaut lors des derniers cours, la férocité de certains garnements se mit à s'exprimer même à l'intérieur de la classe. A deux ou trois reprises, en arrivant le matin, Leïla découvrit écrit en gros caractères sur le tableau : « Leïla = putain des coopérants. » A la colère du professeur présent s'opposait un mutisme total.

Leïla finit par avoir le sentiment de se trouver, dans son établissement comme en ville, au centre d'un conflit entre progressistes et conformistes qui la dépassait, l'écrasait et dans lequel sa propre volonté s'affolait comme une girouette malmenée par tous les vents. Cette impression exacerbait ses inquiétudes. Quel avenir lui réservaient ces affrontements ? Une solitude triomphante mais désespérée ? Car malgré les sympathies, elle était déjà là, la solitude. Elle la précipitait dans la lecture pour fuir ennuis, craintes et suffocations. Elle était comme un œil blanc rivé sur elle quand elle-même observait d'un air morne les perpétuelles rixes des garçons dans la cour du lycée. Elle était là, secrète compagne de ses bancs de classe. Symbole même de cet intérêt que lui témoignait le corps enseignant et qui n'était que la traduction de sa singularité, de son isolement. Elle devenait une douleur sourde, tapie même au fond de ses joies.

Et puis encore et encore les naufrages des étés. Il n'est de pire sentiment de claustration que celui éprouvé face à des immensités ouvertes, certes, mais sur un néant. Sur l'enfer d'une tragédie pétrifiée pour l'éternité, sans rédemption. Le désert ne subjuguait que les coopérants français qui, eux, le sillonnaient de part en part et le quittaient à l'été pour des lieux plus cléments. Forts de la certitude qu'ils pourraient s'en aller définitivement quand ils le décideraient, ils le vivaient agréablement. Leïla, elle, avait si peur de ne pouvoir jamais lui échapper qu'elle le haïssait, ce désert tyran. Son ciel torve et ses nulle part effarants égaraient son regard, consumaient ses espoirs. La perspective de ces mois qui agonisaient en naissant et installaient l'image de la mort pour longtemps, l'angoissait tant que Leïla en oubliait les véritables causes de son enfermement : la misogynie de la société, d'une part, le dénuement de sa famille et le nombre à présent trop important de sa fratrie qui excluaient toute possibilité de voyage, d'autre part.

Avec les campagnes de vaccinations et la gratuité des soins médicaux, le taux de mortalité infantile dans le pays, auparavant l'un des plus élevés du monde, baissait de façon spectaculaire. Le boum démographique qui s'amorçait et l'importance de l'exode rural rendaient pléthorique la population des villes. Et les plus spacieuses demeures des « biens vacants » devenaient exiguës lorsque s'y entassaient plusieurs générations d'une même famille. Les rares échappées que s'étaient octroyées les Ajalli vers Oujda ne pouvaient plus s'envisager depuis que leur famille s'était exilée à Oran. Après les fastes d'antan perdus avec la mort de Bouhaloufa, ceux d'Oujda avaient laissé derrière eux leurs derniers biens : les charmes et les espaces de la ferme. Ils avaient rejoint l'étroitesse et la routine de la vie des citadins.

A Dar el Barga, faisant fi de la fournaise estivale comme des morsures hivernales ou des mitrailles printanières des vents de sable, Yamina et Mounia exhibaient comme des trophées de gros ventres goguenards. Chaque année. « Comment peut-on continuer à faire des enfants dans ces conditions ? » se demandait Leïla avec effarement. Parfois, elle pétrissait inconsciemment son ventre d'une main fébrile en proie à une sourde terreur. « Jamais ! Jamais ! » Dans la chaleur torride, elle se mettait à trembler et ses yeux jetaient alentour des regards traqués.

— Mon Dieu es-tu malade ? s'inquiétait sa grand-mère.

— Non, non. Ce n'est rien.

Etait-elle malade ? Etait-elle folle comme on le lui répétait si souvent ? Ces questions ne tourmentaient pas son esprit tout à une seule préoccupation qui, avec le temps, se muait en certitude, en obsession : elle ne voulait pas de cette vie-là. Pas de tâches ménagères et leurs moites lassitudes. Pas de servitudes. Pas de kholk-hales, sonnailles des bêtes de somme. Pas la férule qui toute une vie faisait piétiner les femmes dans quelques mètres carrés alors que, dehors, les terres s'écartelaient entre rectitude sans limites et fuite des cieux. Pas d'horizon aveuglé par les œillères du haïk. Pas d'esprit éborgné dès la prime enfance et à qui on ne reconnaît qu'une seule voie, celle de servir et de donner naissance. Jamais !

Leïla s'isolait dans la seule pièce toujours disponible pour d'éventuels visiteurs : « la chambre des invités ». Et, pour ne plus être importunée, elle avait pris l'habitude de s'y barricader. Lisant toute la nuit en écoutant la radio, elle s'endormait à l'aube, lorsqu'elle entendait les pas de sa grand-mère et de son père, levés pour leurs premières ablutions et prières. Même si elle s'était réveillée avant, Leïla ne quittait son refuge que lorsque la torpeur de la sieste avait allongé le reste de sa famille. Prenant garde à ne pas déranger leur sommeil, elle se rendait à la cuisine, se servait une tasse de café qu'elle dégustait en croquant une tomate. C'était son seul repas pour la journée. Elle vivait à l'envers des autres pour n'avoir pas à les subir. Ces derniers s'inquiétaient pour elle. Pourquoi cette attitude ? Pourquoi ne voulait-elle pas manger ? Elle était si maigre ! Et si elle en mourait ? Parfois, ils essayaient de la raisonner : il fallait qu'elle prépare son trousseau. Qu'elle apprenne à cuisiner, à tenir une maison... Elle devenait violente, d'une agressivité inconsidérée et menaçait de partir pendant leur sommeil droit dans le désert, droit dans la mort. La peur du scandale les paniquait. Alors ils se taisaient et Zohra priait : « Bouhaloufa, n'appelle pas à ton exemple cette enfant. Ce n'est qu'une fille, Bouhaloufa ! Les chemins qui t'ont sauvé la tueraient. De quoi rêve-t-elle les yeux grands ouverts ? Pourquoi n'a-t-elle pas la sagesse des femmes de ma lignée qui rentrent dans le rang sans rechigner ? Qui rendent fier notre sang et cueillent nos bénédictions ? Bouhaloufa, enlève-lui ton grain de l'esprit et je passerai le restant de mes jours à te célébrer. »

Leïla n'ouvrait la porte qu'au son de la voix de Zohra. La femme aux tatouages sombres regardait, intriguée, les piles de livres qui s'entassaient :

— Que te raconte-t-il de si beau le mutisme de ces papiers pour te tenir ainsi loin de nous, kebdi ?

— Ils disent la vie et le monde, hanna. Les au-delà des ergs et des océans. Toi, tu dis que l'immobilité du citadin, c'est la mort qui t'a saisie par les pieds. Que tu n'as plus que tes mots et tes contes pour continuer à respirer, à faire revivre ton univers nomade et ne pas te laisser mourir. Pour moi, la mort est dans l'immobilité des esprits. Et pour que mes pensées puissent continuer à avancer, j'ai besoin des mots des autres, de leurs livres. Ici, il règne un tel vide ! Tu dis que les yeux vont toujours plus loin que les pieds, même si ces derniers se mettent à courir. Comme j'aurais aimé qu'ils aillent aussi loin que l'imagination ! Plus loin qu'elle ? Plus loin, toujours plus loin comme tes marches d'antan, hanna. Les livres me délivrent de la permanente oppression qui sévit ici.

— Tu n'en fais qu'à ta tête et tu parles d'oppression !

— Je ne fais que ce que je peux et à quel prix ! C'est ça qui m'étouffe de plus en plus. Ici, on ne vit pas, on subit. On ne rit pas, on périt chaque jour. Ici, tout est dramatique. Pourquoi la légèreté et le rire n'existent-ils que dans mes livres, hanna ?

— Kebdi, trop de solitude et de livres étranges te nuisent. Et même s'ils t'enchantent en te donnant matière à rire, à réfléchir et t'entraînent au-delà du pouvoir des yeux, ces mots couchés sur le papier n'ont pas l'air de te rendre heureuse. Ils t'emportent ailleurs, dans un ailleurs qui n'est pas le nôtre. Ils te font rejeter les tiens. Je crois que ce n'est pas bon pour toi. Dans tes yeux, je vois tant de désarroi... La guerre est terminée, mais la colonisation a laissé un germe dans le pays. Il n'a pas fini de sévir, je m'en aperçois. Je voudrais que tu n'oublies jamais d'où tu viens, ni qui tu es, quel que soit ce que te réserve l'avenir... Tu marches, tu cours même, mais vers un monde inconnu, kebdi. Je te sens en danger et je ne sais que faire pour te protéger. Parfois en ton absence, l'envie me traverse de mettre le feu à tes livres pour te libérer d'eux. Mais je sais qu'eux aussi disent des contes, alors j'en éprouve du respect. Mais

vois-tu, ils me livrent un combat déloyal. Je suis seule,
ils sont si nombreux et possèdent de surcroît le pouvoir
du silence. C'est cela la force de la colonisation : des
moyens colossaux face aux faibles ressources de l'in-
compétence. C'est cela la suprématie de l'écriture sur la
parole. L'une a la voix et la force éphémère de la vie.
L'autre la pérennité et l'indifférence de l'éternité. Du
moins Bouhaloufa, lui, a-t-il été entraîné par la poésie
arabe. Toi, tu es en train de franchir de plus grandes
frontières. Je ne voudrais pas qu'elles t'engloutissent.

— Ce qui est différent suscite en nous un intérêt plus
grand que le familier. C'est normal. C'est une source de
richesse et d'équilibre...

— Je ne te vois pas bien équilibrée, kebdi... Moi aussi
je rêve beaucoup. Nombre de mes contes ne sont que
les fruits de mes songes. Mais mes rêves parlent aux
autres. Ils les entraînent avec eux, le temps d'un par-
tage, d'un travail de mémoire... Il y a quelque chose
d'aussi émouvant que féroce en toi : l'intempérance, le
despotisme du rêve sur la réalité... La fuite éperdue,
vers quoi, kebdi ? Ton rêve te propulse sans répit, sans
repos. Toi qui as tellement envie de vivre, j'ai peur pour
toi parce que tu empruntes des chemins qui ne me sont
pas familiers. Parce que je ne sais pas comment t'aider.
A présent, je ne doute plus que tu tiennes de Bouhaloufa. C'est peut-être ma fascination pour lui qui t'a
poussée dans ce sens. Tout est sans doute ma faute.
Parfois, je me console en me disant que, toi, tu pourrais
suivre l'itinéraire inverse. Il avait fui le monde nomade
parce que ses marches sans fin lui semblaient arides.
Si ton aridité à toi est dans l'immobilité, si elle t'insup-
porte, pourquoi ne rejoindrais-tu pas les hommes qui
marchent ? La sédentarité a rétréci et enchaîné la vie
de tous. Pas seulement celle des femmes. Pense à un
métier qui te permettrait de les suivre et de les aider.

Je suis sûre que cela te sauvera. Lorsque tu le voudras, lorsque ton désir sera assez fort, je partirai avec toi. Je voudrais tant mourir dans cette vie-là.

Quand le soleil quittait enfin le brasier du zénith, quand il déclinait et tendait ses tisons pour allumer l'ouest des horizons, les ombres d'abord diaphanes se montraient et tremblotaient avec la réverbération. Puis elles s'allongeaient et s'affermissaient. C'est l'heure où Leïla détachait les chiens. Ils avaient besoin de courir et elle de marcher. Elle marchait comme une forcenée, en tapant des pieds, en soulevant des volutes de poussière qui la faisaient tousser, en essayant de tuer sous ses pas ses frustrations et son ennui. Parfois, elle poussait un cri. Un long cri. Juste pour s'ébrouer de ce poids sur sa poitrine. Juste pour déchirer le silence, cette autre pesanteur. Son cri ricochait sur les rochers surplombant la dune qui les multipliait. Leïla s'arrêtait et écoutait. Il lui semblait entendre des quintes surgies des tréfonds de la pierre. Sinistre résonance. N'étaient-ce pas des râles d'agonie de la colline ensevelie sous la dune et dont on ne percevait, çà et là, que quelques rochers épars, comme des vestiges d'une révolte depuis longtemps anéantie ? Leïla haussait les épaules et continuait son chemin. Elle suivait la rangée de palmiers, parallèle à la dune. Celle-ci s'étirait sur quatre ou cinq kilomètres pour finir par bourgeonner en une petite palmeraie autour d'une cavité où jadis s'abritait une source. Il y avait longtemps que la source s'était dérobée dans quelque anfractuosité souterraine, privant de vie les lieux. Plus loin, sur la gauche de la palmeraie délimitant l'erg, la Barga filait droit sur Béchar. Partout ailleurs, plus rien d'autre qu'un reg dont les pierrailles ressemblaient à de petits ossements rongés et mités. A perte de vue, à folie des cieux.

Pétrifiée, Leïla fixait ces étendues, le souffle qu'elle était venue chercher là plus oppressé que jamais. Parfois, une crise de désespoir la submergeait, l'abattait. A plat ventre, visage et cheveux dans le sable, elle sanglotait avec l'envie de mourir immédiatement pour fuir l'inexorable. Combien de fois, pleurs taris, s'était-elle retournée sur le dos pour recevoir comme un assommoir le spectacle du couchant, écrasant de splendeur. Car ici, le soleil est une divinité encore plus cruelle qu'Allah. Il calcine tout ce que ce dernier a épargné avec cette différence que, lui, il n'a nul besoin de cohortes d'esclavagistes zélés pour exécuter ses besognes. Le ciel entier pour trône, il parvient à doter de beauté les tyrannies qu'il assène aux humains.

Les dernières larmes tombées au coin des lèvres de Leïla avaient un goût aigre. Elle les essuyait d'un revers de main et prenait un petit air de dérision pour résister à cette violence poignante qui se dégageait de la rutilance du crépuscule. Fureur du jour. Douleur du cosmos commuée en hadras des couleurs pour que le soleil puisse enfin se coucher.

Les regards des nomades, de leur vivant aveuglés par l'excès des lumières, ne pouvaient leur survivre parmi tant de démesures. Leïla ne les cherchait plus dans le firmament.

Les chiens, qui s'étaient dépensés puis reposés, venaient lui lécher les pieds, manifestant leur désir de repartir. Elle se levait et rebroussait chemin doucement, un peu hagarde, un peu anéantie elle aussi.

*
* *

Khellil et Mounia déménagèrent en ce début d'été pour aller habiter un logement de fonction à Béchar. Ce fut un déchirement pour tous, mais la vie commune n'était plus possible. Il fallait scinder en deux la famille afin que chacun eût un peu d'espace pour le souffle du sommeil et les pas du jour.

Le 19 juin 1965, le matin, au réveil, « Radio Alger » ne diffusait que des chants patriotiques, rappelant le triste épisode qui, au lendemain de l'indépendance, avait dressé les uns contre les autres les dirigeants des différentes willayas[1] militaires. Luttes pour le pouvoir, conflits de personnes et consternation de la population qui pensait que ses maux étaient partis, accrochés aux semelles des hommes de Bigeard.

Zohra tambourina à la porte de la pièce où dormait sa petite-fille et la tira d'un profond sommeil bercé par le ronronnement du climatiseur :

— Radio Alger ne diffuse que des chansons depuis le lever du jour !

D'un bond, Leïla se leva et découvrit les visages anxieux de Yamina et Zohra, tendus vers la radio. Cela la ramena des années en arrière. L'adolescente alluma son transistor. Fouillant les ondes, elle chercha la chaîne trois, francophone. Même programme d'hymnes à la nation. Leïla tourna encore le bouton puis immobilisa l'aiguille : « France Inter... flash d'information... Coup d'Etat militaire en Algérie... »

Que reprochait le dur d'Oujda à Ben Bella, cet homme que les mémoires entouraient de légendes ? « Le jeu malsain d'un pouvoir politique personnel bloquant le fonctionnement et les institutions de la République. »

Après les geôles françaises, l'emprisonnement dans son pays de ce personnage encore mythique suscitera une telle désapprobation, une telle indignation que

---

1. *Willaya* : ici région militaire. Préfecture.

beaucoup d'Algériens, ceux de l'Ouest surtout, boude-
ront pendant longtemps Boumediene et sa politique. La
nationalisation des pétroles, qu'ils applaudiront vivement, n'atténuera pas leur défiance à son égard. Il faudra attendre la révolution agraire pour observer un
changement notable des attitudes.

Un mois plus tard, Yamina accouchait d'un petit garçon, le dixième enfant et sixième mâle de la fratrie. Le
trimestre ne s'était pas écoulé qu'à Béchar, Mounia
donnait naissance à une fillette. La terre pouvait trembler, des pays entrer en guerre, des militaires fomenter
des coups d'Etat... les deux femmes enfantaient.
« Quelques ventres comme ça suffiraient à repeupler
une contrée après un cataclysme », pensait parfois
Leïla. Et dorénavant, elle regardait ces ventres avec tendresse car il lui semblait que, finalement, c'était là une
superbe revanche sur une société qui les enterrait
vivantes. Donner la vie sans relâche, porter au monde
de nombreuses existences pour mettre en échec la ver-
mine qui dévore leur quotidien.

Puis, sur les palmiers, les dattes croustillantes et
dorées devinrent moelleuses et mielleuses, et ce fut la
rentrée. Bahia arrivait au lycée. Au départ de Kénadsa,
il y avait maintenant un total de six filles. Les quatre
autres se destinaient au collège technique. Elles habitaient toutes le vieux ksar et se rendaient au car drapées
de haïks. Quand l'autobus quittait le village, soigneusement pliés, les voiles se rangeaient dans les cartables
pour resurgir au retour, le soir, et de nouveau cacher
leurs visages. Les cartables servaient surtout à transporter ces haïks. Parmi ces filles, il y avait la bavarde
Setti dont rien ne pouvait entamer ni l'humeur ni les
péroraisons :

— Je serais incapable d'affronter la rue nue — en arabe on dit nue pour dévoilée. Mes pieds se mettraient tout de suite à tricoter et je m'étalerais par terre. Avec le haïk, je n'excite et ne provoque personne. J'ai la paix.

— Le haïk est ton premier linceul. Il t'ensevelit vivante, répliqua Leïla.

— C'est la honte du regard des hommes sur moi qui m'enterrerait. Le haïk, lui, il m'en préserve.

Leïla savait qu'il était inutile de continuer sur ce terrain. Elle préférait aiguiller la prolixe Setti sur les histoires parfois truculentes du ksar.

Pendant les trois premières années du secondaire, Leïla eut comme professeurs d'arabe deux Algériens qui avaient émigré en Egypte bien avant la guerre pour étudier la langue arabe. Ces deux hommes avaient fait découvrir à leurs élèves quelques subtilités et beautés de cette écriture, goûter aux prouesses et à l'émerveillement de sa poésie. La plupart des autres classes n'avaient, hélas ! pas eu cette chance.

Les accords de coopération, pour l'enseignement de la langue arabe, avaient été passés en majeure partie avec l'Egypte. Occasion inespérée pour celle-ci de se débarrasser d'une grande partie de la horde de Frères musulmans qui gangrenaient le pays depuis longtemps. On n'eut nul besoin, de part et d'autre, de l'appât financier pour précipiter ces fanatiques en Algérie. La belle proie que ce peuple longtemps opprimé et avide de combler ses lacunes en la matière ! Ce fut une véritable croisade. Regards tisonnés, barbes tressautantes, verbes lestés de sentences, on aurait dit des messagers tétanisés par une révélation nouvelle. Ils croyaient apporter l'annonce d'Allah à ceux qui, depuis leur enfance, priaient ce même Dieu avec sobriété et sérénité. Piètres hommes d'Etat que ceux qui, tout en prétendant édifier une démocratie, avaient rendu obligatoire l'enseignement du Coran au sein des établissements, et livré une génération d'enfants à des intégristes. Calcul pervers des gouvernants et en premier du plus machiavélique de tous, Boumediene, qui pour se doter d'une légitimité religieuse abandonnait l'enseignement à des obscurantistes. L'épidémie était là, aussi galopante que la natalité.

Fin octobre, la luminosité avait perdu de sa fureur. Le bleu du ciel gagnait en profondeur. Parfois, un petit nuage virginal traversait le ciel. On levait la tête pour l'admirer et suivre sa migration vers des contrées privilégiées. On était content et on respirait mieux. C'est qu'il y avait aussi le spectacle des grappes de dattes, la fête de leurs saveurs. Et l'air qui se condensait, çà et là, en volutes capiteuses.

Béchar se préparait à fêter le 1er novembre. Un feu d'artifice et divers orchestres étaient prévus le 31 octobre, à minuit. C'était un samedi. La famille de Kénadsa était venue passer le week-end chez Khellil et chez Saâdia. Les femmes de la tribu, tout à la joie des retrouvailles et émoustillées par ce projet exceptionnel de sortie nocturne, s'y préparèrent dès l'après-midi. Hammam et henné d'abord, préludes à toutes les festivités. Prétextant un début de grippe, Leïla s'apprêtait à leur fausser compagnie.

— Viens avec nous, il n'y a rien de tel que le hammam pour stopper une grippe débutante. Il faudra seulement bien te couvrir en sortant. Ensuite, je te ferai une bonne tchicha[1] qui te remettra d'aplomb, dit Saâdia à l'adolescente dont les yeux étaient déjà rivés à un livre.

---

1. *Tchicha* : soupe à base de blé concassé.

Dernières touches aux toilettes, après le dîner. Frou-frous des paillettes des longues robes, piaillements et cris des enfants. Un parfum fort, quasi suffocant, avait éteint les autres senteurs. Tout était dense, plein : le sol d'enfants et de mères, l'air de leurs effluves entêtants, et les cœurs gonflés de toutes ces sensations. Les femmes se firent belles pour se cacher sous leurs voiles.

Ce rassemblement de toute la famille dérangeait Leïla qui ne trouvait plus aucune pièce où s'isoler. Elle attendait leur sortie avec impatience. Aussi renâcla-t-elle en invoquant une quantité importante de devoirs pour n'avoir pas à les accompagner.

— Sois avec nous au moins en cette occasion. C'est tout de même l'anniversaire du déclenchement de la guerre, implora son aïeule.

Leïla finit par céder aux instances de Zohra, non sans mauvaise grâce. Khellil fit plusieurs voyages avec la vieille Peugeot 203 pour conduire tout le monde à la fête qui se déroulait sur la principale place de la ville. Une place immense, bordée d'arcades, où se tenait jadis l'un des marchés de chameaux du Sud.

Toutes les boutiques étaient fermées, à part celle de Ghani, le photographe. Leïla en reconnut la vitrine éclairée à sa peinture écarlate. « Il va sûrement prendre des clichés du feu d'artifice et de la foule », pensa-t-elle. Ghani était de Kénadsa. Il leur avait fait à tous, femmes comprises, leurs premières photos d'identité, chez eux. Promenant partout son trépied et son appareil portatif, il allait de maison en maison. Quand les femmes, l'œil noirci au khôl, se pointaient sous le regard vigilant du mari, Ghani avait déjà la tête sous son rideau. Il se voilait, en quelque sorte, pour pouvoir photographier les femmes sans leur haïk. Elles s'asseyaient, se redressaient sur leur chaise, laissaient tomber leur foulard et se figeaient, solennelles et hiératiques, devant l'œil de verre. Leïla sourit à ce souvenir en regardant au loin la vitrine illuminée. Depuis l'indépendance, Ghani avait ouvert une boutique à Béchar.

Il y avait foule sur la place. Une constellation d'ampoules électriques révélait une confusion de pantalons, sarouals et gandouras d'un côté, un floconnement de haïks de l'autre. La séparation des sexes sévissait même en pareille commémoration. Ce ne fut pas sans stupeur que Leïla se rendit compte que sa sœur Bahia et elle étaient les seules filles sans voile. Les quelques femmes et jeunes filles dévoilées dans la journée pour se rendre au travail ou au lycée avaient endossé un haïk protecteur pour la soirée. Leïla se rengorgea de sa singularité et redressa la tête pleine de fierté. Bahia portait un pantalon fuseau et un long pull rouge, Leïla un tailleur jaune. Deux couleurs vives à l'avant de l'écume des haïks. Les hommes se dressaient à quelque cinq ou six mètres d'elles, sombres, gesticulants et bruyants.

Il ne se passait pas grand-chose encore. De temps à autre, les instruments de musique, qu'un groupe de jeunes essayait d'accorder, gémissaient sur le podium. Au bout d'un instant, Leïla sentit juste derrière sa nuque une haleine chargée d'alcool. Etonnée par cette odeur qui lui rappelait un certain oncle, elle se retourna pour se trouver nez à nez avec un jeune homme d'une vingtaine d'années. Il n'était pas seul. Un groupe de garçons entre seize et vingt ans s'était infiltré parmi les femmes et se tenait derrière les deux adolescentes sans voile. Quelques-uns, dont celui qui frôlait Leïla, avaient des yeux embrumés par l'alcool et des sourires niais. Tous semblaient surexcités. Leïla tira Bahia par le bras, essayant de pénétrer un peu plus avant dans le groupe des femmes. Deux mégères lui barrèrent le chemin :

— Non ! vous ne passerez pas. Ils vont vous suivre. Restez où vous êtes. Par là, il n'y a que des femmes respectables et respectant leurs traditions. On n'a pas idée, deux grandes filles comme vous, sans voile ! Vos parents sont fous ou inconscients ! morigéna l'une d'elles.

D'un coup de coude dans les côtes, Yamina stoppa net la réplique coléreuse de Saâdia.

— Je t'en prie, pas d'esclandre, supplia-t-elle, si notre groupe se fait encore plus remarquer par les hommes, Tayeb ne nous sortira plus jamais. Nous sommes déjà si faciles à repérer avec mes aînées plantées comme des drapeaux !

Et, tout compte fait, Leïla prit le parti de se retrancher, elle aussi, dans le silence. Elle se contenta de hausser les épaules à l'intention des regards désapprobateurs qui perçaient des haïks. Quelques minutes plus tard, le gars revint à la charge. Enhardi par son silence ou par les incitations de ses compagnons, il avança ses mains et les lui plaqua sur les seins. Elle eut un haut-le-corps, les arracha vivement et se retourna vers lui :

— Ça suffit maintenant ! Sinon je vais appeler un policier !

— Vas-y, vas-y, appelle qui tu veux.

Sa tête dodelinait et son corps vacillait dans un équilibre très précaire. Son entourage éclata de rire. Leïla se retourna et essaya de se calmer. Elle demanda à l'un de ses petits frères d'aller quérir Khellil du côté des hommes. Elle n'allait pas se donner en spectacle, ni supporter plus longtemps les assauts de cet imbécile. Derrière elle, les garçons s'excitaient, faisaient des remarques obscènes et lui promettaient tous les « délices » du viol. Leur agitation faisait perdre à Leïla son assurance. Elle fit une autre tentative pour essayer de s'éloigner d'eux. Le malotru la suivit et revint à l'attaque en lui pinçant les fesses. Hors d'elle, Leïla fit volte-face et, avant qu'il ait eu le temps de comprendre ce qui lui arrivait, lui expédia une paire de gifles retentissantes ainsi que son genou dans le bas-ventre. Il bascula dans les bras de ses compagnons qui l'empoignèrent, l'empêchant de s'écrouler au sol, avec des cris de vendetta.

— Cahba, cahba ! putain !

Soudain prise de panique à l'idée de représailles, Leïla saisit la main de Bahia, l'entraîna avec elle hors du groupe des femmes et s'élança à travers la place. Derrière elles, un hurlement de Saâdia, des huées et des injures... Tout à coup cette place à traverser parut gigantesque.

— Rattrapez-la, ne la laissez pas partir. Je veux la niquer cette putain ! Allez, venez les gars. On va lui montrer ce qu'on sait faire !

La horde s'était lancée à leur poursuite. Alerté par le vacarme, un policier se dirigea vers elles en toute hâte.

— Je vous en prie, je vous en prie, protégez-nous !

La meute avait grossi et le pauvre policier fut vite débordé, frappé, jeté au sol. Mais cette altercation avait cependant permis aux adolescentes de gagner quelques longueurs d'avance. Au comble de l'épouvante, la main soudée à celle de sa sœur, Leïla courait, éperdue, au milieu de cette place hostile. Elle avait compris que rien ne pouvait arrêter ces détraqués. Elle se retournait sans cesse, craignant d'être rattrapée en détalant comme une possédée vers la boutique éclairée — là-bas, à l'autre bout. Les hommes se bousculaient sur leur passage avec des rires gras. L'un d'eux fit un croche-pied à Leïla qui s'étala à plat ventre sur le macadam, entraînant Bahia dans sa chute. Leïla se releva aussitôt et eut le temps d'apercevoir une tête ricanante à qui le vice donnait un masque de loup. L'homme avait peut-être sa femme et ses filles, voilées, en sécurité au milieu de l'uniformité des femmes. Il était peut-être un père de famille normal. Normaux ou dévastés par leurs frustrations sexuelles, Leïla savait qu'elle ne pouvait attendre aucune aide de ces hommes qui se réjouissaient de la scène en espérant sans doute la voir culminer en lynchage. Ils donneraient même un petit coup de pouce pour un tel dénouement, comme venait de le faire l'un d'entre eux en tentant de les arrêter. L'instinct de survie propulsa de nouveau les adolescentes dans une fuite effrénée. Elles essayaient d'éviter les mains, les pieds, les projectiles de toutes sortes qui pleuvaient. Elles n'avaient pas le temps de rendre les coups. Pas le temps de crier quand des pierres les atteignaient. Le carré de vitrine éclairé n'était plus qu'à quelques mètres. Elles n'étaient plus que peurs et souffrances tendues à se rompre, vers cette lumière.

— Leïla, Leïla vite, vite ici !

Ghani, le photographe, les avait reconnues. Dès qu'elles franchirent le seuil de son magasin, il baissa le rideau de fer aussi vite qu'il le put. Sa vitrine avait déjà volé en éclats sous les jets de pierres. Du fond du magasin, Leïla eut le temps d'observer, pendant quelques brèves secondes, la foule désarçonnée par l'attitude de Ghani. Un cauchemar fait de visages masculins tordus par des hurlements.

Le rideau de fer se gondolait sous les coups. Accroché à son téléphone, Ghani était en communication avec le commissariat. Mais déjà leur parvenait, à travers l'hystérie qui régnait devant le magasin, le son de sirènes qui approchaient. Leïla chercha les yeux de Bahia. Collée au mur, une bosse énorme déformant son front, le teint gris et les yeux agrandis par l'effroi, sa sœur tremblait de tous ses membres. Leïla l'entoura de ses bras, lui caressa la tête. Bahia se serra contre elle et tout son corps fut secoué de sanglots sans larmes qui faisaient mal à entendre et qui accrurent la douleur de Leïla.

Ghani, lui-même terrorisé, essaya de savoir ce qui

s'était passé. Mais les filles étaient incapables de prononcer un mot. Le hurlement des sirènes et le recul
du tohu-bohu leur annoncèrent l'arrivée des policiers.
Protégeant le rideau de fer complètement déformé et
bosselé, ils discutèrent au travers, avec Ghani. Les adolescentes comprirent qu'ils attendaient du renfort pour
« intervenir en toute sécurité ».

Quelques minutes plus tard, d'autres sirènes s'appro-
chèrent puis se turent. Au bout de quelques secondes,
les policiers demandèrent à Ghani d'ouvrir. Il eut du
mal et les policiers durent l'aider à soulever de moitié
le rideau tout tordu. Trois ou quatre agents pénétrèrent
dans le magasin.

— Qu'avez-vous fait ?

— On n'a rien fait !

— Rien, rien ! et tous ces hommes furieux, il doit
bien s'être passé quelque chose !

A ce moment-là, entra le policier qui avait essayé de
les défendre.

— J'ai tout vu, dit-il, laissez-les tranquilles. Je vais
vous expliquer.

Il tremblait de rage. Son visage et ses bras étaient
couverts de blessures. Il raconta la scène et l'émeute en
marchant de long en large, donnant parfois des coups
de poing dans le mur ponctués par :

— Ce sont des sauvages ! Nous sommes encore des
sauvages ! Des dizaines d'hommes voulant lapider deux
gamines dont tout le tort était de refuser de se laisser
pincer les fesses ! Beau pays ! Belles mœurs ! Belle
façon de se remémorer le déclenchement de la révolution algérienne ! Elle reste à faire la Révolution, la
vraie !

Les autres l'écoutaient dans un silence maussade.
Puis l'un d'eux dit d'un ton bourru, en s'adressant à
Leïla :

— Pourquoi n'es-tu pas voilée ?

— Je ne porte jamais le voile ! Ma sœur non plus.

— Si tu l'avais porté, rien de tout ça ne serait arrivé !

— Je ne le porterai jamais !

Le policier lui décocha un regard rogue.

Encadrées par les quatre agents, Bahia et Leïla quittèrent la boutique et découvrirent le dispositif de choc qui avait permis qu'on les sortît de là. Un cordon de policiers de part et d'autre du magasin et jusqu'au fourgon garé au bout du trottoir. Bahia et Leïla s'engouffrèrent dans le véhicule suivies de l'agent qui avait témoigné en leur faveur. Les tentatives de réconfort que ce dernier essaya d'apporter aux adolescentes durant le trajet restèrent sans effet, tant il était lui-même bouleversé. Leïla et Bahia, muettes, hébétées, le corps endolori, ne réalisaient pas encore ce qui leur était arrivé. Ce qu'elles avaient frôlé.

Au commissariat, assis derrière un bureau jonché de papiers, un homme replet aux longues bacchantes encadrant un triple menton, les considéra de haut :

— Alors, vous deux, qu'avez-vous fait ?

Leïla retrouva la parole et lui narra, en quelques mots, toute l'histoire.

— Il semble que ce soit vrai, commissaire, dit l'un des policiers. Mahmoud était là. Il a essayé d'intervenir, mais il s'est fait esquinter :

Le commissaire se leva et vint vers elles :

— Et ça, comment c'est arrivé ?

Il désignait les blessures des genoux et coudes sur lesquelles le sang avait coagulé, la grosse bosse sur le front de Bahia... Leïla haussa les épaules. Elle n'avait plus qu'une envie : partir, rentrer à Kénadsa. Le policier Mahmoud entra et compléta son récit :

— Je n'arrive pas à croire que vous n'avez rien fait !

Excédée, Leïla explosa :

— J'ai giflé un voyou qui m'avait pincée. Et si vous croyez qu'après avoir subi ces désaxés, je vais encore supporter vos soupçons et vos sarcasmes, vous vous trompez ! Je veux qu'on appelle, tout de suite, mes parents. Je veux rentrer chez moi. Je ne veux plus voir personne !

Pendant quelques secondes, monsieur le commissaire parut hésiter entre colère et mépris. Il opta pour le mépris et, se tournant vers le policier, dit ·

— Leurs parents sont là, qu'ils les prennent ! Les effrontées qui veulent à elles seules changer le monde n'ont que ce qu'elles méritent !

Tayeb et Khellil étaient là. Ils avaient assisté, impuissants, à la scène. L'air désespéré, Khellil enlaça Leïla :

— Dire que tu n'avais même pas envie de sortir et que nous t'y avons forcée...

— Je veux rentrer à Kénadsa.

Tayeb semblait anéanti :

— Demain matin, à la première heure, balbutia-t-il.

— Je veux rentrer maintenant !

— Mais ma fille, il est bientôt deux heures du matin...

Il ne finit pas sa phrase. Il les regarda, toutes les deux, et ses yeux se remplirent de larmes. Il les prit chacune par un bras et, se retournant pour leur cacher son visage, il les dirigea vers la voiture.

— Allons-y. On va juste passer chez Saâdia pour rassurer les femmes. Je reviendrai les chercher demain.

Lorsque avait grandi la clameur, la vision cauchemardesque des deux adolescentes traquées à travers la place avait glacé Tayeb et Khellil. Ils s'étaient élancés vers elles mais ne purent les atteindre dans la mêlée. Quand ils virent le rideau de fer de Ghani descendre derrière elles, ils coururent vers les femmes. Ils trouvèrent Saâdia au centre d'un cercle d'adolescents qu'elle

maintenait à distance en zébrant l'air de sa ceinture.
Khellil et Tayeb la libérèrent. Yamina et Mounia
s'étaient réfugiées derrière des arcades et pleuraient.
Laissant Khellil avec elles, Tayeb était allé chercher la
voiture et les avait conduites chez Saâdia.

Yamina et Zohra avaient refusé de passer la nuit à
Béchar. Saâdia avait gardé les enfants pour la plupart
déjà endormis. Durant le trajet vers Kénadsa, Zohra
garda un visage fermé. Des larmes baignaient les joues
de Yamina. Leïla aurait aimé pouvoir pleurer, elle
aussi. Pouvoir crier, cracher sa répulsion de ces barbares. Curieuse, cette sensation où se mêlaient une
extrême tension et le sentiment de quelque chose de
déjà rompu. Sur cette route droite qui se perdait dans
la nuit, au bout des phares, Leïla sentait que ses dernières espérances en ce pays venaient de se disloquer.
Ce qu'elle avait enduré en cette nuit, supposée fêter le
symbole de la libération, lui parut soudain symptoma-
tique des menaces à venir. Et cette intuition du désastre
était une détresse supplémentaire. Le sentiment de solitude, éprouvé auparavant, n'était rien comparé à
l'abîme qui, ce soir-là, s'était creusé en elle et autour
d'elle.
A peine étaient-ils arrivés à Kénadsa, qu'une tempête
de vent de sable roula sa rumeur au loin et se précipita
sur la maison. Sa tourmente emplissait les oreilles,
hantait les esprits. Echouée dans un coin, Leïla écoutait
la terrible lutte du sable et du vent. Corps à corps de
deux divinités de l'excès qui menaçait d'arracher les
volets, de briser les palmiers, d'emporter le toit. Le vent
dressait la dune comme une lame de fond, comme un
ouragan. Le sable submergeait la pleine lune, éteignait
les étoiles, enterrait le ciel. Pour Leïla, la furie des
sables était l'écho, la voix de sa tempête intérieure. Son

sang battait au rythme des hurlements du vent, plus
fort encore, plus dense de cris silencieux. La tempête
dehors, la tourmente dans son corps. Et la joute se fit
alors entre son corps et les deux éléments du vent. Le
fouet du sang la cinglait. Les bourrasques du vent éclataient. Ses veines brûlaient, menaçaient de mettre sa
chair en ébullition. Le sable, le sang du vent, fulminait,
griffait, déchirait la nuit.

Dehors, l'aube n'arrivait pas à percer à travers l'atmosphère opaque. Du sable sur terre, dans les airs et
dans les cieux. Leïla en avait dans les yeux, dans la
peau, dans les veines... jusque sur son cœur, le poids
des dunes. Lassitude aidant, la colère de Leïla finit par
s'épuiser dans le déchaînement hallucinant de la tourmente.

— Les salauds, les fumiers ! Il faut porter plainte
contre ces détraqués.

Le lendemain, Khellil écumait encore de rage. Porter
plainte, mais contre qui ? Qui étaient les six ou sept
jeunes qui avaient déclenché l'émeute ? Les filles ne les
connaissaient pas. Porter plainte contre la foule qui
avait failli les lyncher ? Contre les propos blessants de
certains policiers et de leur commissaire ?

Bahia, le front pansé, et roulée en position fœtale,
restait immobile. Seuls ses yeux, toujours dilatés par la
terreur, bougeaient, balayant avec une vitesse inquié-
tante les personnes présentes et les murs comme s'ils
craignaient de voir resurgir la foule terrifiante. Leïla,
incapable de tenir en place, marchait à travers la pièce,
de long en large, en boitant. Le médecin du village était
passé les voir à la demande de Khellil. Consterné par
cette histoire, il avait incisé un hématome, de la gros-
seur d'une mandarine, sur l'une des fesses de Leïla,
refait les pansements des genoux, des coudes... délivré
des certificats médicaux. Khellil et lui avaient discuté

de l'opportunité d'intenter une action en justice contre X. Yamina s'était lamentée : « Cela ne fera que les mettre davantage à l'index. Et nous avec... »

Saâdia arriva avec tous les enfants. Elle leur dit que des rumeurs circulaient depuis la veille. On racontait que les policiers avaient trouvé les filles Ajalli, celles qui étaient au lycée, complètement saoules et dans une attitude sans équivoque, dans un coin de la place avec des djounouds en permission. Emmenées au commissariat, l'examen gynécologique avait confirmé qu'elles n'étaient pas vierges.

Dimanche, le vent continua à souffler en tempête avec une violence tout à fait inhabituelle en cette période de l'année, faisant des dégâts considérables. « Qu'il devienne ouragan et détruise la ville ! Qu'il l'engloutisse sous l'erg, ou qu'il m'emporte loin d'ici ! » pensait Leïla. Elle ne bougeait même plus à présent. Elle avait mal au moindre mouvement. Sa fesse et sa cuisse droite n'étaient qu'une affreuse ecchymose.

Les hommes bleus surgirent de la tempête, comme un rêve fabuleux en ce jour tumultueux. Et, d'un pas léger et apaisé, ils foulèrent le reg, par les quintes des sables braisés. Miracle, ils vinrent chercher les dattes d'octobre que Zohra gardait pour eux. Oracle offert par le vent à deux enfants de la dune, blessées. L'amble lancinant des chameaux dans la tourmente, la danse des longues abayas indigo effaçaient le noir du désespoir.

— Hanna, hanna, je veux partir avec eux, cette fois, maintenant !

— Tu voulais être tabib... Tu es seule et loin à présent. Tu ne peux t'arrêter en chemin. Gare aux pièges et aux égarements ! Une marche ne vaut que par l'arrivée. Tu as des tâches à achever. Nous partirons avec eux, sur la ligne bleue de la tranquillité, quand tu t'en seras acquittée.

Chameaux baraqués, tentes restées pliées, tous s'engouffrèrent dans la maison pour s'abriter du vent.

— Je veux partir avec eux, hanna. Je ne peux vivre ici.

— Non, kebdi, non. Attends de pouvoir leur donner de la médecine... La mort les guette plus que les hommes immobiles. Quand tu auras achevé ton périple solitaire, tu pourras guérir leurs maux, ils t'enseigneront leur connaissance du désert. Ils soigneront tes inquiétudes, pas à pas, hors des turpitudes.

Puis, se tournant vers les hommes bleus, la femme aux tatouages sombres leur apprit le drame de la veille. Ils hochèrent tristement la tête et dirent :

— Les hommes des villes deviennent fous. Ils n'ont jamais été libres. L'indépendance les déséquilibre.

— Un jour ma petite-fille sera tabib. Alors nous vous rejoindrons toutes les deux. Mais la mienne de route s'est tant abîmée depuis que mes pieds ne l'entretiennent plus ; depuis que mes contes la fouillent et la creusent à la recherche de jours ensevelis... Aussi, promettez mes amis, d'être là pour accueillir kebdi, pour lui redonner foi en ses aïeux, si par hasard je n'étais plus.

— Tes paroles sont une bénédiction pour nous, cheikha. Nous lui fabriquerons un palanquin de reine. Nous reviendrons vous chercher, toutes les deux, assura Tani, le plus âgé des hommes.

Zohra se tourna vers sa petite-fille :

— Toi et moi sur la même route, tes livres à mes contes mêlés. Sinon toi et tes livres avec eux et moi marchant dans tes contes avec Ahmed le Sage et Bouhaloufa...

Dehors, la rumeur du vent eut soudain des trilles d'une multitude de youyous : envol d'oiseaux migrateurs ouvrant des trouées au firmament dans la colère des cieux.

CHAPITRE XIV

C'était un jour où les palmiers, lavés de leur poussière grâce aux averses éclairs vite bousculées par un soleil éclatant, devenaient d'un vert brillant, presque phosphorescent. Pour fêter cette grâce du ciel, pour fêter la pluie, ils avaient sorti leurs fruits, minuscules perles de jade en grappes, au bout de longues tiges dorées. Parade des cieux. Alors que le soleil, sans rien perdre de sa morgue, se faisait caressant. Quelle supercherie ! Alors que la dune troquait la robe des lumières de cendre contre un velours orangé et que la constellation de ses rochers jetait des éclats aveuglants. Ultime coquetterie. Alors que la terre se surpassait et, en trois jours, piquait çà et là, sur des touffes auparavant calcinées, un peu de vert, une touche de blanc, un soupçon de jaune. Couleurs miraculées. Alors que l'air se saturait des parfums des rares herbes en fleurs. Filles d'une pluie. Alors qu'en une concorde inhabituelle, la terre, l'air, le palmier et la dune avaient décidé, une fois n'est pas coutume, de s'offrir un petit printemps. Plaisir interdit. Alors que la nature faisait la fête, Zohra s'éteignit sans bruit. Sa main gauche dans celles de Leïla, tremblantes. La droite, dans celles du fils, suppliantes, elle les regarda gravement. Puis, elle ferma les yeux avec une lassitude tranquille. La dernière nomade venait de s'en aller.

La veille au soir, un samedi, elle avait paru fatiguée. Elle les avait quittés en disant :

— Je vais m'allonger. Je ne mange pas ce soir.

Le lendemain à l'aube, elle appela sa belle-fille :

— Yamina, lève-toi, ma fille, et viens. Assieds-toi là. J'ai souvent eu des mots trop durs pour toi. La vie a le don de rendre parfois arrogants même ceux qui la passent à essayer de tendre vers la tolérance. Je voudrais que tu pardonnes mes torts et mes excès.

Le pardon obtenu sans réserve, Zohra ajouta :

— Je vais mourir. Peut-être ne passerai-je pas cette journée qui commence. Je n'ai d'autre trésor que la trentaine de louis d'or cachés dans ma ceinture en laine. Une moitié revient à Leïla. L'autre sera pour ma fille Fatna. Toi, je te donne ma bénédiction, un capital du poids de ma considération. Qu'on téléphone à Khellil, qu'il se dépêche de venir, j'ai si peur qu'il n'arrive trop tard. Si c'était le cas, dis-lui que je le bénis aussi. Maintenant, réveille Leïla et Tayeb. Je veux qu'ils soient là pour m'aider à partir.

Zohra se tut. Quand Leïla accourut, elle ne parlait plus. Leïla eut juste le temps de recueillir une pression de ses doigts, un éclair de son regard. Puis, comme si le dernier souffle de Zohra n'attendait que cela, il s'arrêta. Oh ! le remords de s'être laissée emporter loin d'elle, depuis des mois, par les révoltes de l'adolescence. Ce jour-là, à la vue du frêle corps, qui de sa vie n'avait eu pour fard et bijoux que ses tatouages, et qu'on cachait définitivement dans un linceul, Leïla prit la mesure de ce qu'elle perdait. Celle qui, la première, avait sensibilisé son ouïe à la sonorité des mots. Qui l'avait rendue attentive à leur signification, à leur beauté et leur subtilité comme à leurs ambiguïtés et leurs dangers. Celle qui avait initié son imagination, lui avait appris à s'inventer des mondes pour couvrir la peur des étendues du désert. Qui avait forgé sa capacité aux rêves et enchanté ceux de son enfance. La seule qui ait jamais consolé ses peines. Et qui pour héritage lui laissait bien plus que des louis d'or, un peu de sa mémoire de nomade en exil dans l'immobilité sédentaire.

Telle une somnambule, Leïla brava l'interdit pour suivre son cercueil. Les femmes n'allaient jamais aux enterrements. Sauf couchées sur des planches. Mais il fallait que la douleur s'accomplisse jusqu'au bout. Jusqu'au trou qui allait se refermer sur une femme d'espaces et de marches.

Les jours suivants, Leïla allait s'asseoir au pied de la tombe délimitée par deux pierres de la Barga et parlait en pleurant au petit tas de sable qui la formait. L'épuisement finissait par la rabattre vers la maison, sans consolation. Plusieurs semaines durant à fixer la même pierre, les mêmes plissements du sol : la tombe, les tombes, et plus loin d'autres encore, les maisons en terre du ksar, cimetière pour vivants.

Puis, un matin, changeant de place, Leïla choisit de faire face à la pierre opposée. La Barga était là qui envahissait la vue et offrait son giron aux tombes qui grimpaient s'y réfugier. Elle les recouvrait d'une couche de sable comme pour les mettre sous son aile. Les prendre ensemble dans sa mansuétude, dans son éternité... Là-bas sur l'un de ses galbes, un pas, deux pas, une trace montait à l'assaut du sommet. Un pas, deux pas, n'était-ce pas Zohra qui avait enfin retrouvé ses chemins : « ... moi marchant dans tes contes, avec

Ahmed le Sage et Bouhaloufa... », Leïla se surprit à
sourire.

Les dattes avaient maintenant une couleur de miel
et leurs tiges ployaient sous le poids des grappes. La
terre dégrisée n'était plus en délire. Elle s'était déma-
quillée.

*
* *

Lycée, longue traversée de bûcher, des commérages
et anathèmes basés sur des mensonges. On n'attendait
même plus que Leïla eût le dos tourné pour la cribler
de mots-mitrailles. Lycée, cauchemar éveillé.

L'arabisation, l'islamisation serait un terme plus
exact, allait bon train. La décision gouvernementale
d'en accélérer le processus en la rendant totale dans
le primaire précipitait et aggravait le désastre. Amère
indépendance que celle qui livrait des fournées entières
d'enfants à des fascistes se servant du Coran, merveille
littéraire, pour tuer la langue arabe dès l'école primaire.
Car si les écoliers ânonnaient par cœur les versets du
Coran, ils méconnaissaient cette langue et bien d'autres
choses, car les dogmatiques veillaient à étouffer en eux
le moindre esprit critique. Ils leur avaient déjà mis des
œillères. Les plus grandes mosquées ne suffisaient plus
à ces barbares pour qui tout était pourriture qu'ils voulaient assainir. Ils ne disaient pas encore jihad[1]. Ils parlaient d'ijtihad, « effort sur soi », et ce prétendu travail
sur eux-mêmes consistait à contraindre les Algériens à
un « retour » à des sources qui n'étaient pas les leurs. A
adopter une interprétation de l'islam aux antipodes de
la croyance fétichiste et sereine des Maghrébins. A

---

1. *Jihad* : combat, lutte armée.

transformer les écoles, les rues et les maisons en « lieux respectables ». A réduire toute la vie à une prière sans fin. Pour toute la vie, des peuples de nouveau à genoux.

Dès la fin des années soixante, ils comptaient au lycée des cohortes d'adeptes qui les suivaient avec dévotion. Les autres derrière, hélas ! divisés et chahuteurs, se moquaient de ces troupeaux bêlants, contaminés par la propagande de leur guide. Parfois, des rixes opposaient hallucinés et persifleurs. Ces affrontements préfiguraient les ravages à venir.

Depuis deux ans, Leïla était maîtresse d'internat. L'université la plus proche était à Oran, à près de huit cents kilomètres de là. Et le manque de personnel qualifié dans la ville fit que les postes d'adjoint d'éducation de l'internat, qui ouvrait ses portes, étaient attribués aux élèves de première et de terminale. Là aussi, Leïla était la seule fille au milieu d'une dizaine de maîtres d'internat. Et, du jour au lendemain, elle se retrouvait avec un salaire plus élevé que celui de son père, les nombreuses allocations familiales exceptées. Cet argent, dont elle remettait à Tayeb la presque totalité, l'investissait d'une autorité et contribuait à faire tomber quelques autres interdictions. Ainsi Tayeb finit-il par se résigner à accepter qu'elle voyageât seule. Autre avantage, habiter au lycée lui épargnait les trajets quotidiens entre Kénadsa et Béchar et les remarques venimeuses qui les jalonnaient. Et Khellil put dès lors consacrer la totalité de ses revenus à ses enfants, à présent nombreux.

Leïla étudiait, travaillait et comptait avec ennui les printemps, c'est-à-dire les tempêtes de vent de sable. Il lui semblait que l'enfer du désert méritait cette colère.

Et comme elle aurait aimé qu'il l'effaçât complètement du monde !

Inscrite à l'Union Nationale des Femmes Algériennes, UNFA, Leïla n'y resta pas au-delà de la première réunion où elle se retrouva en butte à des femmes de la mentalité de sa mère, tenues en laisse par des hommes auprès desquels son père faisait figure de progressiste invétéré. Leïla comprit que la seule fonction de l'organisation était de tenir lieu de bras de transmission entre les organes du Parti et la masse des femmes cloîtrées à domicile. Aucune contestation, aucune impulsion favorable à une quelconque amélioration de la condition féminine ne pourraient venir de cette gente qui avait le verbiage et les rodomontades propres au Parti.

Deux ou trois jours avant la rentrée en terminale, le proviseur convoqua Leïla. Elle s'était tant habituée à ses sommations, ses sentences et ses accusations, qu'elles n'avaient guère plus d'effet sur elle.

— Leïla, nous vous faisons bénéficier d'un poste d'adjointe d'éducation depuis trois ans. Et l'on ne peut pas dire que vous vous montrez reconnaissante.

— J'essaie de faire correctement mon travail...

— Vous avez de l'autorité. Votre étude a toujours été l'une des mieux tenues. Vous aidez les élèves à faire leurs devoirs. Je sais ! Mais vous démolissez tous vos efforts par une conduite qui porte préjudice à la réputation de l'établissement. Combien de fois vais-je vous répéter qu'il faut que vous soyez un modèle, je veux dire un bon modèle pour les autres filles du lycée ? !

— Et qu'ai-je fait cette...

— Taisez-vous ! Epargnez-moi votre insolence ! Vous vous promenez partout en pantalon ! Pire encore, vous continuez à vous afficher avec des coopérants malgré tout ce que nous n'avons cessé de vous répéter les uns et les autres. Ce n'est plus tolérable !

Leïla essaya de riposter que ces coopérants étaient ses professeurs. Que l'Etat algérien les considérait assez dignes pour leur confier l'instruction et l'éducation de milliers d'élèves. Qu'elle ne voyait pas pourquoi, elle, elle aurait à rougir de leur fréquentation à l'extérieur. Qu'elle ne faisait rien qui pût être réprouvé par « la morale ». Que c'était le seul milieu où elle se sentait soutenue et où elle s'enrichissait l'esprit, loin des réactions de rejet, d'hostilité et des condamnations. Comme toujours, elle ne put achever son argumentation.

— Ce sont des gens capables et dignes de confiance. Là n'est pas le problème ! Mais vous montrer avec eux dehors signifie que vous adoptez leur mode de vie. Nous ne sommes pas obligés de continuer à tout accepter d'eux, en bloc. Vous, vous faites fi des règles de vie que nous impose l'islam, notre religion !

« Que nous impose la connerie ! », avait-elle envie de hurler. Mais elle savait quelles conséquences pouvait avoir pour elle une telle réplique. Elle prit encore une fois le parti de se taire, laissant à son interlocuteur le loisir de se défouler en la sermonnant.

L'atmosphère se dégradait dans l'établissement. Mesquineries, conflits de personnes... Le proviseur et le surveillant général d'internat, vendus aux intégristes, resserraient l'étau de la « surveillance des mœurs ». Heureusement, le censeur, un homme croyant et modéré, se joignait aux professeurs pour défendre Leïla. Cet internat qui avait été un havre dans lequel elle s'était réfugiée, se transformait à son tour en un enfer quotidien. « Garde ton sang-froid, ce n'est pas le moment de craquer. Tu n'as plus que quelques mois à vivre ici ! » l'exhortaient ses amis.

Depuis deux ans, Leïla s'était liée d'amitié avec l'un

des professeurs de sa sœur Bahia. Paul restait souvent déjeuner avec elle au lycée et l'encourageait. Il était jeune et beau. Ses cheveux avaient l'or des dattes de juillet, ses yeux la couleur des palmes après la pluie. Et cette affection masculine, plus forte que les autres, bouleversait de plus en plus profondément la sensibilité et la solitude de Leïla. Un amour était en train de naître dans ce climat d'intolérance. Conscients des dangers qu'ils pouvaient encourir, ils se disaient : plus tard, loin d'ici. Ils patientaient et se contentaient de déjeuner ensemble le midi, au lycée. De se voir parfois au centre culturel. Un jour, Paul annonça à Leïla :

— Tu sais, l'été dernier, j'avais demandé un poste d'assistant à la faculté des sciences d'Oran. Il m'est accordé à la condition que j'obtienne mon détachement de l'académie de Béchar. Je suis allé voir l'inspecteur, un homme charmant, il n'y est pas opposé. Il m'a seulement demandé de lui adresser une demande écrite en fin d'année scolaire. Je te suivrai là-bas. Tu verras, loin d'ici nous serons bien.

Au fil des jours et des mois, les choses se gâtaient. Leïla recevait au lycée des lettres obscènes, de menaces et d'insultes. Toutes anonymes. Elle soupçonnait un groupe virulent de l'internat d'y être pour quelque chose. Elle ne sut comment ils avaient appris que Paul avait obtenu un poste à la faculté d'Oran pour l'année suivante : Il veut la suivre, cela ne se passerait pas comme ça ! Ces médisances finirent par provoquer un tollé au sein du lycée. Un mois avant le bac, Paul fut convoqué par l'inspecteur d'académie qui lui signifia qu'il était suspendu de ses fonctions au lycée de Béchar. Leïla subit, dans le bureau du proviseur, une véritable crise de nerfs. On convoqua son père...

Leïla se sentait brisée par toutes ces injustices qui s'abattaient sur elle depuis si longtemps. Et son amour

se calcinait avant même d'avoir pu s'épanouir. Paul vint
lui dire au revoir :

— Me rejoindras-tu l'année prochaine en France ?

Elle ne savait pas. Elle était effondrée, sans volonté.
Ce premier amour, encore bourgeonnant, on le lui arrachait du cœur pour y semer de nouveau la détresse. Elle
l'embrassa sur les joues et se sauva. Elle alla se réfugier
auprès de Saâdia et lui raconta tout.

Saâdia la consola, lui fit du thé et lui parla tendre-
ment. Elle lui dit de bien réfléchir. Elle était trop jeune
pour partir en pays étranger. La vie en Occident ne
devait pas être simple pour une émigrée et « l'amour
est un grand nomade, il peut changer de chemin ». Elle
avait un but à atteindre, elle ne devait pas le perdre de
vue. L'essentiel était qu'elle finisse ses études. Qu'elle
parvienne à une situation qui l'imposerait à toutes les
sociétés quelles qu'elles soient, ici ou ailleurs. Alors,
seulement, elle serait libre de partir où elle voudrait,
d'aimer qui elle voudrait. Et « l'amour est comme les
nomades, il ne reconnaît aucune frontière ». Le chemin, la marche... La voix de Saâdia se fondait dans celle
de l'aïeule. « Tu es trop loin. Il te faut achever ton par-
cours solitaire. Une marche ne vaut que par l'arrivée... »
La soudaine prononciation du nom de Vergne inter-
rompit l'évocation de Zohra.

— Si j'avais eu ton instruction, je serais peut-être
partie avec lui. Mais je suis analphabète. Ici, j'étais son
orgueil. Je ne voulais pas être sa honte, là-bas.

Malgré toutes les suppositions, Saâdia n'avait jamais
rien avoué de ses relations avec Vergne. Seules Estelle
et Zohra connaissaient la réalité. Leïla était bouleversée
par ces révélations. Elle se rappelait le regard douloureux de sa tante pendant longtemps. Il ne l'était plus.
Mais ces années avaient marqué les commissures de ses
lèvres d'une ride amère. Saâdia se leva. Elle alla dans sa

chambre et revint avec une mallette fermée à clef. Elle la posa devant sa nièce et l'ouvrit. Combien y avait-il là de lettres soigneusement rangées en paquets ? Toutes venaient de France et étaient encore cachetées. La jeune fille fixa sa tante avec des yeux ahuris.

— Ce sont ses lettres. Je les reçois et les range là. Je n'en ai ouvert aucune. Je préfère ne pas savoir pour moins souffrir, pour trouver l'oubli. Moi, je ne lui ai envoyé qu'une seule lettre. Je lui demandais de ne jamais essayer de me revoir, au nom de notre amour et de tout ce qui nous liait. Ma hantise pendant longtemps était de le voir revenir. Maintenant, j'ai enfin retrouvé la paix.

— Vraiment tu n'as jamais eu envie de savoir ce qu'il te disait ?

— Je devinais ce qu'il pouvait me dire. Je préférais ne pas y penser. Si je lisais moi-même, je n'aurais sans doute pas pu résister. Tu vois, le manque d'instruction, qui avait fait mon malheur, m'a aidée à tenir.

La jeune fille regardait les lettres en rêvant aux mots venus buter contre la sourde volonté de Saâdia. Blanches messagères enfermées dans un cercueil métallique avec leurs missives mort-nées.

Tayeb était écartelé. Les cancans l'atteignaient dans sa dignité. La détresse qu'il lisait parfois sur le visage de sa fille le laissait pantelant. Pour se réconforter, il se disait que, avec son intelligence et sa ténacité, sa fille aurait un jour un poste important, très important. Ce serait sa vengeance à lui sur toutes ces rumeurs qui « ternissaient son honneur » et qu'il essayait d'occulter.

Bac, feuilles rendues blanches. Amnésie du présent. Désir du futur perdu. Vide de l'absence dans la tête. Indifférence au cœur. Bac, examen sans trac, examen de tous les échecs. La violence de la douleur et de la colère anesthésiaient et paralysaient Leïla.

L'année suivante, c'est avec dérision qu'elle recueillit le petit bout de papier délivré à l'obtention du bac. Elle ne se faisait plus d'illusions. Ce diplôme-là n'était qu'un leurre. Un laissez-passer pour nulle part. L'horizon lui semblait bouché.

Leïla les vit arriver de très loin, les hommes bleus. N'était-ce pas seulement un éclair de sa mémoire ? De la parole de Zohra qui hantait la ligne bleue où se perdaient les yeux ? L'absence de l'aïeule la brûla davantage. Quand ils atteignirent Dar el Barga, ils cherchèrent Zohra. Elle n'était plus là. Elle ne serait plus jamais là. Jamais ? Un mot qui saignait sur l'agonie du temps. Ils ne dirent rien, les hommes et femmes bleus. Ils dressèrent hâtivement leurs tentes. Puis, de leurs pas vifs, ils se dirigèrent vers le cimetière. Leïla courut à leur tête. Ils s'assirent, muets, autour de sa tombe. Leurs regards avaient l'intensité de celui de Zohra.

Le soir, ils mangèrent le couscous, tous ensemble. Puis, les hommes bleus dirent qu'ils voulaient prier pour la cheikha Zohra. Ils prièrent longtemps. Ils dirent aussi qu'ils ne repasseraient vraisemblablement pas par là avant longtemps. Si jusqu'alors ils avaient fait ce grand détour, c'était pour offrir leur marche à Zohra. Maintenant, elle voyageait avec eux. Leurs déplacements devenaient de nouveau périlleux. Divers gouvernements traquaient leurs troupeaux et prétendaient ériger des frontières dans « leur Désert ». Quelle absurdité ! L'Etat algérien, lui, imposait la scolarisation des enfants. « Nous, nous n'avons pas besoin de l'écriture. Si c'est une nécessité pour l'Etat, il n'a qu'à nous fournir des enseignants qui nomadisent avec nous ! »

— Viendras-tu pour la médecine et aussi pour l'école ? demanda cheikh Tani à Leïla.

La gorge nouée, elle se contenta d'acquiescer. Ils sourirent. Elle se perdit en pensées.

Les rejoindrait-elle un jour ? C'était là une utopie de Zohra. Maintenant, elle le savait. Leur mode de vie sacrifie toujours les aspirations de l'individu au profit de celles de la tribu. Elle finirait rejetée par eux aussi, comme Bouhaloufa bien avant elle. Zohra, elle, n'avait pas choisi de quitter ce monde. Elle n'en avait pas été bannie. Elle était tombée en exil dans l'immobilité sédentaire comme on succombe à une maladie. Pour survivre dans cette fatalité, elle s'était tissé des espoirs, mêlant son passé à l'avenir de sa petite-fille. Et si Zohra symbolisait la parole libre et la tolérance, Bouhaloufa et Saâdia qui, eux, s'étaient construit des vies divergentes et singulières, l'incarnaient au plus profond de leur chair. Leïla devrait trouver son chemin. Il serait solitaire. Elle le savait.

Ils se levèrent et, après un bref salem, reprirent leur route. Muette, les yeux douloureux, Leïla les regarda s'éloigner. Déjà les longs corps paraissaient irréels, une nébuleuse qui allait se fondre entre ciel et terre. Et, lorsque les bleues abayas disparaîtraient à l'horizon, finiraient aussi les dérobades de l'adolescence dans les mirages de leur indigo.

Qu'ils continuent donc à promulguer des lois et à dresser des barrières, les hommes immobiles ! Les hommes bleus sauraient toujours les contourner et passer par des chemins connus d'eux seuls. Leur complice, le vent de sable, effacerait rapidement leurs traces. Puis, loin du citadin, de ses chaînes et de ses rodomontades, il leur offrirait le regard céleste et la fleur du silence des terres nues.

*
* *

L'université ? Il y aurait tant à dire, hanna. Tant de jolis contes et de drames, et la virulence de l'endémie intégriste aux sévices toujours plus grands. L'université ? Une liberté déjà aux prises avec des menaces, et cernée par les pions des canailles du Parti. Une jeunesse ardente qui, à l'instar de ton exil, hanna, n'avait d'échappée que dans la parole surveillée et dans des espoirs incertains.

Mais au début du moins, Leïla y goûta un peu de répit. La paix, oui, seulement la paix, puisque la liberté semblait bannie de cette terre. Cette sérénité, elle la trouva dans les vastes étendues verdoyantes, sorte de no man's land isolant l'université des abords, des débords de la ville. Et l'éclosion à sa vue du vert alentour vint étancher son regard comme l'averse une terre brûlée. Il flottait, superbe nénuphar, sur les eaux de ses yeux, momentanément apaisés. Cette trêve inespérée, Leïla la savoura avec une avide volupté. Avec l'urgence et l'acuité des sens que donne le sentiment de précarité aux grands affamés.

Et sa vie, qu'elle croyait définitivement blindée d'indifférence et armée de dérision, se mit à frémir aux turbulences d'un sang nouveau, tout chaud. Aux remuements du désir. Et, comment se défendre de l'espoir, hanna, lorsque l'envie était si grande de s'y laisser aller, de s'y laisser prendre une fois encore. Un amour ? Hier, il était roumi, hanna, et l'on cria damnation et l'on brandit toutes les interdictions. Un amour ? Il était kabyle à présent mais rencontrait les mêmes condamnations et les mêmes abjections. Un Kabyle et une Arabe ? Ils dirent « impossible », hanna ! Une Arabe, de surcroît étudiante, autant dire la plus dévoyée des prostituées.

Un autre événement, une autre « planche de salut » à laquelle se raccrochait l'illusion : la révolution agraire. Leïla y militait, lui sacrifiait ses étés. Trompée par l'efficacité de l'action des étudiants en médecine sur le terrain : campagne de vaccination, lutte contre le trachome, le choléra... Leïla mit du temps à réaliser que ce mode de production, calqué sur les kolkhozes soviétiques, n'était pas du tout adapté à la paysannerie algérienne. Prise par l'ardeur des labeurs et l'enthousiasme que donne le sentiment du devoir accompli, elle regardait avec ferveur vers Boumediene, l'homme par qui viendront, peut-être, d'autres réformes.

Hélas ! ce fut sous Boumediene, aussi, que surgirent dans les années soixante-treize, soixante-quatorze, « les brigades des mœurs ». Policiers répondant tous aux mêmes critères : des malabars dont l'importance de la masse musculaire semblait s'être faite aux dépens des neurones. Des brutes tout en crocs et moustaches, investis d'une mission capitale pour l'édification du pays : celle d'arrêter toute fille en délit de mixité illégitime. L'intégrisme flambait et triomphait, en endossant l'uniforme qui lui seyait le plus, celui de la police.

Ils écumaient les villes et les campagnes environnantes traquant tous les couples non mariés. Embusqués aux alentours des cités, ils ne s'inquiétaient nullement du respect du code de la route mais exigeaient le livret de famille comme laissez-passer. Dans les rues, au sortir d'un cinéma ou d'un restaurant, et, même si rien dans leurs attitudes ne laissait penser qu'ils fussent amants ou amoureux, il était désormais fréquent que des étudiantes allant en ville avec des camarades se fassent arrêter par les policiers. Il y avait comme une impasse sur les chemins des femmes. Sur tous leurs chemins, hanna. Si elles se rendaient seules en ville, elles s'exposaient à des agressions. Si elles

étaient accompagnées par des camarades, elles se faisaient arrêter par la police. A l'évidence, leur unique
délit, c'était d'exister.

Dès que les hommes en uniforme apercevaient un
groupe mixte, ils l'interpellaient :

— Livrets de famille !

— Comment ça, livrets de famille ?

— Alors pièces d'identité si ces jeunes filles sont vos
sœurs.

Ils ne s'adressaient qu'aux garçons en jetant aux
filles, à la dérobée, des regards chargés de réprobation.

— Ce ne sont ni nos sœurs, ni nos femmes, mais des
amies !

— Ah, la belle amitié, masque du vice ! Allons, suivez-nous, à Château-Neuf.

— De quel droit et pourquoi ?

— Du droit de nettoyer la cité de ses pestilences !

— Mais que nous reprochez-vous ?

Le regard dédaigneux, ils crachaient toujours les
mêmes harangues :

— Les filles n'ont pas le droit d'être avec des garçons,
à moins que ce ne soit avec leur frère ou leur mari. Les
filles respectables restent chez elles. Suivez-nous !

En réalité, ils embarquaient les filles dans leur fourgon. Les garçons suivaient par solidarité. Une fois, deux
fois, trois fois... Hanna, combien de soirées gâchées et
qui s'achevaient dans un commissariat, dans l'affrontement et l'incompréhension. L'arrivée d'un fourgon, destiné à d'autres vexations, ou la bousculade dans les
couloirs d'hommes menottes aux poignets venaient
parfois les délivrer. Ils les relâchaient en disant :

— Gare à vous ! Si nous vous reprenons, nous vous
ficherons comme putes !

Ils reprirent Leïla bien souvent, hanna.

La révolution agraire était un échec. Pire, un désastre. L'amour était impossible, toutes les routes barrées, la paix à nouveau traquée. Et l'exclusion de toute une jeunesse des bancs des écoles, insuffisantes en nombre face à la poussée démographique, grossissait les rangs des intégristes. Les concierges s'érigeaient en indicateurs de police, et l'habitant veillait à ce qu'ils ne manquent point à cet insigne devoir. Si une personne vivant seule recevait des visites du sexe opposé, la brigade des mœurs était instantanément alertée. Celle-ci ne comptait plus ses « descentes » dans les appartements, hanna. C'était de nouveau le couvre-feu pour les femmes. Les haineux de Boumediene dépassaient en arrogance et en propos infamants les hommes de Bigeard. A présent, c'est la religion, hanna, qui était entachée car ils lui faisaient endosser une autre discrimination. Qu'était devenue el Houria, pour qu'aux assises de l'Etat, se promener ou aimer soit passible de poursuites ?

Un décret ministériel interdisait toute mixité dans les cités universitaires pour les années à venir. A présent, il fallait lutter sur des fronts, si nombreux hanna... Une bien triste année où, sous les coups de boutoir des fanatiques, la liberté était traquée jusque dans ses derniers sanctuaires, les facultés et cités universitaires.

A lutter toujours et partout, même pour les gestes les plus élémentaires du quotidien, à brûler tant de volonté et d'énergie pour le prosaïque, on s'épuisait. Aimer et rêver encore ? Leïla qui suffoquait ne le pouvait plus.

« Une marche ne vaut que par l'arrivée. » Une si longue marche ne pouvait aboutir à la prison. L'enfermement n'était pas une arrivée mais un obstacle à franchir. La route de Leïla se révélait plus longue et plus cahoteuse qu'elle ne se l'était imaginé. La liberté exi-

geait d'elle d'autres départs, d'autres ruptures, un isolement plus grand. Comme Bouhaloufa, avec seulement
ses quelques livres, il lui fallait partir, trouver l'oasis
de l'existence, le sanctuaire des espoirs. Mais avant de
partir, revoir encore une fois la dune. Revoir le berceau
des chemins impossibles. Revoir le vent de sable,
encore une fois. Encore une fois, l'orgie des sables dans
le vent, souffle du printemps des dunes. Elle ne détestait pas ce vent violent. Peut-être même l'aimait-elle. Il
portait en lui sa révolte. Il était l'amant de sa dune, le
complice des hommes qui marchent. Il soufflait en elle,
encore une fois, et la poussait vers d'autres horizons.

En montant dans l'avion à Oran, Leïla eut l'agréable
surprise d'y trouver Si Azzouz, le directeur de la
compagnie où travaillait son père. Son fils Halim avait
été l'un des plus fidèles camarades du lycée. Halim fut
le seul garçon que Tayeb autorisait à rendre visite à
Leïla au pied de la dune. Si un devoir quelconque tra-
cassait l'adolescent, il allait trouver Tayeb et lui disait :
— Si Tayeb, j'aimerais avoir l'avis de Leïla pour...
— Va mon fils, va !
Il n'était pas peu fier que sa fille à lui, l'ex-jardinier,
le gardien, au bas de l'échelle, puisse corriger les
devoirs du fils de son directeur. Et, sans doute nourris-
sait-il un secret espoir de les voir un jour mariés.
Après le bac, Halim était allé à l'université d'Alger et
Leïla l'avait perdu de vue. Azzouz se montra très heureux de rencontrer la jeune fille.
— Alors, Leïla, ton père m'a dit que tu achèves bien-
tôt ta médecine ?
— Il me reste encore deux années d'internat.
— Oui, mais ces années-là, tu peux les passer n'importe où, n'est-ce pas ? Ecoute, tu es le premier enfant
du village, que dis-je, de la région, qui devient docteur !

Ce n'est pas rien. Le contrat du médecin coopérant qui est actuellement à Kénadsa se termine dans moins de deux mois. Nous serions tous heureux, ton père le premier, de te voir prendre la relève. Viens me voir demain au bureau, je te ferai un excellent contrat.

— Et Halim, Si Azzouz, comment va-t-il ?

— Très bien, merci. Il a fini et, depuis deux ans, il est aux Etats-Unis pour se perfectionner.

— Vous êtes dur avec moi, Si Azzouz, Halim vous l'envoyez aux Etats-Unis et moi, vous voulez que je revienne ici !

— Toi, tu es une fille, mon enfant, et ta famille, ton devoir et ton village t'appellent. Nous avons tous besoin de toi...

Elle n'avait averti personne de cette visite impromptue et profita de l'offre de Si Azzouz dont le chauffeur était là. Ils l'accompagnèrent chez ses parents qui avaient quitté la maison de la dune et habitaient au cœur du village. En entendant la voiture s'arrêter devant la maison, son père sortit, l'embrassa, puis resta à discuter avec Si Azzouz qui le mit au courant de la proposition qu'il venait de lui faire.

Leïla les abandonna et entra. Un moment après, son père la suivit le visage rayonnant :

— C'est merveilleux, Leïla ! C'est le poste le plus prestigieux ! Et nous t'aurons enfin un peu avec nous !

Il était si heureux qu'elle n'eut pas le courage de lui dire qu'elle partait. Comment pourrait-il comprendre ? Elle lui dit seulement que rien ne pressait pour le poste à Kénadsa, qu'elle voulait réfléchir.

Dans cette nouvelle maison, certes plus vaste et plus moderne, Leïla se sentait si loin de tout, si loin d'elle-même, étrangère. Sa mère que la nouvelle émoustillait, tourbillonnait autour d'elle en lui racontant les potins du village et lui reprochait sans cesse son mutisme. Que pouvait-elle lui dire ? Lui raconter sa vie, ses amours brisées, ses préoccupations l'auraient scandalisée et rendue malheureuse. Plus épais que jamais, le silence, plus infranchissable que jamais, la distance qui les séparait. Leïla en eut le vertige. Et pourtant, comme soudain elle se sentit proche de cette mère ! Proximité du départ. Proche et lointaine à la fois. Une douleur contre laquelle les mots ne pouvaient rien.

Leïla se leva. Elle était revenue pour la dune, pour la Barga. Revoir le berceau, y puiser le courage d'affronter l'exil. Elle quitta la maison et marcha vers elle.

Le jardin, depuis longtemps délaissé, était sec et brûlé. La terre s'était durcie. Le sable s'y était amoncelé par endroits. Il ne restait plus aucune trace des roseaux, morts, calcinés. Seules, persistaient encore les rigoles qui les arrosaient. Bientôt, elles finiraient par se combler et disparaître elles aussi. Le vent de sable y veillait. Quelques tamaris s'obstinaient dans une longue agonie. Nombre de leurs branches étaient déjà momifiées. Sa maison lui parut si petite, si triste, si abandonnée ! Son crépi jauni s'écaillait et tombait par pans entiers, mettant à nu les blessures du tob, sanglantes dans la lumière. Devant la porte d'entrée, une dune naissait. Le désert avait pris possession de son passé.

Sur les palmiers, les dattes renflées étaient brunes et lustrées. A leurs pieds, autour des troncs, gisaient et séchaient toutes celles qui, mûres et fondantes, tombaient. Il n'y avait plus de bouches d'enfants gourmandes qui les guettaient.

La dune ? Plus belle que jamais, plus plantureuse, dans une sérénité totale. Avec le regard mystique du pèlerin, Leïla admirait les flots mordorés. Où que la mèneraient ses pas, une importante part d'elle-même resterait là, lovée dans le silence et le moutonnement obsédant de l'erg. Leïla enfant et Zohra parlant, son chèche versé sur l'œil gauche et le regard lointain... Elle le savait.

Portalès, le chef d'atelier, leur vieil ami, était à la retraite. Les Ajalli recevaient, de temps à autre, une carte postale d'Alicante où il s'était retiré. L'atelier et les forges, fermés depuis trois ou quatre ans, tombaient en ruine. L'espace autour était jonché de ferrailles rouillées et de courroies mitées. Carcasses d'un temps révolu, sous lesquelles des colonies de scorpions jaunes et violets pullulaient.

Yamina dit à Leïla que Zohra, la fille de Meryeme, sa sœur de lait, lui rendait souvent visite... Un grand nombre d'années les séparaient elle et Leïla. — Elle aimerait tant te revoir !

Le lendemain matin, elles se rendirent toutes les deux au ksar. C'est là que Zohra habitait. Celle-ci avait déjà cinq enfants. Leïla ne l'aurait pas reconnue. Il ne restait plus de la belle enfant frêle et agile de son enfance que ses yeux magnifiques qu'elle avait noircis au khôl. L'empâtement l'avait toute remodelée, jusqu'aux traits du visage. Parmi les cinq bambins qui l'entouraient, une fillette, âgée de cinq ans, était la réincarnation de sa mère enfant. Leïla les regardait à tour de rôle, fascinée : Zohra à cinq ans et vingt ans plus tard. Son cœur se serra.

— Dis bonjour à tata Leïla. Tu sais, elle va bientôt venir à Kénadsa. Elle sera notre docteur à tous !

— Oui, bientôt ma fille va venir ici. Elle sera le tabib et habitera dans la grande maison blanche, la plus belle du village. Elle aura sa propre voiture et son métayer. Tu te rappelles, Zohra, comme Leïla nous harcelait parce que, dans notre jardin, il n'y avait que des légumes et jamais de fleurs. Parfois elle en pleurait, tapait du pied au sol et disait que nous étions des gens tristes. Que nous resterions toujours pauvres à cause de ce manque d'amour pour les fleurs !

Yamina éclata de rire et, rejointe dans son souvenir par celui de Zohra, elle se rengorgea et reprit :

— Des fleurs ! C'était un luxe que nous ne pouvions nous permettre. Elle, maintenant, peut se payer ce qu'elle veut. Elle peut même s'offrir cet inutile qui n'est là que pour les yeux. Dans son jardin, il y aura quelques tomates, un peu de légumes, de menthe, de coriandre. Tout le reste du grand jardin de ma fille sera couvert de fleurs. Oh là là, ce qu'il faudra arroser ! Moi, je commence à être un peu plus libre maintenant. J'irai tous les jours lui préparer à manger. Je n'aimerais pas que quelqu'un d'autre le fasse à ma place et je sais qu'elle aime tant rester seule. Elle ne viendra pas manger avec nous à la maison. Pour le ménage, elle aura quelqu'un, comme pour le jardin. Avec tout le travail qu'elle aura... Son père, lui, dit que quand sa fille sera ici, il ira tous les jours s'asseoir sur le petit mur de l'hôpital. Il inclinera son grand chapeau rifain sur les yeux et, fier comme il n'est pas permis, il se dira : « Là-dedans, c'est ma fille qui est le chef ! » Les gens en passant lui diront : « Bonjour Si Tayeb, on vient voir ta fille, le docteur, pour ceci ou pour cela. » Lui, il hochera la tête et se réjouira en silence.

Elle s'arrêta un moment pour savourer son plaisir et reprendre haleine. Puis, fronçant les sourcils, elle reprit :

— Cependant, il y a quelque chose qui me tracasse. Qui va-t-elle pouvoir épouser, ma fille ? Dans ma tête, médecin, c'est au-dessus de tous les métiers ! Pourtant, il faut absolument que l'homme soit au-dessus de sa femme pour que le foyer ait un sens. La femme doit admirer son mari, sinon cela ne peut pas marcher !

Alors il lui faut un grand directeur ou un colonel de l'armée.

— Pitié, dit la jeune fille en riant, pas un militaire.

— En tout cas, reprit Yamina, nous ferons les choses en grand. Il y aura tout Béchar et tout Kénadsa, pendant des jours et des jours. Tes tantes et moi, nous ferons des monceaux de gâteaux, roulerons du couscous et mangerons du miel pour préparer nos gosiers aux youyous. Oui des youyous chauds, sucrés et joyeux ! J'ai trois grandes malles pleines de robes pour le mariage.

Voilà, c'était le dernier rêve de ses parents. Un rêve que, peu de mois après, ils iront, amers, ensevelir dans le sable de la Barga. Sa vie durant, sa mère s'était privée, n'avait jamais porté de belle étoffe, préférant la garder pour les noces de ses filles. Elle conservera ses malles pleines comme une preuve irréfutable de la trahison faite à toute une vie de privation et d'attente.

Mais comment Leïla pouvait-elle dire à cette mère que sa marche devenait lourde de chaînes. Yamina, elle, avait porté les siennes depuis toujours, simplement, comme elle portait bracelets et kholkhales. Pas libre, sa fille qui avait atteint les sommets ! Alors ces mots non dits creusèrent le fond de sa poitrine, lourds et amers. Hanna, le poids des mots. Surtout les mots mort-nés.

*
* *

Des années, d'autres cieux, une autre terre. Et pendant tout ce temps la voix rocailleuse de Zohra martelait sa mémoire. Avec ses ressacs incessants de contes et d'histoires, avec des vagues de lumière, elle naufrageait le vaisseau de l'oubli :

« Attention à l'immobilité ! Prends garde à la glu des

longues haltes, fussent-elles seulement celles de la mémoire ! Raconte-moi... Raconte-moi l'erg cabré dans une paralysie d'éternité. Raconte-moi son poudroiement d'or sur tes paupières grisées. Raconte-moi les palmiers, pieds dans l'aridité et chèches bercés par les cieux, comme tes songes. Raconte-moi les appels silencieux de tes espoirs. Raconte-moi les vertiges de ta solitude tantôt sombre d'inquiétude, tantôt embrasée par ta volonté. Raconte-moi nos habitudes sans les condamner. Raconte-moi les regs perclus par les fournaises. Raconte-moi tes désillusions, sans remords. Raconte-moi la faux du silence. Raconte-moi les maux de la guerre pour conjurer tes cauchemars. Raconte-moi les youyous aux ailes fulgurantes ou amputées. Raconte-moi les youyous de l'oubli, et gare, oiseaux migrateurs ils ressurgissent toujours et le présent viennent tourmenter. Raconte-moi les youyous résignés aussi. Que ton amour les recueille déchus et brisés, que tes contes leur reconquièrent l'envol sidéral. Raconte-moi tes peurs pour les piétiner. Raconte-moi, avec joie, les volutes merveilleuses de nos veillées. Raconte-moi, kebdi, et marche, car les déserts sont des grands larges au bord desquels l'immobilité est une hérésie. »

Haletant sous l'emprise de cette obsédante incantation, Leïla s'arrêta. Elle prit sa plume. Raconter ? Raconter... Mais par où commencer ? Il y avait tant à dire ! Elle n'eut pas à chercher longtemps. Sa plume se mit à écrire avec fébrilité, comme sous la dictée de l'aïeule qui revivait en elle. Un souffle puissant dénoua ses entrailles et libéra enfin sa mémoire. Elle avait repris sa marche vers Bouhaloufa, vers l'aïeule Zohra, vers Saâdia, Emna, Ben Soussan, La Bernard, vers les phares qui balisèrent le rivage houleux de l'erg.

Achevé d'imprimer par GGP
en janvier 1998
pour le compte de France Loisirs, Paris

*Cet ouvrage a été imprimé
sur du papier sans bois et sans acide*

N° d'éditeur: 27347
Dépôt légal: février 1998

Imprimé en Allemagne